М. ВЕЛЛЕР

ЛЕГЕНДЫ АРБАТА

ИЗДАТЕЛЬСТВО
МОСКВА
2010

УДК 821.161.1
ББК 84 (2Рос=Рус)6
  В27

Подписано в печать 10.11.09. Формат 84x108 $^{1}/_{32}$.
Усл. печ. л. 16,8. Тираж 140 000 экз. (1-й завод — 100 000 экз.). Заказ № 4924459

Новая книга М. Веллера «Легенды Арбата» — сборник неве-
роятно смешных и головокружительных историй советского и
недавнего прошлого. Беспощадная правда и народная мифология
образуют блестящий сплав и гремучую смесь. По стилю и манере —
продолжение знаменитого национального бестселлера «Легенды
Невского проспекта».

УДК 821.161.1
ББК 84 (2Рос=Рус)6

ISBN 978-5-17-062228-3 (ООО «Издательство АСТ»)
ISBN 978-5-403-02192-0 (ООО Издательство «АСТ МОСКВА»)

В Москве есть все, кроме правды.

Власть, ветвистая, как баобаб, пронизывает и охватывает пространство, и в зубчатой тени красного забора причудливые силуэты вступают в дикие комбинации. Правда разбита камуфляжным узором и растворена в хитросплетениях вымысла, подслащая ядовитый столичный настой, которым смазаны богатства и карьеры.

Великий вождь оказывается сатрапом, заботливый хозяин придурком, стабильный лидер пнем, а царь и отец нации пьяницей или проходимцем. Здесь надо умереть, чтобы о тебе сказали правду. И то не факт.

Героев легенд просят не беспокоиться. Образ героя гуляет сам по себе. Слава не стесняется приличиями. В любой момент и по первому требованию сочинитель, гнусный пасквилянт, принимает обратно слова, предложения и абзацы. Взамен сокрушенно приносится равновесное количество извинений. Автор не отвечает за фольклор и не властен над мифом.

Каюсь, лаюсь, отрекаюсь. А она вертится. История корчит гримасы в кривом зеркале заднего вида. Если ты попал в историю — улыбайся: терпеть придется долго.

Истории неведома благодарность, но свойственно отмщение. Не присуща честность, но мил миф. В ней нет справедливости, но скрыт смысл.

По русской традиции читать между строк и разгадывать ребусы власти мы видим то, что нам не показывали, слышим то, чего не говорили, и знаем то, чего не происходило. Так частый бредень тащит из омута тину и мусор — ах, серебряные рыбки проблескивают и бьются в частых ячейках, они тоже попались!

Но что делать с шилом в мешке и с паром в свистке, и с тающими клочьями истории в столичном небе?

Москва — звонят колокола!

N

В СТОРОНУ
С.С.С.Р.

СЕВЕРО-ВОСТОК

ПОДВИГ РАЗВЕДЧИКА

Был в советское время анекдот: Брежнев решил инкогнито, а'ля Гарун аль-Рашид, прогуляться по Москве. Ознакомиться наощупь с жизнью вверенного народа. Бродит переодетый: не узнают. Даже обидно. Тут двое встречных переглядываются, быстро спорят о чем-то, один догоняет его и вежливо спрашивает: «Простите, пожалуйста, у вас такое знакомое лицо, вы не можете напомнить вашу фамилию — я ее прекрасно знаю, просто забыл?» Брежнев с удовольствием, стараясь говорить как можно разборчивее, чтоб не вышло «сосиськи сраные» вместо «социалистическое соревнование», называет фамилию. Человек разочарованно кивает и возвращается к напарнику: «Ну, я ж говорил, дерьмо какое-то... а ты — Банионис, Банионис!»

В семидесятом году литовский актер Банионис переживал свой звездный час. После роли Гордона Лонгсдейла в фильме «Мертвый сезон» он стал кумиром публики: обаятельный и непотопляемый советский разведчик, стальной кулак в замшевой перчатке и твидовом пальто, успешный английский бизнесмен и советский патриот. Грузнеющий, седеющий и шутливо добродушный поверх опасной умной жесткости — он выгодно контрастировал с бессмертным диверсантом Павлом Кадочниковым, инфернальным красавцем с ноздрями кокаиниста и голосом истерика. Кстати, по-русски Банионис говорил с акцентом, так в кино его дублировали.

Потом наступила перестройка, стали слегка приоткрывать некоторые не слишком секретные папки в архивах, и страна узнала, что настоящее имя сэра Гордона Лонгсдейла было Конон Молодый. Молодый на том деле сгорел, был, стало быть, отчасти рассекречен, и упоминать о нем уже было можно. В печати появилось несколько очерков. Из одного очерка можно было узнать, что Анатолию Аграновскому не дали опубликовать почти ничего об этом замечательном человеке: хотя легендарный старик-Аграновский реально находился в статусе члена ЦК и был широко известным анонимным автором супербестселлера Брежнева «Малая Земля». Из другого — что другой журналист, многолетний собкор «Известий» в Италии Леонид Колосов сам был разведчиком и учился когда-то в разведшколе вместе с Молодым, а журналистика была его крышей. К сожалению, по прошествии двадцати лет эти публикации забываются; а судьба Конона (*на этом месте дефект микропленки не позволяет восстановить текст*).

...в тридцатые годы его родители, советские инженеры-коммунисты, несколько лет работали в Германии. Он ходил в обычную немецкую школу и, естественно, к ее окончанию болтал по-немецки как родной. Они вернулись перед Великой Отечественной войной, и в сорок первом вчерашнего школьника с абсолютным немецким и просвеченной анкетой Молодого нормальным путем направили на разведкурсы НКВД. Куда еще с такими данными.

Скольки-то-летнего обучения в тот период, по понятным причинам, не практиковали: разведывательно-диверсионные группы НКВД, официально обозначаемые как партизанские отряды, кидались в немецкий тыл после пары месяцев поспешной и плотной подготовки: стрельба, подрывное дело, работа на ключе и основы конспирологии — пошел! И то он еще поболтался в резерве. И летом сорок второго их выбросили в районе Ровно, где разворачивалось соединение полковника Медведева. Знаменитый был партизанский край.

Десантировались, естественно, ночью. А всей парашютной подготовки было, по причине крайней спешки и нужды, четыре прыжка. Из них ночных — один, с предельно малых высот — один, на лесную местность — ни одного. Нормально. Война.

Они ухнули в свистящую тьму и тут же потеряли друг друга. А как снизу пахнуло теплом близкой земли (метров полста, примета верная, сдвигай ноги) — поздно он дернулся и надел купол на сосну. Ободрался сквозь ветви, стропореза нет... финка при рывке раскрывающегося парашюта вылетела из голенища. Ну, парень он был спортивный, компактного сложения гимнаста, но выпутываться из подвески, подтягиваться по стропам и слезать с дерева пришлось долго. Еще больше времени ушло, чтобы стянуть с ветвей парашют.

Парашют прикопал. Тем временем рассвело. Стал искать своих, заложил круг, куковал и посвистывал. Не нашел. Тоже нормально. Это предусматривалось.

Определился по карте туда-сюда, вещмешок и оружие схоронил в зарослях и затеску сделал. Туда же и сапоги (на всякий случай). И в невинном крестьянском прикиде двинулся в том направлении, где по его понятию предполагалась точка встречи парашютистов партизанами.

Солнышко над деревьями взошло, птички поют, там и лесная тропка обнаружилась, вьется и подошвы колет. Тропка вывела на проселок, проселок выскочил из леса и рассек луга... жрать захотелось. После приземления он, естественно, не ел — какой тут аппетит; все в мешке и осталось.

И тут слышится за взгорком навстречу тарахтенье мотоцикла. В лесу бы спрятался — а здесь куда? Бежать, лечь?.. если заметят — догонят — хуже будет. Сжался и идет. Легенда в голове запустилась, как треснутая пластинка.

Выкатывает из-за поворота «цундап» с коляской, на нем двое немцев с бляхами на груди: фельджандармерия. Тормозят, подзывают:

— Иван, ком цу мир!

Один руку с газа не убирает, другой винтовку из-за плеча наизготовку перетаскивает — страхует: год война продолжается, научились.

Он подходит покорно на бедных ножках, и за пять шагов брызгает сиротской слезой, как лейка, что при таком мандраже в перспективе винтовочного прицела нисколечко не трудно, тьфу на вашего ненужного Станиславского. И прерываясь всхлипами и шморгами, растапливает каменные сердца балладой про тато, сгинувшего на фронте, мать, угнанную в эвакуацию с колхозным стадом, и старую обезножевшую тетку, к которой он идет вскопать огород и покушать лепешку из лебеды. Немцы фильтруют чуждые звуки — смотрят без понимания:

— Аусвайс?

— Йа-йа, аусвайс! — и лезет во внутренний карман обтерханной телогреечки готово.

А внешний вид безупречный: славянский подросток, стоящий на лестнице эволюции на следующей ступени после турнепса. Рубашонка ситцевая, штаники залатанные, из обкорнанных волосок лесной мусор торчит. Рожа добрая, плосковатая и тупая. И аусвайс. Да... Где аусвайс?.. Во внутреннем кармане нет, и в боковых нет... черт, сука, господи!!! и в потайном с изнанки штанов нет... и за пазухой... Потерял???!!!

Обшаривает себя, охлопывает и трясется крупно. Нет... нету. Потерял, значит, во время этих своих тарзаньих прыжков по деревьям.

Он все белеет, и свежие царапины на его лице и руках все отчетливей. И немцы к ним присматриваются, и в воздухе возникает напряжение. Интересуются происхождением царапин, и жестикуляция у них, как на стрельбище. Он сбивается про падение с сарая, они скалятся без понятия и глумятся насчет борьбы русских с медведем.

— Партизан? — догадываются немцы в подтверждение его ужаса.

То есть — влип. По запрещенной статистике, тайком передаваемой изустно, половину групп берут в первые двенадцать часов после приземления. И вероятно, немцы их засекли и сейчас по одному вылавливают.

— Найн! — рыдает он. — Нихт партизан! Камараден!

Обыскивают его брезгливо, дают прикладом по почкам, кидают в коляску и везут. И он болтается на ухабах и пытается вспомнить, о чем говорили на занятиях «Тактика поведения на допросах в полиции и гестапо». А сам как снегом внутри набит — холодное оцепенение и ни одной мысли.

И привозят в село. Въезжают во двор. Во дворе курят жандармы, приветствуют. Типа райотдела милиции. И обмениваются замечаниями, на хрена они этого щенка привезли, будто нельзя было решить вопрос на месте. Немецкий он знает, и от этого знания ему вообще плохо становится.

Пинком и тычком его заправляют в дверь и докладывают, что вот, в заданном квадрате задержали подозрительного без документов. Объяснить толком не может. И выходят.

Никогда не бывает так плохо, чтоб не могло стать еще хуже. Потому что за столом сидит офицер. Это не офицер. Это агитплакат «Рыцари СС», или «Палачи СС», с какой стороны взглянуть. Выкован гитлерюгендом и отшлифован командной кастой. Форма с иголочки, фуражка с высокой тульей выгнута, белесые волоски подстрижены аккуратно, и замшевая перчатка на левой руке. А правой рукой что-то пишет.

Дописывает до точки, откладывает ручку и смотрит на него — холодными, голубыми, льдистыми арийскими глазами смотрит. И выражение в тех глазах пустое и безжалостное. Будто на муху случайную внимание обратил. И как насквозь светит и пронзает этим своим всевидящим взглядом. И сразу становится понятно, что никакие наивные легенды здесь не проканают. Как на стекле его этот офицер видит. Такой за сто шагов нюхом чует добычу... Настоящий контрразведчик и палач.

Что называется — прощай родина. Стоит он, кролик перед удавом, и губами беззвучно шевелит — нет звука, не включается.

Удовлетворившись просмотром и утвердившись во мнении, офицер подзывает его вялым жестом и двумя пальцами поворачивает за подбородок. Больно щиплет в прореху штанов:

— Парашютист? Дерево? Цап-цап?

— Господин офицер! я упал! сарай! кусты! там! там! клянусь!

— Партизан?

И тогда из него наперегонки рушатся застрявшие слова вперемешку с соплями, слезами и судорожным иканьем: про сгинувшего отца, угнанную мать, сироту-тетю и аусвайс, который еще утром был вот в этом кармане, но он косил серпом крапиву...

Не слушая, офицер протяжно зевает и прерывает его пренебрежительным жестом, резюмируя результаты допроса:

— Партизан.

Встает и отстегивает клапан помещенной слева от ременной пряжки кобуры.

Последний воздух, дух небесный покидает легкие с беззвучным писком:

— Нихт шиссен, херр офицер... — и, конечно, плывущая в обморок жертва не отдает себе отчета, что при минимальном слухе интонации писка звучат так, как говорят только в Гамбурге и Киле.

Офицер дергает чуть заметно углом узкогубого рта, а дальше следует провал чувств... какая-то механическая сила поднимает за шиворот, душа воротником... Стук и колокол в голове — это его лбом с треском вышибли дверь.

Его устанавливают на крыльце, как шаткое полено... придерживают... А затем возникает странное состояние невесомости, крепко подпертое сзади — словно полет на пушечном ядре! Это... все?!. это и есть смерть?.. Еще нет. Это его здорове-еннейшим пенделем в зад запустили в воздух — и он летит по дуге в положении на четвереньках. И в этом положении пропахивает носом землю в зарослях крапивы.

Мир возвращается в звуках и оглушительно пульсирует. Это жандармы во дворе хохочут и аплодируют.

А офицер, цепко фиксируя его расплывчатый взор, подчеркнуто медленно раскрывает кобуру и тянет обшарпанный рабочий парабеллум. И, показывая ему стволом повернуться спиной, назидательно поясняет:

— Пу-пу!

Он послушно поворачивается. Ему уже все равно. Полная блокада эмоций. Равнодушие за чертой. Ничто не имеет значения.

За спиной щелкает затвор.

— Пу-пу!

Он покачивается, спотыкается на месте и падает.

— А-га-га-ха-ха! — немцы просто лопаются и подыхают от хохота. Работа их такова, что сцена представляется вполне и чудно комичной.

Ствол у офицера в кобуре. Отставив большой палец и вытянув указательный на манер пистолета, он грозит вставшему на четвереньки пленному. Так пугают детей.

— Ваньюшка! — металлическим голосом лает офицер. — Бежать! Шнель!

Чьи-то руки вздергивают его и толкают в распахнутые ворота. И он медленно бежит по инерции, качаясь и не понимая своих движений.

А сзади:

— Партизан капут!

У него материализуется большая нежная спина, а в ней позвоночник, сердце, легкие и почки.

— Партизан — пу-пу!

И тут грохает выстрел.

Наш на секунду замирает, собирая отчет в своих ощущениях. Потом с невероятной силой подпрыгивает и бросается бежать с бешеной заячьей скоростью, пригнувшись и уклоняясь резкими зигзагами, как вдалбливали на занятиях.

Далекий немецкий смех гонит его, как парус.

Солдаты сгибаются пополам и машут руками. Стрелявший в небо офицер застегивает кобуру. Много ли на войне развлечений. Казарменный юмор приводит в ужас гуманистов. Бытие и небытие определяют сознание.

«Пу-пу!!!» — грохочет в ушах.

А оглянуться страшно. Стрекочет и взбивает пыль и стерню.

Ну что. Замученные войной солдаты устроили себе маленькое мимолетное развлечение, невинное, в общем. Фашисты.

И он во весь дух, не помня себя и строча ногами чаще швейной машинки, добежал до леса и, на крыльях неизбытого ужаса, как написали бы в романе прежних лет, или в сжигании экстремального выброса адреналина, как предпочли бы написать сейчас, несся еще километра три через лес, задыхаясь и ломясь сквозь заросли, пока не свалился у какого-то ручейка...

...Потом он дышал. Хрипел, свистел, захлебывался и пускал пузыри. Когда перестал трястись, хлынули потоком неконтролируемые бесшумные слезы. Слезы ласкали лицо, и он уплыл в сладкий и мертвый сон. Физиология, стресс.

Проснувшись, долго пил, окуная горячее лицо в прозрачную коричневую воду протоки, стирал мокрые штаны, обмыл изодранные стерней и сбитые дорогой ступни и перемотал оторванными рукавами.

Четыре дня он блуждал, питаясь ягодами. Пока не вышел, наконец, в район медведевского соединения. Где ему хватило ума эту историю на всякий случай не рассказывать: контакт с врагом, знаете, это всегда требует проверки. А так — ну, заблудился, бывает, дело обычное.

«Вот после этого, — рассказывал он позднее, — я действительно возненавидел фашизм. И мечта об его уничтожении, физической ликвидации врага, стала моей личной мечтой. Я стал фаталистом. Потому что понял — есть у каждого разведчика свой покровитель на небесах. И никогда не надо впадать в панику — еще неизвестно, как в последний момент все обернется. Короче, в боксе главное — хладнокровие!»

Ну, а дальше была обычная военная биография — если кто уцелел: диверсии, переходы, ранение, эвакуация на Большую Землю, еще две заброски, орден Красной Звезды, Отечественной войны 2 степени, медали, еще ранение...

...После войны немецкое направление, понятно, сократилось. Пошло перемещение кадров, кого куда. Он был еще молод, данные хорошие, способен к языкам; отточил свой английский, который учил как иностранный еще в немецкой школе; зарубежные стажировки, работа в Австралии и Штатах, где избавился от простительного по легенде немецкого акцента в английском и заменил его на австралийский, который все забивал; звания, рост по службе; не столько героическая, сколько нервная и слоеная жизнь шпиона со своими нерегулярными радостями и неоднозначными надеждами.

И вот уже разгар холодной войны, и умер Дядя Джо, разменяли Берию, Судоплатов сидит, большие перетасовки в спецслужбах, где было тонко, там и рвется, где толсто — сыплется. Короче, отзывают его из отпуска раньше срока. Мотивировка оригинальности столь же свежей, как объяснение Каина Авелю: дело срочное, брат, а под рукой никого же больше свободного не оказалось!

У нашего лондонского резидента сгорела связь. И дежурная, и запасная. Связь необходимо срочно восстановить. А обстановка на планете перманентно предгрозовая: Суэцкий конфликт, НАТО, Бомба, стратегический бомбардировщик «Вулкан», Хрущева в Портсмуте чуть не взорвали с крейсером «Орджоникидзе», сами понимаете. Для нас, профессионалов, мира нет.

Ну что. Болгария, смена документов, самолет, Аргентина, смена документов, самолет, Австралия, смена документов, самолет; и уже из Канады он прилетает в Хитроу. Язык, легенда, документы, деньги, время на адаптацию.

В результате всех суперосторожностей он не знает о резиденте ничего. Вообще никаких примет: ни возраст, ни внешность, ни даже пол, не говоря о профессии или месте обитания. И никакого пароля. Известна лишь точка рандеву: Риджент-парк, внешняя восточная аллея, четвертая скамейка от Йоркских ворот. И время: седьмое и двадцатое число каждого месяца, двенадцать тридцать пополудни, ни секундой раньше или позже. Все, что ему следует иметь — это оксфордский галстук и перстень с печаткой на среднем пальце правой руки. Случайное совпадение двух примет с местом и временем исключено по теории вероятности: достаточно.

И вот он, среднезатертый австралийский бизнесмен, который пытается открыть в Лондоне филиал своей конторы типа «Рога и копыта кенгуру», снимает гостиницу поближе к Риджент-парку и иногда там гуляет. Англичане блюдут любовь к пешим прогулкам как милую национальную традицию, и парковые аллеи мерят шагами джентльмены и леди всех мастей и калибров, замучишься обращать на себя внимание. А легенда у него надежная, и опасности не выявляется никакой: окопался, проверился, все в порядке.

И он хронометрирует шаги до нужной скамейки, добиваясь идеальной точности.

И двадцатого числа, выверив секундную стрелку по сигналам радио, он идет по заветной аллее. Детишки бегают и крутят велосипеды, клерки на скамейках читают газеты или разминают ноги ходьбой, пока у них перерыв, сонно ползают пенсионеры и опасливо смотрят индусы. Стопроцентный Лондон, одним словом. И никто не подходит и не окликает.

А наш периферийным зрением тестирует проходящих клерков: пиджачки, галстучки, все аккуратно... только аура блеклая. А если это леди? Красотка — или старуха?

Седьмого числа сцена повторяется под копирку. Дети, клерки, старики, индусы.

А. В верную секунду навстречу движется красавец-индус. Он высок и блестящ. Он в оксфордском галстуке, и на пальце у него перстень. Оп! И наш ест его глазами!

Индус ласково улыбается, скромно отводит взгляд и идет мимо.

Стоять? Ждать? Идти? Окликать? Палец не тот!..

А навстречу индусу деловито движется один из гуляющих клерков, хмуроватый такой, средних лет, неприметный, с портфельчиком. Рост средний, внешность неопределенно-средняя, и портфельчик обычнейший, и потертый костюмчик явно от Маркса и Спенсера. И жалованье на его лице написано среднее, и средние на нем же заботы.

Равнодушно и не замечая окружающих, он минует индуса и в своем направлении скользит мимо лица нашего своими водянисто-серенькими английскими глазками. И произносит по-русски:

— Блядь! Так все-таки партизан!

Вот так Конон Молодый второй раз в жизни встретился с полковником Рудольфом Абелем.

— У тебя всегда такая тупая рожа? — поинтересовался тот. — Пу-пу!

САМОЛЕТ

Еще в советскую эпоху у многих граждан были сомнения в своей необходимости человечеству. На излете же эпохи (фанера над Парижем, кровельщик мимо седьмого этажа) они и вовсе убедились, что на фиг никому не нужны. Так возникли два ударных отряда борцов за счастье — коммунисты и капиталисты: одни хотели засветить в глаз всем, а другие решили подгрести под себя все, поняв, что под лежачий камень течет только то, на что в России никогда не хватало, э-э, мест общественного пользования.

И тогда поэты стали разводить курей, инженеры пошли в челноки, учительницы освоили профессии уборщиц и бандерш, старушки-пенсионерки вовсе научились лететь с балконов своих квартир, проданных бандитам, а доктора наук приноровились строчить трусики из тюлевых занавесок. Народ демонстрировал волю к жизни и презрение ко всему остальному, радуя душу водкой из технического спирта и тело автомобилями, украденными во всей Европе. Пошла эпоха первоначального накопления капитала, дикого, как дикое мясо, как посвист разбойничка, как камышовый (бойцовый) кот, который жрет хозяйское во всех смыслах мясо, но не приручается.

На этот красочный праздник жизни свалились с высот науки и научные сотрудники с приличным университетским образованием. Зарплат перестало хватать на анальгин, и голова болела двадцать четыре часа в сутки: пиастры! Пиастры! Пиастры!.. «Я пью за родные пиастры, полей недожатых бензин...» Любители прекрасного сходили с ума. Слабые сосали лапу и другое малосъедобное. Сильные ударили в кринке мускулистыми лапами и стали энергично сбивать финансовую опору для выскакивания из западни.

И вот молодые кандидаты наук в одной обезденежной лаборатории. Молодые львы с дыбом вставшими гривами. Щелкают зубами как волки и одновременно волчьи капканы, куда они угодили. Под этот щелк куются самосильно первые бабки. Падает страна или поднимается, а все равно зарабатывать надо на всем.

А занимаются они вообще ботаникой. Вот такие биологи-энтузиасты. Чарльзы Дарвины плюс технический прогресс. Они лет пять изобретали электроприбор, которому вменено в обязанность улавливать биотоки растений. Прибор готов, а из интересующих науку растений выжило в осыпающемся мозгу только денежное дерево из Страны Дураков. Общим аршином его не измерить.

Они мучаются со злосчастным прибором, не находящем на рынке никакого спроса, как Остап Бендер на базаре со своей астролябией. Устраивают мозговые штурмы, после которых мозги трещат весь понедельник.

Рассылают рекламы во все места вплоть до Пентагона. И наконец — молодые львы! — додумываются.

Они приватизируют помещение института, и очень ловко. И под здание получают ссуду в банке. И фигу дают дирекции института и прочим сотрудникам, и начинают от них скрываться, и не являются по повесткам к следователю. А на полученные деньги они, после циничного торга, арендуют самолет. Знаменитый ныне Ту-154. Тогда они почему-то еще не падали. На самолете монтируют свой прибор. Печатают убойные рекламные буклеты. И рассылают их по долам, весям, селам и колхозам, а также еще не отмершим сельхозотделам райкомов и обкомов. Накручивают бешеные счета на телефонах. И дуют чесом лично вслед за своими зазывами: гипнотизировать и вешать лапшу на уши простодушным пейзанам.

Поскольку они из солидного столичного НИИ, еще не замаранного никакой коммерцией — бедные молодые ученые с галстуками на тонких шеях и талантом в горящих глазах, относятся к ним доверчиво. Тем более что и запрашивают они немного, и экономические выкладки (упаси Боже от неосторожных выражений типа «бизнес-план») сулят неслыханный эффект. Просто подставляй карманы шире, закрома родины!

Они что придумали. Своим прибором замерять сверху уровень всхожести на засеянных полях. Еще, значит, ничего и не сеяли, но уже можно определить биопотенциал, так сказать, почвы. А уж когда засеяли — сразу видно на приборе, чего ждать от семян в почве, как она их, родимая, принимает. А когда ростки проклевываются — еще под землей! — тут уже просто с точностью до семи-восьми процентов определяется будущий урожай.

И не сказать, чтоб врали. Просто смотрели немного вперед. Гарантировали в применении родного прибора то, чего от него, собственно, и мечтали добиться. Плюс схемы, графики, положительные рецензии из Академии сельхознаук и публикации за рубежом. Солидные люди, не аферисты какие-нибудь. И костюмчики дешевые.

Они особенно навалились на хлебный и диковатый край Алтай, и ряд председателей колхозов под давлением загипнотизированных райкомов на это дело действительно подписали. Еще не остыла мода на интенсификацию, хозрасчет и ускорение, а самое главное — в райкомах быстро сообразили, как по благим статьям расходов скачать деньжат на свой карман — слово «откат» употреблялось еще только в артиллерии. А колхозники в любом случае перетопчутся. И невыполнение плана будет на кого свалить, вплоть до подачи в суд за нарушение статей контракта. Ученые же полагали, пока суд да дело, пустить подросшие таким образом деньжата в торговый оборот, — приговоренное по суду можно будет вернуть, и еще до фига себе останется. Вот так поначалу шел процесс, который в результате привел... но не будем забегать.

И лайнер — на малых высотах, на низкоскоростных режимах — стал барражировать над полями. В этой летающей лаборатории сидели предприимчивые молодые ученые и снимали ворохи характеристик со своего прибора. Приводили их в сетки таблиц и вручали председателям колхозов. В таблицы председатели много не вникали, не их председательского ума это было дело, но цифрой «Итого» в правом нижнем углу очень интересовались. И цифра получалась хорошая. Просто лучезарная светилась цифра. Аж настроение поднималось, и в органах рождалось забытое чувство исторического оптимизма. И они угощали ученых выпивкой и закуской, и отливали немного бензина для их личных машин, у кого были еще не проданы машины.

Правда, заходя иногда из любопытства в лайнер, если кто из председателей оказывался в облцентре и находил время зарулить на аэродром, они немного хмурились и подозревали ученых в роскошной и даже развратной жизни. Пахло в лайнере странно.

Это отдельная история. Коммерческого опыта ребятам еще не хватало. Они прежде арендовали самолет, а уже потом подписали контракты — дело затянулось, как обычно и случается. И самолет стал жрать их деньги, вместо того чтоб их привозить. И они придумали, как его использовать.

Они заключили с одной африканской фирмой контракт на доставку кофе в Россию. И стали возить эти тюки, мешки, и контейнеры. Кофе, конечно, пахнет. Но не настолько.

И вот гудит однажды этот борт над черным континентом. Причем высоту он набирал в предельном режиме, потому что рядом были неспокойные районы Анголы и Мозамбика, а там засадить «стрелу» в пролетающий самолет — среднее между национальным спортом и жертвоприношением духам племени. Много ли у африканцев развлечений.

А кресла из самолета давно вынули. За минимальную мзду, и то работа в кредит, на оголодавшем заводе вмиг оборудовали машину под грузовую. Воткнули за кабиной дополнительную переборку — отсек для отдыха и сопровождающих. И сняли пока герметизацию салона, ставшего грузовым — экономим каждую каплю топлива, ребята, денежки на все идут кровные, свои. А кофе воздух не нужен. Он не сливки и не сахар.

Летят они, и вдруг из салона слышна серия ударов. Еще серия. Хлопки такие, очередями.

Командир экипажа белеет и кричит:

— Из крупнокалиберного по нам садят! — И норовит свалить машину в противозенитный зигзаг. Он над Африкой, а также Азией не всю жизнь в мирном качестве летал.

Похлопало еще в салоне и перестало. Тихо все.

— Ушли!.. — выдыхают счастливо.

И тут вдруг — ба-бах!

— Зенитка! — кричит командир.

— Ракета! — кричит штурман.

Они в одном экипаже на бомбере летали.

И снова — ба-бах!

Уже ничего не кричат. Только сопровождающий штаны щупает.

Но больше не бахало. И самолет вел себя нормально, и управление не нарушено. И все крестились и мечтали скорей долететь, чтобы выпить.

Перед Москвой снижаются на посадку. Всех любопытство одолевает: что там в салоне? Дыры себе представляют: спорят. Судьба груза уже не очень и волнует: он застрахован, хотя страховку хрен получишь, да ладно сами долетели целы.

Открывают наконец дверь в салон, покачиваются и задыхаются, горло пресекло. И глаза зажмуривают.

Дышать нечем. И ничего не видно. Захлопывают дверь. Переводят дух. Перед дверью бурый дым клубится.

— Горим! — вскрикивает кто-то.

Но гарью не пахнет.

— Кофе пахнет!..

И тогда громогласно вступает мужской хор а'капелла, и исполняет та капелла исключительно матерные слова без грамматических связок.

В коробках был растворимый кофе в вакуум-упаковках. Это были слабые упаковки. Экономичные. Африканские. Исключительной дешевизны, за то и брали. С падением давления эти упаковки в согласии с законами физики стали взрываться. И теперь плотная взвесь кофейной пыли приземлялась внутри самолета на место назначения.

На земле, зарулив на стоянку, долго еще ждали, когда пыль осядет, чтобы сгребать ее лопатами. Насчет переупаковки договорились с соответствующей фирмой прямо по телефону.

Но сгребли с большими потерями. Почему?

Про два сильных ба-баха вспомнили, как только вошли с лопатами. Часть кофе приобрела кондицию резко нетоварную.

Одна из их сотрудниц торговала в это время, пардон, бычьей спермой. Для искусственного осеменения. И слетав раз сопровождающей в кофейный рейс, быстро выяснила, что в Африке этот спецтовар можно приобрести не в пример дешевле. Уж кого они там используют и что из них надаивают, сказать трудно, но дешевизна беспримерная. И она договорилась о покупке двух фляг. Вот эти две фляги им в придачу к кофе и сунули честно, дорожа партнерскими отношениями.

Фляги жестяные. Тридцать литров. Заварены хило. Вот на границе стратосферы они и рванули.

— Кофе растворимый со сливками, — сквозь респиратор цинично прокомментировал кандидат наук с лопатой.

На что второй в том же духе отозвался светски:

— Осеменение коров по французскому методу.

Самолет пылесосили, потом мыли, сушили и снова пылесосили. Но запах остался. Надолго. Вот этот запах и заставлял председателей развратно шевелить ноздрями.

Ноздрями они шевелили, но на результаты все же надеялись.

И результаты превзошли их самые смелые ожидания!!! Ученые сами изумились.

Два слова прозы: об урожайности зерновых. Известны два ее основных уровня. Первый уровень советский (российский): 10—15 центнеров с гектара. Второй уровень — евроамериканский: 47—52 центнеров с гектара. Так вот:

Все нормальные алтайские поля дали в тот год свои 12—13 центнеров пшеницы. Хотя некоторые — до 17. Это — которые наш самолет не замерял своим прибором.

А которые замерял — 37. 40. 42! Да почти мировые нормы!

Впечатление заказчиков можете себе представить. Даже аспирантов резко стали титуловать по имени-отчеству. И завели переговоры о покупке таких приборов. Даже стали собирать складчину на самолет. Ну, им быстро объяснили про звериные законы монополизма и стали колоть на долгосрочные контракты.

— Наука... — потрясенно шептали председатели и провозглашали тосты. Ученые сделали и то открытие, что могут потребить гораздо больше алкоголя, чем описывают медицинские нормы.

Но между собой им незачем было скрывать, что потрясены они гораздо больше, чем подопытные пейзане. Такого эффекта никто и никак не ожидал.

Все это было замечательно, но как ученых их обескураживало то, что результат не поддавался научному истолкованию. То есть показывать-то прибор что-то показывал, но как он мог влиять на урожайность?! Чтобы вчетверо повышать?!

Однако мигом заложили темы докторских: «Влияние облучения семян зерновых сверхслабым электромагнитным излучением высокой частоты». И тому подобное. В зависимости от расстояния, времени облучения, наклона к почве и толщины почвенного слоя, влажности воздухе, интенсивности солнечной радиации и времени суток.

Параллельно подсчитали экономический эффект в масштабах страны и получили цифру с рядом нулей длиннее, чем очередь за водкой в предпраздничный день.

— Верти дырки для орденов, мужики...

Что ордена! Это Ленинские и Государственные премии. Это проход в Академию. Это нобелевка! Это эпохально.

Жили в праздничном обалдении.

Но научного склада умы продолжали работать. Исследовательская жилка сладко вибрировала в предвкушении интеллектуального оргазма. Стали упорно разбираться.

Теоретическому истолкованию явление не поддавалось. Но поскольку факты — вещь упрямая, то сомневаться не приходилось.

И эксперименты велись по двадцать часов в сутки. Жажда открытия — она жжет, фиг ли ваше хождение по углям, тут дело похитрее.

Набрали ящики разных почв, посеяли семена разных сортов и стали облучать в разных режимах. А контрольные группы — не облучать.

Результат одинаковый. Э?..

Перенесли опыты на землю-матушку. Арендовали теплицы. Облучают. Растет. Что с облучением, что без.

Обратились к генетикам. Показывают, комментируют, руками разводят. Морщат генетики лбы, смотрит в микроскопы, считают на калькуляторах. Ни хрена объяснить не могут.

Обратились к радиофизикам. Физики удивились донельзя. Ознакомились с записями, сходили на делянки. Развели руками.

Но был ведь результат!!! А результат, который нельзя повторить в конкретно заданных условиях — это для науки не результат. Это так... казус. Совпадение. Флуктуация. Игра природы.

Молодые ученые зациклились. Осунулись от ночных бдений. Ночевали в лаборатории на газетах. И искали.

Результат все-таки был настолько явен и потрясающ, что отказаться от поиска, развития, пробивания дела на промышленную основу не было ни сил, ни резонов.

Стали прорабатывать все варианты.

Поехали на Алтай уточнять все подробности: а что видели колхозники? А какие наблюдали аномалии на земле?

И выяснили аномалию!

Выглядела она так:

Едет Ваня на тракторе и думает о том, что в магазин после обеда должны портвейн завезти. А на трудодни он осенью все равно получит «палки», чтобы не сказать циничнее. А ему до ночи удобрения на поля вносить.

Как же он решает вопрос, противоречие как решает между удобрением и портвейном? Он его решает в пользу ближайшей канавы. Он сваливает удобрения в канаву, перекуривает на солнышке и едет занимать очередь за портвейном.

И тут над ним, на малой высоте, растопырив крылья, с ревом ползет небыстро в небе огромный самолет. Нехотя так ползет, будто сейчас за голову зацепит. Уходит, разворачивается и с другой стороны снова ползет. И так второй день.

Ваня естественным порядком интересуется у бригадира, что за хрень гремучая головы поднять не дает? У коровы удой падает, жена жалуется.

Бригадир сам озадачен и спрашивает у председателя. И председатель объясняет, что это теперь с воздуха специально следят, как идет работа. А зачем? А это не вашего ума дело, загадочно говорит председатель. А от начальства никто ничего хорошего отродясь не ждал.

Начинает работать народный телеграф. Времена настали новые, непонятные. Всегда находится умный, который все знает. Старики вспоминают раскулачивание и теплушки в Сибирь. Зазря самолет никто гонять над их головами не будет. Да медленно так летает, да низко как! Высматривают все...

Крестьянин начинает нервничать. КГБ он уважает, а на зону загреметь — пара пустых, вон после войны за три колоска восемь лет паяли. А тут... робя, вредительство ведь впаять можно как пить дать. «Процесс пошел», слыхали? А чего такое процесс? Вот именно. Выездной суд — и суши сухари... у-у, суки.

И несколько напуганные колхозники, ну его от греха подальше, начинают работать по прописи агронома. Плуг заглублять на двадцать пять сантиметров? Хрен с тобой, загублю. А вообще ведь это делается: пять сантиметров — и на третьей передаче.

Удобрения равномерно? Черт с ним, не свалю в овраг, внесу... чтоб вы передохли.

Из дозатора чтоб зерно тонкой струйкой? Можно и тонкой. Хотя, конечно, сподручнее раскидать его горками, да и хрен с ним, авось вырастет.

Короче, те поля, над которыми трудолюбиво летал лайнер, были обработаны так, как и требовалось. Все. Ничего больше. Ну, на них и выросло.

Ученые были убиты. Шуточки делов. Премии, миллионы, докторские... О господи, какая перспектива накрылась, трудно себе даже представить. И образом-то каким идиотским, непредсказуемым.

— Вот как работать с этим народом? Только из-под палки, только под автоматом!

— Под бомбардировщиком.

— Социализм плюс авиация над всей страной.

Западный ученый после такого фиаско вероятнее всего сломался бы. Стал курить марихуану, перешел на работу в дорогой частный колледж, завербовался в Океанию пальмы окучивать. Но наши ребята втянулись в процесс выживания, а кто пережил девяностые и поднялся — того уже ничем с ног не собьешь.

Они за время эпопеи очень привыкли к авиации. Сроднились с самолетами, можно сказать. Очень сильные положительные ассоциации выработались. И мозги уже крутились в этом направлении. Причем большие деньги не состоялись, но прицел на них остался: попробуй забудь о миллионах, которые были уже почти в руке. Плюнули они на ботанику, припомнили, что сельское хозяйство у нас всегда исторически было черной дырой, спели за бутылкой с хохотом: «Первым делом, первым делом — самолеты!» — и двинули с хорошим настроением, молодой наглой деловитостью и какими-никакими заработанными деньгами в авиационный бизнес.

Сельское хозяйство, показавшее такие чудные результаты при работе из-под палки с небес, быстро пришло в повсеместный упадок. Палка с небес, российская авиация, также надолго впала в коматозное состояние. А лаборанты и молодые мэнээсы, заболев воздухом и бизнесом (что-то общее...), в конечном итоге создали объединение фирм «Каскол», скупили акции авиазаводов и КБ, как следствие мерсы и шале в Швейцарии, и стали рулить неслабой частью отечественного авиастроения и авиаторговли. Хрен ли нам ботаника в век информационных технологий.

ПЯТИКНИЖИЕ

Сейчас уже невозможно вспомнить, чем, собственно, занимался дедушка Калинин. «Всесоюзный староста». Похотливый старый козел в большой кепке и с седой бороденкой. Но на мавзолее стоял исправно.

И когда прорубали сквозь Арбат новый проспект от Кремля к правительственным дачам, его наименовали в память Калинина. Возможно, здесь вся трудность была в том, что от ленинской большевистской партии не осталось никого, кроме мартиролога врагов народа. Все они оказались со временем или вредители, или шпионы, или троцкисты, или сталинисты, или уклонисты, или раскольники. Генсек косил поляну широким кругом, и от Ленина до Петра Первого все было голо, и только бездарная реакция на уровне асфальта. А Калинин остался исторически нескомпрометирован. Ну, балерины, ну... Во-первых, от него и при жизни ничего не зависело, и он ничего не делал. Во-вторых, вовремя умер. А стране и власти, как всегда, нужны геройские фигуры в славном прошлом. Чтоб от него обосновать прорастание славного настоящего вместо той хренотени, что намозолила глаза за окном. Правительство всегда работает над изображением альтернативного настоящего, которое должно успокаивать нервозность масс от жизни в реальном настоящем.

К тому времени Москва была сформирована, за пределами Кремля и Красной площади, семью сталинскими высотками. Называть их сталинскими Хрущев запретил, он и так немало пострадал от Сталина, когда тот велел на пьянках высшего круга: «Мыкыта, пляшы!» — и толстенький лысенький Хрущев, отдуваясь и брызгая водкой из пор кожи, плясал гопака на глумление соратников. Естественно, после смерти любимого вождя Сталина следовало оплевать, а его советские высотки — переплюнуть. И Калининский проспект было решено сделать парадной дистанцией Советского Союза. Правительственной трассой. Вывеской державы. Чтоб радовало глаз.

Главным архитектором Москвы назначили знаменитого Посохина, лауреата и автора высотки на Восстания, любимого ученика самого великого Щусева, который Мавзолей и усовершенствование Лубянки. Набрали коллектив, разработали Генплан, и тот Генплан утвердили на высочайшем уровне.

И на проспекте, который называется Новым Арбатом, а раньше назывался Калининским, а в описываемый момент еще никак не назывался, повелели возвести ряд современных высотных зданий. Стекло, бетон и взлет в светлое будущее. Указали — побелее и поголубее. Эдакий застенчивый сплав тонкой православной нити с ударным коммунистическим стержнем. Столица социалистического лагеря, оплот трудящегося человечества, город будущего, не хухры-мухры.

Архитекторы засучили рукава; а Никиту Сергеевича

32

Хрущева с его громадьём планов тут поперли на пенсию. Привыкать ли нам к переворотам. Что ни двадцать лет — то новая конституция. Всегда довариваем суп при следующем топоре. Мавр сделал свое дело? Пшел в Мавританию.

Гипропроект потеет с полной отдачей. Подведомственные проектные институты лепят лепту и мечтают ее внести на обещанной конкурсной основе. Главный архитектор придирчиво рассматривает предложения и фильтрует поток пред верховные очи Первого секретаря Московского городского комитета Компартии Советского Союза.

Первый секретарь товарищ Егорычев обозревает с непроницаемым лицом большие цветные рисунки, макет, чертежи, и в немногословной партийной манере роняет:

— Вы что, хотите центру Москвы придать сталинский облик?

Волки от испуга скушали друг друга. Что вы имеете в виду, товарищ Егорычев?..

— Если сняли Хрущева, то можно лепить повсюду этот сталинский (заглядывает в бумажку...) ампир?

А вдоль сияющей перспективы вонзились в небеса изящные башни, и шпили их увенчаны гербами и звездами. Действительно вроде высоток, но вроде как современная модель автомобиля по сравнению с двадцатилетней давности. Так сказать, имперский модерн!

— Демократичнее, товарищи! И в то же время!.. — и партийный руководитель потряс кулаком: общее выражение — прокатный стан, баллистическая ракета, цитадель коммунизма.

Максимум, что могли позволить себе архитекторы — это гмыкать на обратном пути.

Ничто не вдохновляет творческую личность на подвиги лучше, чем провал конкурента. Архитектурная мысль забила копытами, окуталась ржанием и выдала новый проект:

Это был XXI век, но не наш сейчас — а из той дальней перспективы. Мы победили в атомной войне и стали тяжелой супердержавой среди грозной серой пустыни.

— Вы бы уж сразу знак доллара в углу нарисовали, — сказал Егорычев. — Что это за цитадель, понимаешь, империализма? Что это за небоскребы, понимаешь, Уолл-стрита?

То есть подчеркнуто простые бетонные небоскребы ему тоже не приглянулись.

— Как... пастила! — плюнул он, отказавшись от попыток выговорить слово «паралелепипед». — Ну вы сами не видите, что мрачно? Надо же — праздник, веселье людям, жить же лучше становится, чтоб настроение, понимаете!

Его тоже понять можно, оправдывались друг другу прогнанные зодчие. Новое руководство страны, что там за вкусы, что за взгляды... трудная работа наверху! Никита-то поди уж как рад, что вместо расстрела приговорили к пенсии.

Третий проект понравился всем до жути. Это была бесконечная высокая стена с ажурными проемами, стрельчатыми арками и легкими башенками, чуть тронутая вертикальным рельефом. Элементы готики, что-то от лондонского Парламента, ощущение легкости, значимости и истории. То есть просто хотелось на нее смотреть и под ней ходить. А масштаб ее был огромен.

Партия посопела и сказала:

— Тут вам не там. Нашей культуре вот такое не свойственно. Кирха какая-то. Что это у вас за иголочки повсюду кверху торчат? Низкопоклонство не выветрилось?

Партия подняла руководящий палец:

— Наш художественный метод — что?

Светски дистанцируясь от угодливости и униженности, творцы:

— Социалистический реализм?..

— Вот именно. А это: партийность, народность и реализм.

34

И пошли они, солнцем палимы и ветром гонимы, с этим напутствием.

Если унитаз отличается от унисона тем, что в унисон труднее попасть, то искусство угождать и угодить власти царило над прочими музами безраздельно. Одаренные этой божьей искрой всходили на Олимп по головам коллег. Не угадал? — в пропасть его!

То есть труды и дни гениев советской архитектуры напоминали сказку про курочку-рябу, которая какое золотое яичко ни снеси — все одно серая мышка-норушка... мышь поганая... крыса помойная!.. сука тупая!!!.. смахнет его хвостиком и раскокает вдребезги без понятия.

Советские журналисты говорили о своей профессии: «из дерьма конфетку сделать». Но жизнь советского архитектора была просто издевательством над умственными способностями человека. По стране наладили сеть бетонно-панельных домостроительных комбинатов. Из этих квадратиков с окнами составляли жилища для спартански воспитанного народа. Девиз был: «Без излишеств». Народ радовался, что Никита успел соединить сортир с ванной, но не успел соединить пол с потолком.

Вот из этих панелей можно было архитектурно создавать пятиэтажную коробку с четырьмя подъездами, или семиэтажную с тремя подъездами, или этажей делалось девять; двенадцать; семнадцать. А число подъездов вообще стали варьировать. Что загадочно: в архитектурные институты был конкурс! Оценивая этот разнузданный пир зодчества, каждый ощущал себя гением с огромной потенцией.

Гении напряглись и оторвались от почвы. Они внесли элементы античной классики, торжественные и одухотворенные при соблюдении человеколюбия. Визуальное ощущение, что государство для человека.

— А это что за колоннады с пандусами? (*Пандусами?..*)

А ведь был неслаб гигантский римский форум во весь размах Арбата! Но ребятам перебежали дорогу две сволочи — Муссолини с Гитлером. Создатели светлого пути с Красной площади на будущую Рублевку опять узнали много горького о себе. О влиянии стиля итальянского фашизма и германского национал-социализма. Те тоже стремились к антично-имперскому монументализму. В отделах культуры партийных органов сидели идеологически грамотные товарищи!

Мудрый народ давно понял начальство: «Поди туда, не знаю куда, подай то, не знаю что». Ну, насчет поди куда — мы знаем. Чтоб вам черт в аду спички подавал.

Разобравшись с гипертонией и язвой, Генплан и Гипропроект приняли за основу Мавзолей Ленина как идеологическую константу и Елисейские поля как уровень жизнелюбия. Полированный гранит, зеркальные витрины и медные козырьки над подъездами.

— Хорошо, товарищи... но как-то слишком... официально. Какая-то помесь министерства и гостиницы со швейцарским банком и комиссионным магазином! Ну — повеселей, а? Поближе к народу!

— А давайте пустим по фасаду такое гигантское панно: слева — сбор колхозного урожая — а справа пуск Братской ГЭС! — предложил Посохин с каменным лицом. — Яркое такое.

Первые секретарь Егорычев иронию не понял. В государственных делах не шутили. Хрущев себе позволял про кузькину мать — вот его и поперли.

— Нет, — решил он. — Это будет вроде ВДНХ. А у нас другая задача. Серьезно! Но радостно.

То есть большевики мучили экспериментами не только рабочих и крестьян, но и творческую интеллигенцию доводили до остолбенения.

— В общем работаете в правильном направлении... но попробуйте добавить еще пятнадцать процентов партийности и так двадцать шесть — двадцать семь народности.

В голове у каждого партийного функционера был встроен такой специальный дозатор партийности и народности — вроде солонки с перечницей на все случаи жизни. Вот те хрен редьки не слаще.

Это есть наш последний и решительный бой! Масква! — зво-нят ко-ло-ко-ллла! Красное, золотое, круглое и высокое. Народно-партийный вариант будущего проспекта иллюстрировал русскую сказку: «Кто-кто в тереме живет?!» Кремлевская зубчатка, храм Спаса на Нерли и бронепоезд на запасном пути. Если собор Василия Блаженного вставить в лентопротяжный станок и растянуть на километр в длину, вы получите представление о реакции Партии на новый проект.

— Еще попов в рясах под куполами развесьте! — негодующе пожелало правительство Москвы в капээсэсном исполнении. — А вы можете не выеживаться?

От стрессов у немолодых людей запускаются болячки. Главный Архитектор, лауреат и академик Посохин от пародонтоза стал сплевывать зубы, как семечки. Под вставной челюстью образовался стоматит. Он держал челюсть в стакане с водой и надевал только перед докладами начальству, с галстуком и лауреатским значком. Форма одежды парадная, при зубах.

— Что это вы на мою челюсть уставились? — спрашивает он неприязненно одного своего молодого архитектора.

— Гениально, Михаил Васильевич! — горячо восклицает тот. — Вот смотрите!

Хватает пластилин и лепит несколько зубов на планшет: с одной стороны пошире и чуть вогнутые, вроде верхних, — а с другой поуже и прямые, вроде нижних. И промежутки между ними в шахматном порядке.

— Поясните! — требует Посохин с обидой.

Пошире — это вроде как книги, источник знаний, а поуже — это как скромные советские небоскребы с читателями и тружениками. А понизу соединить все перемычкой с магазинами и культурными заведениями.

— Допустим... — тянет Посохин.

И взяв за образец и творческий посыл вставную челюсть шефа, растерявшего зубы в борьбе за правое дело, социалистический коллектив ударного труда проектирует здания и трассу. Прикус коммунизма!

Как тогда шутили: первый блин комом, второй партком, а третий тюремным сухариком. Семь пар железных башмаков износили, семь железных посохов изжевали, семь железных дверей языками пролизали — и представили царю седьмой вариант архитектурного чуда. И вы знаете — понравилось!

— Здесь уже есть о чем говорить! — одобрил товарищ Егорычев.

— Книги. Стекло. Культура. Легко и современно, — поддержала свита.

— Свой стиль. Прогрессивные материалы. И с новостройками гармонирует.

«Челюсть» — произнес кто-то первым. И — как табличку привинтил. Когда дело дошло до готового Калининского проспекта — его в народе тут же окрестили челюстью. Торчат зубы через один из пародонтозных десен. Но — радостно торчат!

Пока же авторов проекта и макета решили почтить к очередному празднику.

— Вы представьте список наиболее отличившихся товарищей.

И руководство Генплана получает за свои пять двадцатичетырехэтажных книжек, развернутых вдоль Калининского проспекта, награды и премии. Только того молодого, что первый насчет челюсти с зубами шефа придумал, не вписали на награды. Бестактен. Рано ему еще.

Тогда начинается реальная работа. Из городского бюджета выделяются деньги. Направляется техника. Высчитывают плановые задания строительно-монтажным участкам и управлениям. И даже дополнительно повышают квоты по лимиту завозной рабсилы. Плановая экономика!

Н-ну. Теперь необходимо сказать пару слов про товарища Суслова. Это вам не похотливый дедушка-козлик

Калинин. Михаил Андреевич был человек серьезный и вдумчивый. Сталинского закала и несокрушимой убежденности в победе мирового коммунизма.

Из себя он был похож на перекрученный саксаул внутри серого костюма. Серый костюм был его фирменный стиль, элитный шик. Все в черном или синем — а идеолог партии в сером. Он знал, что его зовут серым кардиналом: ему льстило. Других слабостей, кроме этого партийного тщеславия, он не имел.

Подчеркнуто аскетичный Суслов поставил дело так, что почести его обременяют, а вот поработать он всегда готов из чувства долга и отсутствия прочих интересов. На всех фотографиях сбоку или сзади. И вскоре все тайные и невидимые нити управления были намотаны на его синие старческие руки в прожилках.

Он сидел на своем посту идеолога партии, как гриф на горной вершине краснозвездной кремлевской башни, и взором острее двенадцатикратного морского бинокля проницал деятельность государства.

Он часто болел. Сложением выдался чахоточным. Грудка узкая, плечики хилые, спинка сутулая, рост высокий: пламенный революционер! Фанатичного темперамента боец. Из больниц не вылезал.

Но иногда он, конечно, вылезал. И вставлял всем идеологических фитилей. Чистый иезуит, и клизму ввинчивал штопором. Бдил, как великий инквизитор.

Итак, он суставчато выполз из кремлевской больницы и на ходу приступил к любимому делу: вгонять в гроб товарищей по партии. Типа: я исстрадался в разлуке. Машет жалом по сторонам. Ну, а как там наша красавица-Москва? А? Не слышу!

Красавица-Москва цветет и пахнет ароматами, Михаил Андреевич. Хотя без вашей отеческой заботы, конечно, всем сиротливо. Но крепимся как коммунисты. Вот — строим Калининский проспект.

Суслов, надо заметить, название не одобрял. Он полагал любые половые связи порочащими истинного арийца. Калинин в его глазах был просто старый кролик с партийной индульгенцией, суетливо сближавшийся с любым грызуном противоположного пола.

— Я обязан ознакомиться с проектом застройки, — негромко и самопожертвенно известил Суслов. Долг и партийная дисциплина изнуряли его, но благо державы требовало не роптать.

Тихий нрав Суслова знали. Сталинская выучка. Назавтра в его кабинете вмиг составили макет всей стройки от Бульварного кольца до Садового.

Михаил Андреевич утомленно насладился игрушечной городской красотой на огромном столе для заседаний. Потом он перекрутился в костюме, будто с вечера его завязали на узел, а утром забыли развязать. Лицо его стало терять цвет и выражение. Сталью из глаз он продрал строй проектировщиков как метлой, сдирая с костей мясо и обнажая преступную суть.

— Кто это сделал? — тихим ровным голосом поинтересовался он. Кровавый призрак занял почетное место. Кто это сделал, лорды?

Посохин набрал воздуха, выдвинул грудь впереди шеренги, показал меж губ зубной протез и признался в авторстве. Хотя мы все, Михаил Андреевич.

— Вы еврей? — спросил Суслов.

Подобный вопрос, в прямой форме и на высшем уровне, звучал тогда обвинением в государственной измене. В сущности, порядочный человек не имел права быть евреем. Тайным сионистом и потенциальным перебежчиком из первой в мире страны победившего социализма; с непредсказуемыми родственниками в несчитанных странах.

— Никак нет, — по-военному четко отрекся Главный Архитектор. — Я русский, Михаил Андреевич. — И всем существом жаждая подтвердить этот факт, придал лицу уставное выражение: преданной и радостной придурковатости.

— Тогда вам не могла прийти в голову идея этого проекта, Михаил Васильевич, — ровным угасающим тоном инквизитора, начавшего пытку, констатировал Суслов.

Архитектор восстановил в памяти зарождение идеи и побелел. Рентгеновская проницательность руководства парализовала его волю. Но отступление было невозможно.

— Авторство мое... воплощение коллективное... — капнул каплю оскорбленности в бочку преданности Посохин.

— С коллективом мы еще разберемся, — мягко пообещал Суслов и стал думать.

— Кто из ваших родственников еврей? — спросил он.

— Жена... вторая... — упавшим голосом сказал архитектор.

— Вторая? — поднял бровь Суслов. — А всего их у вас сколько?

— Первая умерла... Она была русская.

— Я ее понимаю, — скорбно сказал Суслов, и это прозвучало так, что вторая жена уморила первую с целью занять ее место.

— Вот! — подытожил он.

— Я не понимаю... — прошептал архитектор.

— Подпал под влияние, — пояснил Суслов. — Вы любите вашу жену?

— Э-э-э... как все... — выбрал соглашательскую линию архитектор, вертясь в ожиданиях напасти.

— Как все не бывает, — ровно и безжизненно, как танк во сне, наезжал Суслов. — Некоторые от своих жен отрекались. И такое бывало.

Дело врачей-убийц и безродных космополитов гремело не так уж и давно. Архитектор подернулся бело-голубым камуфляжем на фоне своего макета.

— Посмотрите, — указал Суслов. — Эти здания — что они по форме напоминают?

— Книгу. Раскрытую книгу. Немного... возможно... напоминают... нам...

— Да. Именно. Я согласен с вами. А все вместе, взятые рядом, что они напоминают?

Молчание было знаком согласия, поддержки и восхищения любой трактовкой верховного идеолога. Проектировщики от преданности аж рыли ковер каблуками. Вы член Политбюро, Партия — вот наш ум, и честь, и совесть.

— Ну?

— Библиотеку? — неуверенно сказал главный архитектор.

— Стаю птиц... — предположил генеральный директор.

— Путь по предначертанной программе в светлое будущее, — продекламировал главный инженер, лучше коллег владевший новоязом.

Суслов устало прикрыл глаза тонкими складчатыми веками, как старый гриф, пообедавший старым индюком.

— Сколько — у вас — здесь — книг? — спросил он, не открывая глаз.

— Ну, пять... — сказали все, бессильно чуя подвох.

— Разъяснения нужны? — спросил Суслов.

— Э-э-э... мнэ-э... — извивались все.

— Как — называется — это!! — рассердился Суслов, обводя жестом макет.

— Калининский проспект?

— Вы ошибаетесь, товарищи. Коммунист и атеист Михаил Иванович Калинин не может иметь отношения к вашему творчеству. То, что вы здесь изобразили, называется «Пятикнижие».

Недоумение сложило мозги присутствующих в кукиш. Коммунисты и атеисты силились понять смысл загадочного прорицания верховного жреца.

— Что такое Пятикнижие? — допросил экзаменатор.

— Э-э-э... мнэ-э...

— Ме! Бе! А по-русски!

— Пять томов «Капитала» Маркса? — просветлел главный архитектор.

— Пятикнижие — это священная книга сионизма, — ледяным тоном открыл Суслов, и авторы посинели от ужаса. — Пятикнижие — это учение об иудейской власти над миром. Пятикнижие — это символ буржуазного национализма, религиозности, идеализма, реакционности и мракобесия. Пятикнижие — это знак власти ортодоксальных раввинов над всеми народами земли.

Авторы втянулись внутрь себя, как черепахи. В их контурах засквозило что-то прозрачное. Они стремились слиться с окружающей средой, задрать лапки и притвориться дохлыми.

— Спасибо за облик Москвы, товарищи, — поблагодарил Суслов. В зал пустили газ «Циклон-Б», и потолок обрушился, прищемив когтистую лапу мировой закулисы.

Незадолго до этого журналу «Юность» приказали заменить шестиконечные типографские звездочки в тексте — на пятиконечные! за политическую халатность главному редактору отвесили пилюлей и строго предупредили с занесением в учетную карточку насчет идеологической диверсии.

— Я. Вспомнил. Товарищ. Суслов. — Покаянно выпадают слова из главархитектора.

— Фью-фью? — свистит ноздрей инквизитор.

Иногда ученик предает учителя, иногда учитель предает ученика, иногда кто кого опередит.

— Это... один из моих помощников... Он... я поручил некоторые детали... черты, так сказать. И он — вот! Предложил... именно пять!.. а я... мы... Утеряли бдительность! Товарищ Суслов! Ваше гениальное видение обстановки!

— Фамилия? — удовлетворенно переспросил Суслов.

— Дубровский!

— Н-ну-с. Ладно. Давайте сюда вашего этого. Если можно, пусть там поторопится. А мы здесь подождем!

Можно! Можно, Михаил Андреевич! Поторопятся, не сомневайтесь!

И перепуганного молодого, архитектора-стоматолога в обнимку с его идеей, швыряют в машину и под сиреной мчат по Москве быстрей последней мысли.

— Ваши товарищи и коллеги утверждают, что автор идеи этого проекта — вы, — доброжелательно обращается к нему Суслов. И строй товарищей дружно кивает: «Он-он».

Охреневший от этой доставки в Политбюро самовывозом, молодой неверно истолковывает альтруизм коллег. Его озаряет, что сегодня в мире победила справедливость. И его талант будет вознагражден непосредственно здесь и сейчас. Его отметят, поощрят и выдвинут, не обходя больше.

— Как ваше имя-отчество, товарищ Дубровский? — интересуется Суслов с сочувствием и садизмом.

— Мое?.. Давид Израилевич.

Суслов вздохнул:

— Как это у Пушкина? «Спокойно, Маша, я Дубровский Давид Израилевич».

Все готовно посмеялись высочайшей шутке, доставшей бедного Дубровского еще в пятом классе.

— Итак, Дубровский Давид Израилевич, это вы придумали поставить пять книг? — зловеще мурлычет черный человек в сером костюме.

— Товарищи тоже принимали участие в работе, — благородно говорит автор.

— Товарищи тоже получат то, что они заслужили. Кстати. Какими наградами и поощрениями вы были отмечены за этот проект?

— Н-н... Д-д... Никакими.

— О? Гм. (То есть идея ваша — пряники наши. Коллектив, значит, использовал вашу идею и пожинал лавры, а про вас вспомнили, когда пришло время получать розги?)

Строй архитекторов скульптурно застыл с незрячим выражением.

— В синагогу часто ходите?

— Ва-ва-вы... вообще не хожу.

— Отчего же?

— Я комсомолец!.. бывший. Атеист.

— Похвально. Почему не в партии?

— Ты-ты-ты... так разнарядка на интеллигенцию.

— А в рядах рабочего класса трудиться не приходилось?

— П-п-п... пока нет... но я готов... если Партия прикажет...

— Похвально. А почему же книг именно пять, Давид Израилевич?

— Сы-сы-сы... столько влезло.

— Влезло?! Столько?! Ты все суешь сколько влезет? А пореже?! А по роже?! А сосчитать?! А чаще — нельзя???!!! Па-че-му пять!!!

— Ах... ах... ах... можно изменить!.. если надо!..

— Почему — ты — поставил — мне — в Москве — пятикнижие!!! А???

Под полной блокадой мозга архитектор выпалил:

— У Михаила Васильевича пять зубов в верхней челюсти!

Суслов вытаращил глаза:

— Под дурака косишь? Психиатра позвать?

— Челюсть! В стакане! Я увидел! И машинально! — горячечно причитал архитектор.

— Пародонтоз! Стоматит! Возраст! Михаил Андреевич! — с точностью попал в унисон подчиненному Посохин, клацая и трясясь.

— Да вы все что — сумасшедшие?

— Пусть достанет! Пусть достанет! Пусть покажет!

— Да! Я покажу! Я покажу!

Суслов растерялся. Посохин вытащил вставную челюсть. Все дважды досчитали до пяти по наглядному пособию. Дубровский развел руками. Посохин неправильно истолковал движение сусловского пальца и опустил челюсть в свой стакан с минеральной водой. Все были на искусственном дыхании.

Суслов пришел в себя первый.

— Еще что вы собираетесь достать и мне тут продемонстрировать? — поинтересовался он. — Михаил Васильевич, вставьте вашу запчасть на место.

Дубровский взмахами рук пытался передать эпопею творческой мысли.

— Прекратите изображать ветряную мельницу, постойте спокойно.

Выведя из строя руководство Генплана Москвы и отправив его восвояси принимать лекарства, Суслов занялся Московским Горкомом. При нем городским властям и в страшном сне не пришло бы в голову называть себя «правительством Москвы». Новые либеральные времена не предсказывали даже фантасты. Услышав оборот «правительство Москвы» при живом государстве с вменяемым правительством во главе, бдительный и принципиальный Суслов не успокоился бы до тех пор, пока городское руководство не было распределено поровну между золотодобытчиками Колымы и лесозаготовителями Коми.

— Товарищ Егорычев, по каким местам Арбата намечено проложить новый проспект?

На доклад ходили подготовленными полностью.

— Малая Молчановка, Большая Молчановка, Собачья Площадка.

— Странная подоплека. Интересный контекст. Вот такая девичья фамилия правительственной трассы. Это намек?

Осознавая начало экзекуции, товарищ Егорычев профессионально одеревенел.

— А как вам эти книжечки? — Суслов щедро указал на макет.

— Мы с товарищами предварительно одобрили... коллегиально. Есть протокол.

— Протокол — это хорошо. Думаю, это не последний ваш протокол. Кстати, про протоколы сионских мудрецов никогда не слышали? Сейчас я вам кое-что разъясню.

После разъяснения товарища Егорычева хватил инфаркт, а после инфаркта его отправили на пенсию. А первым секретарем Горкома стал товарищ Гришин.

Главный архитектор оперировался по поводу обострения язвы желудка, Генплан месяц пребывал в состоянии инвалидности разных степеней.

— Мы одобрили ваш проект, — убил всех Суслов. — Красиво, современно, экономично: молодцы. Ставим на Калининском четыре «книжки». Этого достаточно. Вы согласны, товарищи?.. А деньги, уже отведенные бюджетом на пятую... пятое, пойдут на высотное здание СЭВ: потребность в нем давно назрела. Его следует отнести в сторону, изменить, сделать повыше... — Изрекая соломоново решение, он жег мудростью.

И лег обратно в больницу восстанавливать растраченное здоровье.

Дубровского поощрили премией и уволили по сокращению.

А там, где Арбат выходит к Москва-реке, в рекордные сроки возвели 31-этажное книжно-крылатое здание Совет Экономической Взаимопомощи братских соц. стран, в котором ныне трудится не разгибаясь на наше благо мэрия Москвы.

НА ТЕАТРЕ

Кино прикончило театр. Первый луч кинопроектора был как блеск бритвы, перехватившей горло великому и древнему искусству. Зачем переться в душный зал, если можно в звездном исполнении и грандиозном антураже с достоверностью рассмотреть то же самое? Держась в темноте за руки и жуя ириски. Кино отобрало у театра всё: героев, интригу, страсти, развлечение и философию. Добавив от себя крупные планы, безумные трюки и красочный монтаж.

Н-ну, затем пришло телевидение, и старый благородный театр был отмщен. И хорошо отмщен, мой добрый друг! Зачем переться в темный зал, если так удобно дома, на диване, с пивом и закуской, смотреть то же самое? Обсуждение по ходу, сигаретная затяжка и рекламная пауза сходить в туалет.

48

И вползла, и вкралась ласковая гнусь народных сериалов и реалити-шоу, порноинтернет цинично обнажил свои права на выбор пользователя, и прежде стеснявшееся быдло с достоинством и превосходством оглянулось на нервных эстетов. Сетевые форумы стерли умственную грань между человеком и чебурашкой.

— Ничто не заменит человеку живого общения с живыми людьми на сцене! — горько и гордо декларируют и декламируют театралы, преданные и приданные своему искусству вопреки сытой логике жизни и инстинкту самосохранения, как гонимые христиане были преданы своей секте. Или расчет придан сломанной пушке.

И они правы. Та дрожь сердца, те протуберанцы бытия, которые выбрасывает актер в затаивший дыхание зал... милые мои, за углом кризис, за поворотом инфляция, наверху жулики, впереди кладбище, а кровные деньги застряли в банке, как рыбья кость в заднем проходе, мы любим искусство, но какой на хрен театр?

И вместе с героикой старого театра скрываются в дымке времен те очаровательные мелочи живого общения, которые придавали ему неповторимую, ибо непреднамеренную, прелесть.

1. Графинчик с

В те времена очаровательный рослый мальчик Ваня Ургант еще не рекламировал молочный напиток от запоров, а был анализом из женской консультации. (Гм. Как долог бывает путь в искусство. Нет; лучше так:) В те дни, когда Андрей Ургант, его папа, не только еще не похудел, но напротив, еще не собирался толстеть и был естественно стройным и сверхъестественно выпивающим молодым человеком... но изображенный им крик горьковского Буревестника над равниной перестройки (А-А-А-А-А-А!!!!!!) все-таки не совсем театральное искусство. А мы о театре. Суть.

Когда их мама и бабушка Нина Ургант, прославленная после «Белорусского вокзала», играла в ленинградском театре Ленсовета, короче, ну так она уже тогда пила. Хотя совсем не за это мы любили ее. Милые причуды гениев лишь добавляют зрителям умиленной любви к их человеческим слабостям и порокам.

И была в одном спектакле такая сцена. Ведя диалог, она наливает себе рюмку водки и лихо хлопает. Чем подчеркивается неприкаянность героини и добавляется скромного обаяния ее стойкому характеру. Вот такое сценическое решение.

В графинчике была, естественно, вода. И Нина Ургант отработанным жестом пьяницы закидывала в себя эту рюмку воды. Тихо выдыхала и с повлажневшими глазами подавала свою реплику. И залу сразу понятен ее задорный характер и беззащитная душа. Очень она выразительно эту рюмку махала. Система Станиславского.

Вы уже все поняли. Это должно было случиться раньше или позже. Добрые коллеги устали сдерживаться и налили в графинчик реальной водки. И не хочется, да нельзя упускать такой случай! И радостный актерский коллектив столпился за кулисами наблюдать поединок Мельпомены с Бахусом.

Им это казалось остроумным. Вообще голова актеру нужна, чтобы придавать выражение лицу и резонировать голосу.

Итак: сцена. Стол. Графин. Нина подносит рюмку к губам. Партнер замер и впился в нее глазами, как Цезарь Борджиа, следящий, как приглашенный кардинал сует в рот отравленный персик.

Нина бросила содержимое рюмки в пищевод и деликатно выдохнула. И с некоторым недоверием продолжала слушать обращенные к ней речи. Лицо ее выразило сомнение. Глаза поголубели. Поголубевший взор искал точку опоры в окружающем пространстве. Пока не остановился на знакомом графинчике.

Кивая фразам героя в такт собственным мыслям, она плеснула еще рюмку и выцедила подробно. Это было так точно, что в зале прошелестел аплодисмент.

Речь ее оживилась иронической интонацией. Она повеселела. Реплики о своей нескладной жизни она подавала с бесшабашной удалью, бравируя несчастьем и не ожидая сочувствия. Треснула третью и смачно занюхала носовым платочком.

С язвительностью неизъяснимой Нина спросила:

— Не выпьете ли и вы с одинокой женщиной?

Мыча и блея от слабой мужественности, враг ее извивался:

— Э-э-э... но здесь только одна рюмка. Хотя... охотно!

— Впрочем, мне и самой не хватит... простите!

Зал грянул. Графинчик был поллитровый. Или больше.

С мрачной боевой улыбкой недавняя жертва двинулась на несостоявшегося покровителя. Мужчина сбился с ритма. Психологическая партитура роли потрясла знатоков. В поединке характеров обозначился перелом!

— Вам не идет пить! — останавливал ее циничный жуир, предлагавший только что себя в покровители.

— Да? — легко продолжала Нина свое занятие. — А кто пытался спаивать меня в кабаках? Ваше здоровье!

Беззащитная женщина демонстрировала нравственное превосходство. Она была бедна, обречена, одинока — но дух ее был неукротим. Каблуки стучали, влага булькала, голос звенел.

Напиваюсь, но не сдаюсь!

За кулисами давно перестали хихикать и выставляли вверх большой палец, как требование жизни несгибаемому гладиатору! Почему-то возникло такое представление, что Нина Ургант, чтобы показать шутникам свое превосходство над их хилым скудоумием, должна выпить весь графинчик. Держали пари.

Без закуски и без запивки. Ведя сцену, легко и непринужденно.

— П-почему вы не принесли торт? — издевалась Нина над партнером. — Кс-стати — вы обещали шампанское!..

— Магазин уже закрылся... — неумело оправдывался тот. Он стоял теперь на отбое вопросов, как манекен с теннисной ракеткой.

Спектакль сошел с рельс и замолотил сквозь алкогольную кактусовую чащу.

К концу зал видел элегантно и в лоск напившуюся женщину. Поворачиваясь, она споткнулась и упала на руки героя. Занавес покрыл чувственное объятие. Публика неистовствовала в овации. Коллеги приняли победительницу на руки. Труп Гамлета четыре капитана отнесли в гримуборную.

...Закон парных случаев срабатывает неукоснительно. Через пару недель в том же спектакле заело постельную сцену. Нина с героем падали на кровать. Это было верхом советской смелости и откровенности. Потом гас свет.

Ну, обнялись, упали. Лежат. Отчасти друг на друге. А свет не гаснет. И занавес поднят.

Зал затаил дыханье. Ну?..

Влюбленные начинают накрываться одеялом. Залезли. Свет горит!

Начинают изображать легкую возню. Грань приличий нарушена непоправимо. Зал вытянул шеи и привстал.

Свет горит! Это осветитель и машинист сцены отвлеклись за выпивкой у пожарника.

— Снимите туфли, черт возьми! — раздается язвительный голос Нины. — Вы всегда ложитесь в постель обутым?

Из-под одеяла вылетают туфли.

— Вы так и собираетесь спать в галстуке?

Вылетает галстук.

Эротическая тональность непоправимо переходит в юмористическую. Все ждут вылетания интимных предметов одежды. Свет горит!

— Вы не хотите погасить свет? — интересуется Нина.

Хохот в зале.

— Может, хоть занавеску задернете? Или вы хотите, чтоб нас видели все соседи напротив?

Зал хохочет стоя.

— У меня выключатель, кажется, сломался, — отвечает, наконец, влюбленный.

— Так какого черта вы приводите девушку в гости на ночь глядя, если у вас свет не выключается? — Нина вылезает из постели. — Хоть ванная у вас есть? Мне нужно почистить зубы.

И уходит за кулисы убивать осветителя.

2. Дер партизанен!

Кремлевский Дворец Съездов был возведен во времена исторического оптимизма советского народа. Хрущев отменил культ личности, Гагарин полетел в космос, Братская ГЭС дала первый ток, который медленно пошел по проводам.

А чудный сувенир «На память делегатам XXII Съезда КПСС»! Была расхожая игрушка: гаражик размером со спичечный коробок, нажимаешь кнопочку — дверцы распахиваются, и вылетает маленький автомобильчик, вытолкнутый пружинкой. Так вот: маленький Мавзолей, нажимаешь кнопочку — и оттуда вылетает наружу Сталин.

Потом и Хрущева по лысине, все вообще радовались небывалой свободе. Народный Юморист Райкин программу представлял: «Партия учит нас, что при нагревании газы расширяются!» Народ в атасе: храбро и круто, это — сатира!

Вот верхом советского либерализма был 1967 год. То есть либерализм уже кончился, но этого еще никто не понял, и настроение по инерции было хорошее. Цвели и пахли надежда и вера в светлое будущее мирового коммунизма: типа гибрид новогодней елки и павлиньего хвоста, и там много еды, одежды и бесплатных квартир.

Это был год 50-летия Великой Октябрьской Социалистической Революции. И его готовились праздновать как самое грандиозное торжество во всей Советской истории. А собственно, и мировой. Юные Кобзон и Лещенко вдохновенно пели: «Будет людям счастье, счастье на века — у Советской Власти сила велика!»

А во Дворце Съездов шло супердейство: «Великому Октябрю — пятнадцать декад национального искусства пятнадцати братских советских республик!» И республики прогибались и пыжились счастьем будьте спокойны. Каждый вечер там ликовал или концерт национального искусства, или национальный спектакль, или еще какая-либо непереносимая хренотень, по самое немогу накачанная национальным восторгом расцветшего искусства. Плясуны выкаблучивали, хористки вскрикивали, музыканты лязгали, граждане выключали телевизоры и шли чистить зубы перед сном.

У белорусов с национальным самосознанием было плохо. Белорусы себя от русских не различали. Это ощущалось как одно и то же. Белорусский и великорусский как две почти адекватные разновидности одного и того же русского народа. Условно-административная национальность. И над белорусской культурой мягко издевались оба брата по расе. Был ансамбль «Песняры», и его все любили. А над косноязычным воляпюком официальных «савецких бяларуских паэтов» издевались. Какой смысл говорить на белорусском диалекте, если великорусский литературный богаче и развитее? Таким образом, белорусские спектакли на московской сцене шли на русском языке. Как, впрочем, узбекские, молдавские и грузинские. И ведь без акцента говорили, собаки! Все, кроме грузин. Этих за акцент больше любили.

Итак, октябрь уж наступил. Великий Октябрь наступал 7 Ноября. Близко. Белорусская Декада. Минский Государственный Драматический театр. Имени или Янки Купалы, или Якуба Колоса, или Кондрата Крапивы, что одно и то же. Пьеса лауреата Государственной премии вылизанной степени Горлозаднюка «Это было в Могилеве».

А что там такого в Могилеве было, кроме разве что родившегося мальчика Израиля Берлина, написавшего позднее американский второй гимн «Америка, Америка». Картошка и партизаны. Картошку сажали и ели, партизан прятали и вешали. Белоруссия: чем богаты — тем и рады. А Америка была нашим злейшим врагом, и до нее мы рассчитывали добраться позднее.

А телевизионных программ в те времена было две. И никаких видеозаписей, примитивный и честный прямой эфир. Новости с полей КПСС и немного о балете. Заграничное кино казали раз в год. Голодные граждане иногда аж сетку настройки смотрели. Так что спектакль про войну белорусских партизан с немецкими захопниками принимали как триллер. Страна сидит: смотрит!

И первым делом видит над сценой огромный и жуткий плакат:

СЛАВА ВЯЛИКОМУ КАСТРЫЧНИКУ!

Сначала берет оторопь, сопровождаемая негативной эмоцией внизу организма. Возникают евнухи-правители восточных сатрапий. Потом блещет дикая мысль о сценографическом сюрреализме: кастрычник — это Гитлер, в смысле фашизм всех кастрирует. Далее, как плакал поэт, осыпает мозги алкоголь: плакат-то украшен революционной символикой... неужели ЛЕНИН... кастрат?!

бездетный... Особенности белорусской культуры?.. что за прославление изуверства...

Самым психически стойким и лингвистически культурным удалось идентифицировать этот шокинг от слова «костровой», то бишь октябрь по-белорусски. Странно, что этот фонетический антисоветизм не преследовался КГБ. Выразительный язык, и подходит к случаю! Настроение перед спектаклем безусловно создано.

Ясное дело, технически передовые немцы последовательно морят советских людей всеми способами. Партизан с утонченным садизмом сажают в тюрьму, чтоб дольше мучить перед казнью. От мучений партизаны возбуждаются и впадают в пафос: произносят монологи о победе и счастье народа. Духовно сломленный враг бессильно кричит: «Без вещей на выход!» Сейчас мы вас будем немножко пу-пу, большевистская сволёчь.

...В Средние века публичная казнь была общегородским праздником и бесплатным массовым развлечением. Семьями шли с утра занимать лучшие места, с детишками и беременными женами. В наше время это показывают только в кино. Но рейтинг по-прежнему высокий.

Итак, страна приникла к телевизорам в едином порыве. Предвкушает публичную казнь партизан на сцене Кремлевского Дворца Съездов. В вечерний прайм-тайм.

Уже стучит прусским шагом офицер-надзиратель, бренчит в замках огромной связкой ключей. Партизаны в камере обнимаются и поют «Интернационал».

Но раньше, чем вывести их вешать, в тюрьме надо починить водопровод. Порядок должен быть во всем. Водопроводчика вызывали? С пролетарской развязностью заходит сантехник, маша разводным ключом и цепляясь брезентовой сумкой. Русский, значит, либо белорус.

После войны таким сантехникам полагалась десятка Колымы за сотрудничество с оккупантами. Поровну с реальными полицаями. Но этого в театрах не показывали.

Вид сантехника вызывает оживление в аудитории. До боли родная фигура. Замучишься, пока дозовешься. «Треху дали», — явственно раздается в зале. «При немцах-то зайчиком прибегал!»

А это, повторяем, эпоха сплошного прямого эфира. Кривого тогда не было. Видеомагнитофоны еще не изобрели. Так что хоть хреновый был эфир — но прямой. Хоть ложь — да по-честному.

Итак, надзиратель сопровождает сантехника до крана и унитаза. Тот произносит профессиональное заклинание: «Прокладка сносилась! Сливной клапан отрегулировать». Лезет в сумку и достает пистолет! И принимает карательную позу.

И то сказать — пойдет советский сантехник-патриот фашистам сортиры чистить. Советский сантехник — это младший брат Штирлица, и каждый, кто гадит в унитаз — его смертельный политический враг. Короче, пистолет сантехника-подпольщика задает ассоциации зрителям. В рядах прыгают реплики: «Прокладок нет!», «Доплатить надо!» или «Я т-те покажу мой сортир марать, фашист!» Удивительно чуткая техника стояла в Кремле.

Пистолетик откровенно стартовый. И сантехник буквально терроризирует им надзирателя. Сует ему ствол в нос, тянется за связкой ключей, и явно намерен освободить партизан.

— Не стреляйт! — трусливо молит надзиратель, поднимает руки и падает на колени.

— Мараться об тебя... — презрительно и гуманно молвит сантехник, и отворачивается со связкой ключей к двери камеры.

Недобитый фашист тянет из кобуры парабеллум и норовит предательски убить героя. Сантехник разворачивается со своим пистолетом к надзирателю и целится:

— Сдохни, гад!

— Не надо! — роняет парабеллум надзиратель и простирает руки.

— Именем народа! — деловито объясняет сантехник.

Камера дает крупный план. Мужественное лицо сантехника, твердо очерченный рот. Рука жмет спуск пистолета!

И совершенно ничего не происходит.

А камера крупно дает его руку — явно так положено по видеосценарию, и режиссер на пульте эту камеру дает в эфир.

И сантехник с героическим лицом жмет пистолет, как эспандер. И еще раз.

— Не стреляйте, — с восторгом произносят в зале.

Партизанское лицо сантехника из героически-мстительного делается глупым и растерянным. Одновременно гнусное лицо надзирателя из трусливого становится озабоченным и сочувственным.

Сантехник смотрит на пистолет, как ворона на кусочек сыра. Гипнотизирует. Гримаса убийцы перекашивает его, давит так, что даже из трубочки с мороженым вылетела бы шрапнель.

И при каждом спазме карающей руки на рукояти несчастный надзиратель бодливо клюет лбом навстречу. Всем существом он жаждет умереть скорой и позорной смертью и спасти спектакль.

Потому что что делать — никто не знает. Конец всему. Это ужас. Это кошмар! Это Д в о р е ц С ъ е з д о в !!! это К р е м л ь, твою мать! и это п р я м а я т р а н с л я ц и я по Первому Всесоюзному каналу. Это: партийный выговор; увольнение из театра; суд с выяснением причин диверсии; это срок всему руководству театра.

И страна заходится от наслаждения. Спектакль превзошел все ожидания.

Вникните в катастрофу. Ключевой момент сюжета. Этот выстрел пускает действие в следующий поворот.

Если проклятый пистолет таки не выстрелит, партизан действительно придется повесить. А немцев расстрелять. И вся труппа отправится на Колыму за свой счет. Руководству же лучше дружно прыгнуть под поезд. Для собственного блага. Министр культуры товарищ Демичев, член Политбюро, по долгу службы лично инспектирующий это милитари-шоу, в правительственной ложе белеет от классовой ненависти. Маршал Ворошилов, первый красный офицер, руководивший всю войну всем партизанским движением, не удерживается от характерного жеста: чистить надо оружие, сукин сын!

Заметьте, на роли врагов часто брали актеров с умными лицами. Чтоб они драматичней осознавали глубину падения. А также додумывались до изощренных зверств. А рекомендуемый герой был чист и туп. От него требовалась твердость характера и верность партии. А думать только о светлом пути и выполнении предначертаний. Многодуманье же вело к оппортунизму, вредительству и к стенке.

Итак, на лице надзирателя плывет мысль, как рыба в аквариуме. Ерзая на коленях, он указывает сантехнику глазами огромный разводной ключ, забытый в левой руке. И кивает.

Сантехник вспыхивает неуверенно, как невеста. Облегченно улыбается! И кивает в ответ. Начинает рефлекторно менять руки: пистолет — в левую, а ключ — в правую.

И вздымает над головой эту дубину народной войны в слесарном исполнении.

И все это показывается самым крупным планом, *изблизи*! В деталях.

Сантехник потряхивает занесенной железякой и кивает надзирателю. Надзиратель кивает опасливо и склоняет голову как бы незаметно от самого себя. И рожи у них как у страусов, думающих, что их сунутых в песок голов никому не видно.

И — с на-лё-та, с по-во-рота, сантехник с размаху хреначит его огромным железным разводилом по балде — н-на!

Вскрик в зале.

Надзиратель смертельно ахает и скулит оборванно, как раненый заяц, которого душат. Хватается за то место, где была голова. Валится набок и, угасая, сучит ногами.

Публика, однако, аплодирует такой психологической сцене, этому поединку интеллектов. И одобрительным смехом выражает свое отношение к героической пьесе.

Сияющий сантехник отмыкает камеру, торжествуя. Звенит ключами, как звонарь на пасху:

— Выходите, товарищи, вы свободны!

Освобожденные партизаны суетливо обнимаются друг с другом и с сантехником, выкрикивают военно-патриотические лозунги и вприсядку бегут в конец тюремного коридора, прочь за кулисы, в партизанский лес.

Вдруг из маминой из спальни кривоногий и хромой выбегает из какой-то кельи герр офицер в фуражке с высокой тульей. На лице у него безумие, в руке пистолет, и от растерянности движется он какой-то балетной прискокой.

Он прискакивает к камере и тычет пистолетом. А там сантехник жарко тискается с очередным беглым партизаном. Присоединяясь к беспорядку, офицер орет:

— Кто стрелял?!

Он выразителен, как глухой. Ибо в трезвом слухе и твердой памяти он бесповоротно знает, что никто не стрелял. Но он выучил роль. И теперь от страха не соображает ничего, кроме роли.

Зал награждает вопрос аплодисментом, ржанье перекатывается волной. Все ждут, как эти два идиота будут выходить из положения.

Один из партизан в ответ разводит руками. Офицер

топает на него ногами, и партизан исполнительно убегает прочь по коридору.

Сантехник с пистолетом и разводным ключом разворачивается к офицеру. Офицер придает себе обреченную позу. Бесконечная немая сцена окрашена ожиданием смерти, причем всеобщей.

И тут видеорежиссер опять дает крупный план!

Сантехник поводит глазами на свой разводной ключ. Офицер поднимает бровь. Сантехник движет ртом матерно. Офицер кивает. Сантехник заносит ключ. Офицер вспоминает про свой парабеллум, направляет его в сторону и склоняет макушку под фуражечным сукном. Сантехник накачан адреналином, как баллон, он приподнимается на цыпочки и как теннисист, бьющий муху, срубает офицера!

Жертва искусства катится по сцене и скрючивается в форме эмбриона.

— О-йй-ё-оо!.. — скрежещет и испускает дух эмбрион.

И тут следом за офицером вылез охранник со шмайссером. В зале началась истерика. Крик «Гитлер капут!» был перебит криком: «Бей немцев!»

...На этом удовольствие для телезрителей было окончено. Упала заставка: «Технические помехи. Приносим вам свои извинения».

Так что сколько всего врагов перебил сантехник своим ключом, мы не узнали.

3. Кошка

Искусство режиссуры и мастерство актерских школ может быть подвержено принципиальному сомнению с разных точек зрения. Скажем: известно, что никакой, самый гениальный актер, не может переиграть самое примитивное животное, если это животное в данный момент вперлось на сцену. Даже когда в Минкусовском «Дон Кихоте» на сцену выводят запланированную в либретто лошадь, все внимание сразу переключается на нее. Похоже, среди этих балетных па и пачек зритель органичнее бы воспринял фанерную лошадь. Живая както нарушает стилистику условности балета. Она переступает копытами весомо, грубо, зримо. О навозе и думать страшно.

Итак, идет лирическая комедия о любви с элементами оперетты: от сердечного трепетанья они иногда приплясывают и поют. В остальное время выясняют отношения, принимают позы и обсуждают совместное построение коммунизма на дальних стройках просторов Родины необъятной!..

А роман наших юных производственников завязывается на Юге, на черноморских пляжах, танцплощадках и бульварах Крыма, целиком и полностью советского. Скамейки, пальмы, набережная, и лазурное море на холщовом заднике.

И вот влюбленные сидят на скамейке, и спор о методах благоустройства целинных поселков на залежных землях сближает их настолько, что они обнимаются, и уста их готовы слиться в комсомольском поцелуе.

И тут на сцену выходит к о ш к а . Она выходит из кулисы к залу и гуляет вдоль рампы. Обычная кошка, дворово-полосатой масти, вспушив хвост трубой, с выражением жизненного довольства шествует через сцену.

(Здесь еще надо понимать, кому интересно, что кошки из ревнивого самолюбия имеют склонность демонстративно располагаться между людьми и объектом их внимания — так тщеславный прохожий лезет под объектив фотографа, закрывая звезду. Кошка утверждает себя как предмет, наиболее достойный вашего взгляда.)

Зал, естественно, рад переключиться с этой соцреалистической тягомотины на кошку. Молчание в полутьме меняет сонную тональность на оживленную. Кошка, греясь в лучах славы, выступает фасонисто. Она подходит к скамейке и начинает обнюхивать туфлю молодого человека.

Зал дружелюбно похмыкивает и похрюкивает. Речь влюбленного рассеянно прерывается. В любовном объяснении вспыхивают нервные ноты. Интимные подробности перестают интересовать зрителей. Кошка завершает парфюм-контроль носков кавалера и, озабоченно нюхая, ввинчивает голову девушке под юбку. Кавалер кратко пинает кошку, влепляя по голени подруге.

Шокированная актерским хамством кошка удаляется гордо, продолжая променад. Зал ведет симпатичное животное в благодарном взгляде. Все чувствуют освежение. Проснулись. Кошка их взбодрила. Тонизировала.

Догуляв до кулисы, кошка вдруг тормозит. Подняв голову, она туда смотрит и прислушивается. Затем начинает пятиться. Она явно передумала туда идти. Ее оттуда, похоже, манят, а она не хочет.

Кошка разворачивается и, как прима с задранным хвостом, идет обратно грациозным шагом. Все внимание ей, на идиотов-влюбленных уже глубоко плевать! Пьеса делается интересной.

Кошка возвращается к истекающим истомой романтикам, и они дрыгают ногами тихо, типа комары кусаются, а интим прерывать неохота. Оттоняют. Ведут диалог и сопят.

Кошка описывает дугу, не давая себя пнуть, и вспрыгивает на скамью. Чем окончательно завоевывает приз зрительских симпатий. В зале счастливо икают и пукают.

— Ки-ися!.. — умильно сюсюкает ребенок и взвизгивает.

Спектакль удался.

Кавалер, весь отвернувшийся в объятия возлюбленной, нюхом чует, что за спиной происходит что-то не то. Кошка смяла кульминационную сцену драмы, как бумажный фонарик.

Ну. Герой, сливаясь с подругой в высокоэстетичной отрепетированной позе статуи Родена, клянется в любви к невесте, партии и государству. За его спиной уютная кошка житейски умывается. Мусолит лапку и трет мордочку. Задирает наотлет, как художественная гимнастка, заднюю лапу и вылизывает подхвостье. А над плечом юноши, щека к щеке, объятая его страстью девушка бессильно взирает на этот мойдодыр. Вполне кретинская ситуация. Вся романтика кошке под хвост.

И по речам девушки, как она их с досадой произносит, совершенно понятно, что ни в какой целинный поселок она после отпуска не поедет, и ничего она его не любит, а замуж, возможно, выйдет просто для устройства жизни, а просто ей хотелось вечером на юге потрахаться, но сейчас она в нем уже разочаровалась. А про высокие чуйства все врет, сучка.

И как она заговорит, так кошка останавливает умывание и внимательно на нее смотрит круглым глазом правды. Сбивает кураж. А над ними незримый Станиславский реет призрачно крылами, как карающий ангел-террорист, и грозно гремит: «Не верю!..»

И ржанье прорывается в рядах, как рожь из дырявой торбы. Цинично, короче.

Выжав все из наведения чистоты, долгоиграющая кошка идет в гости — лезет к юноше на колени. Он приступил к решительному поцелую — руки заняты, рот занят! Коленом и локтем он спихивает гадину!

Девушка закрывает глазки, открывает губки и закидывает личико. Влюбленный печатает поцелуй, и кошка сползая впускает когти ему в ляжку. Он вскрикивает страстно, словно в оргазме от поцелуя! Зал уже рыдает и утирает слезы!

Приклеенный к поцелую кавалер перемещает ищущую руку с рельефа девушки на загривок кошки и широким дискоболовским замахом посылает ее далеко прочь, швыряя за спинку скамьи.

Зал лопается, как резинка, и грохочет с подвизгами и захлебом. За спинкой скамейки — парапет и нарисованное море.

Кошка, пущенная враждебной сильной рукой, улетает по параболе, растопырив четыре лапы и хвост и пытаясь не вращаться в воздухе. С тем исчезает далеко за парапетом в морских волнах. Канула в пучину. Все! Утопил к черту.

Зал без дыхания. Стонет и закатывается. Прижимает животы и машет ручками.

Действо на скамейке приостановилось. Пережидают успех. Перепускают валы обвала. Овации браво и бис являют картину полного триумфа!

Нет. Не полного!

Не успели все настроиться к тому, что развлечение, как ни было оно прекрасно и долго, закончилось, и сейчас пьеса пойдет дальше своим чередом, — как — прошло секунд шесть:

Из морской пучины, с негодующим воплем, крутясь и переворачиваясь выше чаек и облаков, взлетает обратно кошка! По баллистической дуге она летит из глубин в небо и через парапет шлепается на скамейку обратно!

Зал умер! Потолок рухнул! Народ взревел, не веря своему счастью!

Там внизу под сценой сидел под люком театральный пожарный. Он сидел по долгу службы на стуле и дремал. Театральные пожарные — народ по преимуществу пьющий. Как, впрочем, и другие служители Мельпомены. И вот он уютно грезил о медали «За отвагу на пожаре» и диване с директорской секретаршей. И ему когтистое мохнатое — на лысину! шлеп! хвать! Вскинувшись в ужасе, он отодрал гадскую тварь и злобно швырнул как можно дальше в обратном направлении, откуда прилетела. А потом уже проснулся.

Вот такой запуск ракеты с подводной лодки. Летучая кошка на радость летучим мышкам.

Вцепившись в скамейку и вздыбив шерсть, кошка негодующе заорала, вложив в оскорбленный вопль все свое отношение к этим хамам.

У зала уже наступил паралич дыхания. Только бессильные стоны.

При звуках кошкиного мява молодой человек затрясся, словно внутри него было дерево, выдираемое ураганом. Он вскочил с безумным лицом Евгения, подступающего с бензопилой к Медному Всаднику. Схватил несчастное животное за хвост и замахом из-за головы, как гранату в фашистов, швырнул за кулисы.

Кошка улетела, надрываясь, как сирена воздушной тревоги. За кулисами раздался стук, грюк, мат и звуки ловли. Зал лежал под креслами, дыша в спазмах, и ждал реанимацию.

...Когда влюбленные продолжили сцену, на них воззрились с изумлением. Как на уже забытую и лишнюю нагрузку к завершенному шедевру. И захлопали, вложив всю полноту чувств в ритмичную овацию, пока не дали занавес.

ЧЛЕНОРАЗДЕЛЬНО

Как нам выползти из той ситуации, в которую мы влетели?

Геннадий Селезнев

Такого никогда еще не было. И вот опять!

Виктор Черномырдин

Надо вылезать, надо вылезать! Я не знаю как, но у меня есть план...

Михаил Горбачев

Стабилизации в экономике нет. Есть стабилизец.

Борис Немцов

Я думаю, что самое страшное в этом кризисе то, что даже когда он закончится, люди все равно будут хотеть кушать.

Андрей Макаров

А мне и думать не надо. Я убежден, что специально чем хуже — тем лучше.

Виктор Черномырдин

В общем, у него сегодня при разговоре уже мысли прямо так и льются из него.

Борис Ельцин

Ну, повесим мы Чубайса, а что дальше?

Александр Лебедь

Вы за страну или за народ?

Виктор Геращенко

Наш народ миролюбив и незлобив. Восемьсот лет провел в боях и походах.

Геннадий Зюганов

Нигде не сказано, что надо делать во время исполнения гимна — стоять, лежать или ползти. Надо Родину любить!

Владимир Жириновский

Не нужно поднимать народ с колен. Пусть он себе ползает — но с толстыми карманами.

Владимир Брынцалов

Мы категорически против того, чтобы продукт жизнедеятельности народов принадлежал узкой банде банкиров.

Виктор Анпилов

Мы будем честно говорить о том, что у нас не получается, а что получается, мы будем теперь говорить правду.

Виктор Черномырдин

Коней на переправе не меняют, а ослов можно и нужно менять.

Александр Лебедь

Что касается будущих выборов, я еще от тех не отошел — меня подташнивает.

Виктор Черномырдин

Я говорил не «скинуть режим», а «скинуть ярмо режима». Чувствуете разницу?

Лев Рохлин

Они или будут работать со мной до конца, или отправятся в тюрьму.

Шамиль Басаев

То, что я делаю, я делаю это сознательно, открыто, и при этом делаю не потому, что моя правая или левая рука, я делаю, я возглавляю правительство, и делаю это на правительстве.

Виктор Черномырдин

Мы здесь бордель, который в государстве имеется, допускать не будем.

Юрий Лужков

Почему проститутки толпятся в самом центре? Разве нет других мест?

Анатолий Куликов

Пятьдесят наименований микроэлементов в одной корове при ежесуточном кормлении. Вот поэтому она и дает.

Борис Ельцин

Страна у нас — хватит ей вприпрыжку заниматься прыганьем.

Виктор Черномырдин

Вся реклама — враждебная во всех отношениях: обман! Кариес! Ничего не спасет — все эти зубные пасты: как был кариес — так и будет! И перхоть в голове будет постоянно — никакой шампунь, ничего не поможет!

Владимир Жириновский

Это как, знаете, рояль или топор в кустах.

Геннадий Селезнев

Мы столько сегодня напринимали каждый в своей стране, что за что бы мы ни взялись, везде есть препятствия.

Виктор Черномырдин

Я за то, чтобы брать деньги везде, где только можно. Брать, брать!

Владимир Жириновский

Я далек от того, что сегодня нет замечаний, что сегодня нет проблем. Я, может быть, их бы больше сегодня сказал. Я еще раз просто одно: давайте говорить на нормальном языке!

Виктор Черномырдин

N

ЮГО-ВОСТОК

В СТОРОНУ
ИСКУССТВА

РОМАНС О ВЛЮБЛЕННЫХ

С Гимном Сергея Михалкова страна прошла большой и славный путь от Сталина до Медведева, и этот беспорядочный полет в непредсказуемое завтра отнюдь не завершен. Светлый, ликующий, нелегкий, победоносный. Промежуточные эпохи Хрущева, Брежнева, Горбачева и Путина подвешены на его сквозную мелодию, как старые одежды на бельевую веревку вдоль чердака Истории. И хрен в конце тоннеля явственно различим в громе и пении труб и литавр. Человек, писавший Гимн семьдесят лет для всех режимов, неизбежно заслуживает много и разного.

Когда-то молва приписала блестящему мастеру эпиграмм Валентину Гафту ехидные строки:

> Земля! Ты ощущаешь страшный зуд?
> Три Михалкова по тебе ползут!

Неправда. Михалков никогда не ползал. Он держался во весь свой гордый аристократический рост. Правда, в советское время никто не слышал, что он принадлежит к старой аристократии, а не к пролетариату. У рыцарей НКВД были чуткие уши, длинные руки и тонкий нюх на такие вещи.

Согласитесь, что когда Герой Социалистического Труда, член Центрального Комитета Коммунистической Партии Советского Союза и автор Государственного Гимна СССР оказывается не то постельничим, не то сокольничим, не то околоточным Ивана Грозного — можно верить в любую легенду.

Первая гласила, что в далекие тридцатые годы в кабинет главного редактора «Правды» Мехлиса нахально вошел, оттеснив секретаршу, длинный и тонкий, как флагшток, молодой человек, шлепнул на стол перед ним листок и велел:

— Читайте!

Мехлиса Льва Захаровича, гадюку большой гнусности, уже тогда боялись. Мехлис приподнял кувшинное рыло и с мелким интересом глянул на жертву. Время учило осторожности.

В юном петушином теноре, развязном и напряженном, дребезжало... что-то от грозного слогана «Слово и дело государевы!» Мехлис на секунду отложил матюги и, не предлагая дурному посетителю сесть, надел очки. На листке был так себе стишок, типа колыбельной, не имеющий никакого отношения к главной газете государства.

Ты не спишь.
Подушка смята.
Одеяло на весу.
Носит ветер запах мяты,
Звезды падают в росу.

— Это вы завтра напечатаете, — с невообразимой наглостью заявил городской сумасшедший.

— Вон, — негромко произнес Мехлис, зарываясь в гранки, разложенные по огромному редакторскому столу, обставленному чернильницами, телефонами и бюстами вождей. Редакторская практика дает навыки обращения с графоманами типа сдувания комаров.

— Рекомендую прочесть до конца, — посоветовал посетитель, и было что-то в его интонации сейчас от совета ознакомиться с ордером на арест.

Обладая партийными качествами хладнокровия и бдительности, Мехлис скосил глаза:

> Я тебя будить не стану.
> Ты до утренней зари
> В темной комнате, Светлана,
> Сны веселые смотри.

После чего вернулся к работе и, вдруг вспомнив о присутствии в кабинете кого-то постороннего, сделал ладонью жест, отгоняющий воробья от крошек.

— А вы знаете, какой Светлане это посвящено? — негромко и с этой мерзкой скрытой уверенной угрозой спросил молодой человек.

Красный карандаш Мехлиса споткнулся на запятой.

— Вы случайно не помните, у к а к о й Светланы завтра день рождения? — продолжал интересоваться посетитель.

В Мехлисе включился процесс мышления, начавшийся похолодением организма от пяток и выше до самого мозга. В охлажденном мозгу взбился редакторский коктейль из страха, бешенства и облегчения. Юный негодяй!!!..

Назавтра был день рождения дочери Сталина Светланы.

Юноша Сергей Михалков выходил из редакции с гонораром в кармане, выписанным по высшей ставке.

Стихотворение было опубликовано на первой полосе четырнадцатым кеглем.

Бескрайний воинский стан советских поэтов, акынов и трубадуров покачнулся от зависти к наглому удачливому пацану.

Товарищ Сталин обратил свое благосклонное внимание на талантливого молодого поэта, правильно понимающего политический момент. И не то, чтобы сразу после того или исключительно вследствие того, но однако вскоре именно ему доверил написание Государственного Гимна.

Вот после этого, согласно второй легенде, — раздув зоб, набитый денежными знаками, Михалков спускался на лифте издательства «Советский писатель». И в кабине с ним пара поддатых поэтов, аж вибрируя от корпоративных чувств и бессильно зондируя его глумливыми взглядами, заметили издевательски:

— А текстик-то вы, кстати, говно написали, Сергей Владимирович!

На что наш новосел Олимпа любезно предупредил:

— Говно не говно, но слушать будете стоя, молодые люди.

Количество миллионов книжки «Дядя Степа» не вмещается в рамки четырех действий арифметики. Пьеса «Зайка-зазнайка» вознесла популярность грызунов среди детей дошкольного возраста на третье место в рейтинге после Сталина и Ленина. (Ее рефрен: «Сядешь, посидишь» тихо ужасал взрослых...) Тиражи Детлита планировали астрономы с коммунистическим мировоззрением.

Лауреат и кавалер всего, что дорого стоит и ярко блестит, член чего надо и официальный советский миллионер, Михалков жил счастливо на зависть окружающим и, кроме прочего, вырастил двух прекрасных сыновей.

Н-ну-с. Когда сыновья подрастают, государство вдруг спохватывается о любви и внимании к детям и судорожно начинает заботиться — гребет в армию. Отец-командир, родина-мать! Непривыкшие к такой заботе сыновья упираются рогом и всеми четырьмя отросшими конечностями. Но систему военкоматов в Советской России недаром организовал еще враг народа товарищ Троцкий. При нем за уклонение просто расстреливали.

А любимый сын Никита, талантливый мальчик, обаятельный, рослый, красивый, умница, уже прославился на всю страну, задорно напевая с экранов: «А я — иду — шагаю — по Москве!» в одноименном кинофильме. И дошагал до стрелки с указателем «Военкомат». Потому что институт кинематографии окончен, а военной кафедры в нем нет. Пожалуйте бриться.

Запах непобедимой и легендарной заставляет хмуриться не только врагов. Сергей Михалков ничем не отличался от других заботливых родителей. Он растил ребенка не для заклания военному богу с его идиотскими порядками и бессмысленной беспрекословностью. Он тоже лелеял мечты, и ни одна из них не маршировала в сапогах и не драила сортиры. На тех заоблачных вершинах, где он обитал, сами в армиях не служили; и лишь редкий маршал долетал до середины рая, по пути обтесавшись до полной придворной безвредности.

Что делает озабоченный родитель? Наводит контакт с райвоенкомом. Пытается решать вопрос доступными средствами.

И вот михалковский секретарь производит предупредительный выстрел, в смысле звонок:

— Сейчас с вами будет говорить член ЦК КПСС и отъявленный Герой, супер-дупер знаменитый поэт и автор Государственного!!! Гимна!!! Сергей!!! Владимирович!!! Михалков!!! (ура! ура! ур-ра!) Вы можете ответить? (не описались еще от почтения?)

— Эк! Как? Ик! — говорит подполковник.

И Михалков, сквозь солнце и облака, со своим таким человечным не то грассированием, не то заиканием, запросто так приветствует:

— Здравствуйте, мол, товарищ подполковник, как поживаете, Виктор Игнатьевич?

Теперь представьте себе чувства райвоенкома. Это в заброшенном гарнизоне подполковник человек. А в Москве подполковник — это типа в углу слегка нагажено. Тут ниже генеральского уровня только лужи на асфальте.

Подполковник легко подавляет желание встать, но выпрямление спины и задирание подбородка происходят помимо сознания.

— Так точно, товарищ Михалков! Очень рад, можно сказать, вернее счастлив. Слушаю вас внимательно! Какой вопрос, проблема?

Сколько звонков принимают военкомы — и хоть бы кто поинтересовался их здоровьем или предложил обсудить книжную новинку. Шкурный у нас народ.

Вот сын у меня есть, извещает Михалков. (Да уж понимаем, что не дочь.) Институт кинематографии окончил. Кино видели, наверное, — «Я шагаю по Москве»? Талантливый парень. Я знал, что вы меня поймете. Да-да-да, устройте, пожалуйста, как это в таких случаях. Конечно законно, официально. Медицинская комиссия может комиссовать по здоровью. Простите, если я неправильно выражаюсь, недостаточно знаком, к сожалению. Полностью негоден. Белый билет. Не так? Не важно. Да. Уж будьте любезны.

Понимаю! — заверяет военком. — Так точно! Ваша просьба для нас закон... в смысле честь... в смысле какая радость... Пусть только придет! Очень приятно. Спасибо, что обратились. Всегда. Не мечтал. А как же! Никаких трудностей. Даже не верится, что лично вы сами. Вырос на «Дяде Степе». Честь имею.

Ну. Кто такой подполковник, даже если он честь имеет (что врет цинично). И кто такой член ЦК и лауреат на хрен всего Ленинского и Сталинского? Союз нерушимый республик свободных!!! Твою мать!!! Рассказать — не поверят.

И взбодренный до эйфории подполковник велит соединить его с председателем комиссии, и вызывает к себе начальника по допризыву, и спускает указание призывника Михалкова Никиту Сергеевича, 1945 года рождения, облизывать беспощадно! И диагностировать у него со всей достоверностью плоскостопие, близорукость, язву желудка и рассеянный склероз.

— Пиши больше! — приказывает военком.

— Мы ему еще гипертонию и олигофрению напишем, — щедро предлагает доктор. — Хотите ревмокардит?

Короче, в Никитину медицинскую карту вклеили вкладыш. Поэма экстаза разрослась в гибель цивилизации. Согласно этому предсмертному эпикризу армия должна была треть бюджета выплачивать на лечение Михалкову в его сочтенные предсмертные дни. И заставлять такого человека слезать со смертного одра, чтобы он умер по дороге в военкомат — это просто зверство.

В это самое время рослый спортивный мальчик Никита отметелил каких-то хулиганов до потери здоровья, и легкомысленно высказался в том духе, что армейский подход к проблемам не так уж плох. И папа ощутил возобновление некоторого беспокойства. А ну как что не сработает?.. Молодость опрометчива!.. Собственно, что это за уровень — районный военкомат? Что они решают, мелочь пузатая...

Он смотрит на телефон то ласково, то начальственно, и кружит по кабинету, как торпеда с циркулярным захватом цели. Твердою рукой хватает трубку за горло и извещает о себе горвоенкома лично.

Это уже генерал. Это уже что-то приличное. От этого человека уже что-то реально зависит.

Здравствуйте, говорит, товарищ генерал. Это вас беспокоит член ЦК, лауреат Сталинской премии I степени и Ленинской, кстати, тоже, автор Государственного Гимна — не слыхали? я так и думал, — Сергей Владимирович Михалков.

В генеральских выражениях горвоенком отвечает любезно, что рад до невозможности, всю жизнь мечтал. Какими судьбами, чему обязан? Не хотите ли в армии послужить, может быть?

Михалков сокрушается, что в армию не успел по возрасту, теперь бьется головой от горя — слышите стук? пришлось вот тянуть лямку куда тяжелей, на идеологическом фронте поэзии Партия доверила. Можно сказать, весь ваш личный состав Вооруженных Сил воспитан на моих стихах.

Генерала подмывает врубить, что личный состав — дерьмо, но сдерживается. Залог карьеры — не ввязываться в дискуссии.

А Михалков доверительно излагает отредактированную характеристику сына. Генеалогическое древо аж трещит под грузом добродетелей, как яблоня, разродившаяся урожаем золотых гирь. Глянец, румянец, и нимбы катаются по детской лужайке бессмертия.

Генерал уже чувствует, что такого призывника можно использовать только в двух качествах. Или покрыть бронзой и поставить на мраморный постамент в холле Министерства Обороны — или на выходные вручать как переходящий приз победительницам Всесоюзного женского соревнования.

— Преподаватели единогласно самый талантливый студент на курсе, — ненавязчиво курлычет во все щели Михалков. — Юность, такое драгоценное время, ах мы помним скоротечное, полон творческих замыслов, все просто в восторге! Если бы не это он, да разве бы я?.. Патриотизм. Польза Родине. Искусство принадлежит народу, а народ и армия едины! Вы согласны?

Генерал дает гарантию, что такой солдат в нашей армии неуместен. И сопит в трубку с ненавистью. При Хозяине эти шутки не проходили. У Сталина самого оба сына воевали, один погиб в плену; и под ним — у Хрущева сын погиб на фронте, у Долорес Ибаррури погиб, Тимур Фрунзе, да кого ни возьми; а уж про посаженных и расстрелянных мы не говорим. А нынче, понимаешь, развели кумовство. Все своих недорослей драгоценных суют в МИМО, а там во Внешторг за границу или еще куда. У него у самого сын в МИДе пристроен.

— Я мог бы на вас рассчитывать? — с мужской ласковостью журчит Михалков. — Как отец на отца. Вы обяжете меня, неоценимо, буквально пожизненно. Рад буду, в свою очередь, оказать вам любую ответную услугу, товарищ генерал. Долг платежом красен, хе-хе!..

Ну? Человек, не умеющий оценить ответную услугу, на должности военкома города Москвы продержится минут шесть. Надо понимать, в какой стране ты живешь.

— Я понимаю, — заверяет горвоенком. — И по-человечески, и граждански. Сейчас дам указание. Ну что вы, Сергей Владимирович, какие пустяки. Мы и сами должны были об этом подумать. Столько дел, текучка заела, не отследили, уж не держите сердца на нас. Обращайтесь всегда. Обращайтесь еще.

— Вот и славно, трам-пам-пам, — благодарит Михалков. — (Да-да, большое спасибо.) У меня как раз еще один подрастает. Уж не забуду.

— Какая прелесть, — умиляется генерал. — У вас там много их еще?

И так они милуются и не могут расстаться, довольные друг другом. Генерала тоже можно понять. Член ЦК, лауреат и Герой на помойке не валяется, и в случае чего лишним не будет. А жизнь наша грешная полна неожиданностей. Сегодня ты горвоенком, а завтра под следствием о краже кирпичей.

Уж трубка положена, а улыбка приятности еще висит в воздухе. А пониже улыбки молодцеватый адъютант с выражением нерассуждающей преданности кладет пакет. От Сергея Михалкова. Шофер привез. Секретарь занес. Прикажете... что?

Из пакета генерал достает огромную подарочную книгу «Сергей Михалков. Избранное» с дарственной надписью автора и две бутылки элитного армянского коньяка «Наири». И это вносит дополнительное умиротворение. Ну — человек ведет себя прилично. Выказывает уважение.

Генерал поворачивает бутылку на свет и звонит райвоенкому:

— Тут у меня был Сергей Михалков.

— Так точно!

— Знаешь такого? Слыхал?

— Так точно.

— У него сын призывается.

— Так точно... — подтверждает подполковник выжидательно, а сам ребус решает — кто настучал? просьбу пресечь? дело на контроле? К трубке принюхивается всем лицом: откуда ветер дует?..

— Пометь себе, чтоб выписали ему белый билет.

— Так точно. Все! уже! готово! товарищ! генерал-майор!

— А? Хм. А чего это у тебя все уже готово, интересно. А?

— Так он мне уже звонил. Товарищ генерал-майор.

— А? Михалков тебе звонил?

Райвоенком рапортует содержание разговора.

— Ну, а ты?

Райвоенком докладывает о принятых мерах к исполнению.

— А к-какого л-лешего он мне вкручивал? Неймется им... А ну честно — и много у тебя таких просителей?

— Никак нет! Один такой!.. — командным голосом лжет подполковник. И косится на дары природы в шкафу.

Генерал реагирует недоверчиво. Отраженная в его мозгу действительность соскакивает с изношенных креплений, генерал мгновенно раскаляется и орет. Он обличает гомосексуальную порочность и зоофилию подполковника, сулит ему увечья от интимных контактов с одушевленными и неодушевленными предметами, и живописует картину неизбежного Апокалипсиса, если подполковник хоть на йоту отклонится от соблюдения Устава внутренней службы и его, горвоенкома, личных указаний.

— Слушаюсь!.. Слушаюсь!.. Слушаюсь!.. — вскрикивает подполковник в экстазе, закатывая глаза. — Бузделано! Бузде! Бу! Никак нет!

Вот примерно так огромная и раздрызганная машина призыва, хрустя выкрошенными зубчиками и скрипя колесиками, гоняясь и щелкая во все стороны своими мышеловками, продолжает работать — и через неделю Никите приносят повестку в военкомат.

Ее казенная бездушная бесстрастность по стилю близка к похоронке. Хрупкое душевное равновесие поэта болезненно нарушается. Как прекрасно иметь опору. Например, пообедать с братом. Член семьи.

Михаил Владимирович Михалков, в прошлом офицер НКВД, а теперь полковник КГБ, служил личным... м-нэ-э... сопровождающим Вольфа Мессинга. А полусекретный Мессинг был фигурой жуткой. Он знал все о будущем и мог влиять на все настоящее. Легенда. С ним Сталин с опаской держался.

Ты с ума сошел, поразился брат. Категорически. Исключено! Я даже тебе многое сказать не могу. Да он насквозь мысли видит.

А между прочим? в порядке трепа? по-дружески, то-се, со скуки? провентилировать моментик? — мягко и умно канючит родитель.

Серега, отзынь на полштанины, говорит младшой. И дни после встречи идут, а звонка от него нет.

И сомнения точат Михалкова, как жучки дубовый буфет. Ночами его мучит армия, колючая проволока ее заборов, бомбежки Переделкина, на братских могилах не ставят крестов, и сон разгромлен вдребезги табуретом, которым в каптерке отбивают почки.

Потребность подстраховаться овладевает им.

Он продумывает план беседы. И звонит прямо в Министерство Обороны. В приемную министра обороны СССР товарища маршала Советского Союза Малиновского. Родиона Яковлевича. И передает записать его на прием. Без очереди. Как члена ЦК. По срочному вопросу.

Из уважения его соединяют лично с Малиновским. И тот — по личному вопросу? конечно! буду рад... — назначает ему послезавтра на одиннадцать утра. Вас устроит? Конечно. Благодарю вас.

Накануне вечером, кстати, звонит однако брат. Ну?!!! Да знаешь, говорит, я так ввернул шутливо между прочим насчет твоего Никиты, а Вольф так улыбнулся и заметил, что мальчик высокий, в черном костюме элегантней кинозвезд в Каннах будет смотреться, и это все довольно скоро, а вот с зеленым цветом у него по жизни вообще ничего общего нет.

Н-ну!! — выдыхает счастливое будущее Михалков, а там на красной дорожке Каннского фестиваля Никита в черном смокинге.

Занюхайтесь вашими портянками! Армии — армейское! После Мессинга маршал уже лишний. Но... бог помогает тому, кто сам себе помогает. Да и манкировать расположением министров не следует, высокое рандеву уже назначено.

И в одиннадцать Михалков в огромном кабинете Малиновского исправно, как дядя Степа на параде. Адъютант затворяет за его спиной тяжелую дверь тамбура, и маршал поднимается навстречу из-за стола в дальнем конце кабинета, осененного значением портретов и знамен. Шагает навстречу по ковровой дорожке и руку протягивает.

— Я к вам обращаюсь, как член ЦК к члену ЦК, — сразу обозначает Михалков паритет высоких договаривающихся сторон. — Как коммунист к коммунисту, — кладет свет на мозги собеседника в партийном ракурсе. — Как советский гражданин к советскому гражданину.

После такого предисловия на тяжелом лице старика Малиновского появляется туповато-исполнительное выражение солдафона, который участвовать в государственном перевороте все равно ни за что не будет. Вот глоток чаю испить — пожалуйста: адъютант вносит два стакана, тарелки с бутербродами и пирожными и хрустальную конфетницу.

Под укус пирожного, в рассчитанный интимный момент, поэт одаряет маршала своей роскошной книгой и надписывает «монбланом» эпическое посвящение. И кстати... чисто военный сувенир, — рыцарский средневековый кинжал в узорных серебряных ножнах, с красным камнем в навершии витой рукояти. Ограненный камень подозрительно похож на рубин, а весь кинжал ассоциируется с кражей в Грановитой Палате. Трофейный, кратко отводит Михалков моральные препятствия, случайно заметил в комиссионке, не удержался, гроши. Кто, кроме вас, старого солдата, оценит? Мы, люди искусства, чужды военной тематики. Строит подход к беседе, бродяга.

Два советских коммуниста из ЦК обмениваются верительными грамотами: патриотическими раздумьями о войне и имперьялизме, литературе и коммунизме, здоровье и молодежи; типа муравьи трутся усиками — свой. И, соблюдая этикет, один смотрит вопросительно и поощрительно, а другой испрашивает добро изложить свое мелкое дело.

И, винясь кратко за пустячный повод и отнятое время, Михалков начинает излагать сжатое жизнеописание сына Никиты, яркими мазками зажигая портрет передовика на фоне производства. Гениальный мальчик, взлетающая звезда, мэтры советского кино в восторге, лучезарные перспективы. Под лепным потолком порхают музы в белом и орошают слезами невинности маршальский мундир.

Так вот... нельзя ли освободить? Родине нужны таланты! Каждый обязан отдать Родине то лучшее, что имеет! От чего больше пользы: еще одного солдата среди пяти с половиной миллионов в строю — или гениального фильма, вдохновляющего и поднимающего эти миллионы на подвиги любви к своей социалистической Отчизне?

Традиция. Государственная мудрость. Даже в войну. «Два бойца». «Подвиг разведчика». Ташкент. Создали. Все отдали.

На лице старого маршала, прошедшего войны и сталинские чистки, прочесть можно меньше, чем прочтет слепой на листе мацы. Родион Яковлевич, великий из могикан загадочного племени караимов, кивает дружелюбно и чай прихлебывает. Понимаю. Конечно. Не волнуйтесь. В лучшем виде.

И под локоток провожает совершенно теперь успокоившегося Михалкова до дверей. Трясет ему руку, смотрит со смыслом и желает дальнейших творческих успехов.

Адъютант прихватывает поднос с тарелками. Малиновский вдруг выбивает посуду, швыряет в адъютанта бутерброд и начинает синеть. Мгновенно! — ему пихают таблетку, пузырек, капельки, — вся аптека летит в стену:

— Соедини! меня! с горвоенкомом! сию с-е-к-у-н-д-у!!!

И, налившись кровью до малинового свечения, пузырясь бешеной слюной, орет:

— У тебя!! мудака!! в Москве!! идет под призыв!! М-и-х-а-л-к-ооо-в!! пиши: Ни-ки-та! Сер-гей-вич!

сорок пятого года!.. Так вот!! Чтобы ты этого пидараса законопатил так!!! на Кушку!!! в Уэллен!!! куда Макар телят не гонял!!! чтобы Я найти не мог!!! Ты — меня — понял???!!!

— А!.. А!.. А!.. — контуженный атомным взрывом, бессмысленно ахает генерал.

— К министру!!!! К маршалу!!!! С-Т-А-Л-И-Н не смел!!!! Кто!!!! Вы!!!! Они!!!! Я!!!!

Обмочившийся от ужаса генерал, потрясенный до полураспада всех атомов организма, только качается под ударной волной и квакает животом об стол:

— Есть. Есть. Есть.

— Узнаю!!! Погоны сорву!!! Под расстрел! — вопит Малиновский, этот потомок-трудяга крымских перво-поселенцев, полвека тянувший военную лямку, как бессменный конь. — Развели тут!!..

— Ква, — говорит генерал. — Ква. Ква.

— Что ты квакаешь?! Пьян с утра?! Доложить по форме! Взятки берешь???!!! Рыло не бито?!! Жукова забыл?!! В Особом отделе давно по яйцам не получал?! — И топает маршальскими штиблетами по ковру, как взбесившийся слон в цирке.

Через час от генерала уезжает «скорая». Глаза его возвращаются в орбиты. На нем сухие штаны. Морщины на его лице наливаются сизой и страшной боевой сталью. Он тянет руку к телефону, и после касания этой кнопки взрывается на хрен вся Австралия.

...В райвоенкомате медицинская комиссия завершает работу, и подполковник вдумчиво и с удовольствием контролирует приведение Никиты в непризывное состояние. Действительно: обаятельный мальчик, здоровенный парень, приятно поговорить.

И тут райвоенкома, уже протянувшего Никите прощальную руку, дежурный зовет к телефону. Похож дежурный на оглушенного бобра: зубы навыкате и шерсть мокрая.

И подполковник получает свою армейскую пайку, свою инъекцию благодарности для профилактики педофилии:

— А-А-А-А-А!!!...... — ревет и стонет генерал, как Днепр под Змей Горынычем. — .... штопаный!!! .....ный!!! ......ный!!! ......ак!!! ......юк!!! ......ец!!! ......ас!!! ......бу!!! ......ай!!! ....у! ....ю!!! ......ед!!!

И с каждым ударением подполковника сажают на кол, входящий на удар глубже. Он не понимает ничего!! У него раздвоение сознания на полушария от этого удара колуном по лбу!

— Я все сделал... — хрипит он. — Тащщ генерал...

— Я тебе сделаю!!! Министр!!! На Кушку!!! Малиновский!!! в Уэллен!!! Родион!!! Новая Земля!!! Яковлевич!!! На хуй!!!!!!!!!!

Это короткое командное слово — последнее, что слышат в своей жизни многие офицеры. Когда подполковника извлекли на поверхность из фиолетовых глубин, наполненных колокольным звоном, дали воды, валерьянки и закурить, он закричал, как раненая лань:

— Где Михалков???..

Застегнутый Никита занес ногу над порогом.

— Дай! — зарыдал подполковник, протягивая руки. — Дай сюда! Родной! Дорогой! Милый ты мой!.. Дай мне скорее. Сейчас же! Справку дай мне!!

И на глазах изумленного инвалида-белобилетника изорвал ее на мелкие снежинки и втоптал их в линолеум.

С пугающей скоростью и без малейших усилий в нем произошла перенастройка личности.

— На комиссию!! Твою мать!! — заорал он хамским военкоматским голосом и пихнул Никиту в спину обратно.

— Раздее-вайсь!! — скомандовал он и гаркнул председателю комиссии, тыча пальцем, скрюченным судорогой страсти:

— Здоров! Абсолютно! Полностью! И-де-аль-но!! Без всяких ограничении! Исполнять!!!

Вот так Никита Михалков был призван в морскую пехоту, одет в черную форму и отправлен на Камчатку — как можно дольше и как можно дальше.

— Мало Сталин расстреливал мммаршалов... врагов наррррода... — прошептал Сергей Михалков. — Ччччерный костюм... шшшарлатан!..

И когда старший брат Андрон полетел на Камчатку проведать младшего, первобытная северная и восточная красота тех мест так впечатлила его, и знаменитые скалы в море «Три брата», и снежные вершины вулканов, и смытые штормом поселки, и крутые морпехи в плавающих бэтээрах, что в результате вот с этого основания и выстроился замысел будущего знаменитого фильма «Романс о влюбленных». Романтика! Чужие трудности возбуждают вдохновение художника!

ГУЛЛИВЕР

1. Мальчик и мечта

Все человеческие несчастья родом из детства. Укорененные в сознании добродетели набирают вес с трудом, и по мере взросления организма выглядят все менее заметно. А отвязанные пороки прут в рост бурно и тащат парусом через ослепительные буераки.

Взять хоть недавнюю русско-грузинскую войну. Еще в детстве нашим генералам необходимо было кого-то бить. Мальчикам всегда необходимо кого-то бить. Так воспитывается героизм. Ведомые воинским духом, они напрягают умственные способности в поисках врага. А он должен быть! Это пацан с другой улицы, или из другой школы, или самый хилый, или самый жирный, самый бедный или самый богатый, сын пьяницы или сын начальника. Не важно. Годится любое отличие, и оно станет свидетельством вины. Разрешением на побои. Знак изгоя.

Если изгои не ломаются, то из них вырастают Сталины и Наполеоны. Но мы не целим так высоко.

И вот жил-был маленький грузинский мальчик. Маленький, толстенький, добрый и смешной. Ну и финиш, конечно, был такому мальчику. Природа определила его в козлы отпущения юным джигитам. Его дразнили, щипали, били, обзывали, его обливали мокрым и обсыпали противным, подставляли подножку на переменах и подкладывали кнопку под попку на уроках. Жизнь среди детей гордого горского народа похожа на стажировку перед вечностью в аду.

Его звали играть, как рыбаки зовут червячка на рыбалку. Актер пользовался успехом в амплуа «мальчик для битья». Его заставляли таскать мелочь и папиросы, служить на побегушках и не моргать, получая «горячие без смазки».

Как вы понимаете, к порогу школьного возраста мальчик рассматривал жизнь как юдоль страданий и оплот несправедливости. Дать сдачи он не мог, а жаловаться не позволяла этика. И он стал избегать любого общения, как кролик мехового магазина. Он пристрастился сидеть дома, занимая себя какими-нибудь одинокими играми. Он что-нибудь мастерил, или разглядывал, или рисовал, или фантазировал. Он рано научился читать и обожал героические сказки.

И тут его к окончанию первого класса «за хорошие успехи в учебе и примерное поведение» наградили книжкой «Путешествия Гулливера». Старинного английского писателя Джонотана Свифта.

Сначала он стал листать картинки, и первая же картинка поразила его. На земле лежал огромный человек, могучий такой мужчина. А его опутывала ниточками толпа каких-то человечков ростом с палец.

На следующих картинках великан, явно добрый и рассудительный, хотя безмерно сильный, освободился от этих ниточек. Он стал принимать участие в делах этих гномиков. И, чем дальше тем больше, стал командовать маленькими человечками. Весь их парусный флот просто связал за веревочки и уволок. В конце концов, судя по всему, недобрые и неумные мацыпуськи горько рыдали, когда он послал их всех к черту и вообще уплыл из их поганой страны.

Ребенок часто провидит свою судьбу — словно в завесе времени открылась на миг дырочка в будущее. Мальчик ясно почувствовал (у з н а л), что когда вырастет большим — большим, как этот Гулливер! — то уедет отсюда к чертовой матери. В страну, где все такие же, как он. Большие, сильные, побеждающие всех! Добрые и справедливые.

Масштабы детского мира изменились. Он был Гулливер, а вокруг — всякая вредная и бессильная мелочь: это были его враги.

На его лице появилось выражение тайного превосходства над окружающими. Неуязвимый, побеждающий всех и добрый, он прощал им мелочность, слабость и бессильную злобу.

Это он так думал. А на самом деле его продолжали бить.

Он любил, делая уроки или просто играя в своем углу, ставить на стол книжку, раскрытую на картинке, и жить в компании с Гулливером. А потом, сэкономив деньги на завтраках, купил коробку пластилина и вылепил Гулливера — в зеленом кафтане, коричневой шляпе, белых чулках и черных туфлях. Отличный Гулливер.

А из остатков пластилина вылепил лилипутов. Было уже вылепил, но понял, что тут.. открываются возможности! В конце концов, Гулливер с ними разобрался. Но есть и нерешенные проблемы! И в виде лилипутов вылепил своих врагов.

И стал над ними измываться по-всякому. Слова «психотерапия» он не знал, но жизнь резко улучшилась! Он бил их вместе и по отдельности, возил мордой в грязи и ставил в позорные позы. И в гробу он теперь их всех видал!

...Жутко подмывает поведать, что все его враги вдруг стали себя плохо чувствовать, болеть, тосковать, хромать, кашлять, и после каждой драки ложились в больницу с загадочной лихорадкой... увы, мечтать невредно, он и мечтал. Били больше — за нахальную улыбку. Но вкус жизни стал сладок! — хоть иногда... Как йог, он перемещался душой в счастливое пространство непобедимости.

Его впервые зауважали, когда он принес своего Гулливера на урок ручного труда по лепке. А лилипуты были с портфелями, рогатками и сигаретами, и вызвали расспросы не только учительницы, но и одноклассников...

Его приняли сначала в школьный кружок рисования и лепки, а потом при Дворце Пионеров. Он стал лепить собак, лошадей и сталеваров. И получил районную премию, областную, республиканскую.

А в школе получал пендели и подзатыльники. А дома лепил могучих воинов, и они безжалостно отрывали у его врагов все, что можно оторвать, жестоко и победно смеясь.

2. Миниатюрист

Что делали годы? Годы шли. Мальчики перестали бить кого ни попадя, вытянулись, повзрослели, стали провожать девочек домой и следить за своей внешностью. И только наш юный скульптор и читатель Гулливера оставался маленьким, толстеньким, добрым и смешным; и после школы ходил во Дворец пионеров лепить рабочих, колхозниц, спортсменов и пограничников с овчарками.

После школы он поехал в Москву и подал документы в Суриковский институт. На скульптуру.

Его работы оценили благосклонно, а экзамены он сдал хорошо. Кроме того, из Закавказья в том году никто на скульптуру не поступал, а места для национальных кадров включались в плановые разнарядки. Но:

На монументалистику, свою мечту, он не дотягивал по проходному баллу. Там сгруппировались люди серьезные и матерые. А на миниатюре место было. Ему предложили. А там — видно будет: кто отчислится, кто перейдет, на втором курсе посмотрим.

И надо сказать, в миниатюре он поистине нашел себя. Работы рождались на зависть. Изящные, эффектные, легкие — праздник вкуса и украшение интерьера.

Но все это был — подход, подготовка, тренировка; все это были — лилипуты! Мечтой его, идеалом, — высился к солнцу Гулливер... Статуя исполина как символ справедливости, и людишки у ног... Это был его великий секрет, его высокий смысл бытия, его ответ на вызов вечности, из которой однажды мы вышли на этот свет и в которую вскоре опять вернемся, уже навсегда.

3. Лилипуты

Он подарил отцу его гипсовый бюст, и отец показывал его всем односельчанам. А когда он приехал на каникулы домой, к ним пожаловал лично секретарь райкома.

Мать принесла из подвала вино, а отец жарил в саду купленного на базаре барашка.

— А ты можешь сделать мой бюст — вот такой же? — дозируя, как воду с сиропом, лестное уважение и начальственную покровительство, спросил секретарь.

— Конечно, батоно, — поклонился студент.

— Из бронзы — тоже можешь?

— Конечно могу. Только бронзу студенту трудно достать...

— Сколько стоит? — обозначил решение проблемы секретарь. Он был мужчина, и он был грузин, и он был уважаемый человек, и не было таких денег в разумной вселенной, которых не следовало бы заплатить за свой бронзовый бюст. Вах!

...Так студент пощупал и померил материальный эквивалент таланта. Ему дали уяснить, что только от его желания зависит стать богатым. Чистый юноша посоветовался со своим желанием, и желание сказало, что он будет сущий идиот, если упустит такой шанс разбогатеть. «И тогда ты сможешь достойно помогать родителям, как настоящий серьезный человек из Москвы.

И вот тогда! — гремел и ликовал внутренний голос, раскатистый и гулкий, как откровение Гулливера, — тогда твои униженные враги подожмут свои мокрые хвосты, как жалкие шакалы. Они навсегда узнают, кто такие они — и кто такой ты!» Врагов у него, надо заметить, никаких и не было. Он был добр, щедр, приветлив, и отлично ладил со всеми. Но... детские обиды отпечатаны в нас пожизненно. Социальная психология с ее услужливой статистикой и понятия не имеет, сколько великих подвигов в истории произошло из детского жгучего желания разбить нос соседскому гаду.

В те времена у сильных мира сего советского пространства вошло в моду заказывать парадные портреты у художника Глазунова. Критики прощают подобный финансово-политический успех только покойникам, и чем больше грязи лилось на красиво ухоженную голову Глазунова, тем становились длиннее очереди на выставки и выше цены на картины. Заказчики вились и бились за место в вечности. Оригинал выглядел на его портрете похожим и красивым одновременно, что и является идеалом всех просителей. Это смешно, но вешать на стенку свой портрет работы Пикассо в манере кубизма почему-то никто не хотел.

Скульпторы облагодетельствовали страну уходящей за горизонт колонной трех лилипутов — бюстиками Дзержинского, Горького и, разумеется, Ленина («Лукич настольный»). Это была жестко обязательная программа фигурного катания, а дальше дозволялось выгадывать баллы за технику и артистизм по разным версиям. Миниатюристы предпочитали головы балерин, ученых и рабочих. У балерин была тонкая шейка и обтянутое лицо, у ученых мощный лоб, у рабочих надежные скулы. Бюсты Дважды Героев на исторических малых родинах походили на римских легионеров в исполнении Ричарда Бартона.

Первым в Москве собственным бюстом оснастил собственную квартиру писатель-соцреалист Иван Шевцов, автор нетленного романа «Тля». Там художники, понятные народу, плакали в жилет партийным секретарям, ища хоть у Партии защиту от развращающих веяний западного продажного искусства. Читатели восторженно ржали, Партия стеснительно молчала, а Шевцов, человек маниакальной аккуратности, каждый день лично стирал замшевой тряпочкой пыль истории со своего благородного бронзового чела. Гости шизели. Однажды он буквально возложил подаренный ему букет к подставке бюста в прихожей. Шевцов был гений самопиара, опередивший свою эпоху.

А вот на Кавказе продукция такого рода пользовалась ревнивым спросом. Даже выстроилась своего рода табель о рангах: кому что подобает, деньги — еще не все. Первый секретарь обкома мог иметь бронзовый бюст в полторы натуральные величины. А третий — такой же бронзовый, но в половину величины, либо же в натуральную величину — но чугунный. Райкомовской мелочи бюсты подобали гипсовые. Либо металл — тогда настольные такие маленькие бюстики.

Вот настольные бюстики шли особенно лихо. Дзержинских и Лениных замещали — страшно выговорить! — собою, любимыми. Искусство начало способствовать самоутверждению личности при социализме! Дороже стоили внестатусные жанровые фигурки — с рукою, устремленной вдаль, или на задумчивой скамейке, на трибуне митинга! за рабочим столом!.. Все ростом с огурец. Нет, ведь правда классно: заходит посетитель, а лучше высокий гость, и вдруг в бронзовой фигурке на столе — узнает тебя! Откуда? А, так... один знаменитый скульптор из Москвы лепить захотел, подарил, понимаешь.

4. Портрет художника в интерьере

К эпохе «перестройки» работящий и рачительный скульптор заматерел в Москве такой глыбой, человечищем, что Лев Толстой бы рядом не встал, сам себе ответив: «Некого...» Две огромные мастерские, две квартиры в центре, трехэтажная дача и, разумеется, «мерседес». В пересчете на нынешний рыночный стандарт — он был олигарх и суперзвезда в одном флаконе. И все великие мира сего в Москве и республиках, а также многие в Европе, были его друзья и клиенты.

В две смены работал цех. Там лили миниатюры. Кроме заказных потоков «балды» и «ростика» (бюст и настольная фигура) — шли единичные и серийные миниатюры для души и продажи. Выразительные и изящные кони и корабли, богатыри и драконы, красавицы и волки. Ненавязчивая аллегория возникала из гармонического сочетания объемов и линий дышащего металла. Он был действительно гениальный миниатюрист! С большим коммерческим даром.

Как писал классик, «не он первый, не он последний из сынов рода человеческого был создан для профессии, которую презирал». Ну, не то чтобы он всю профессию презирал — но: он мечтал быть монументалистом! Он в душе и был монументалист. Он смотрел точным, как микрометр, профессиональным взором на свою скульптуру — и видел ее тридцатиметровой, в ее реальном масштабе, грандиозной, как Колосс Родосский, у ног которого снуют утлые корабли...

И сквозь объем каждой скульптуры он видел контур Гулливера. Недосягаемый великан приобрел гротескные черты тотема. Он аккумулировал значение высшего покровителя в мире искусства. Суровый хранитель на горних небесах мировой культуры.

5. Рождение титана

Ярким и тугим весенним утром знаменитый скульптор проснулся от изумления. Изумление было легким, радостным и окрыленным. Поэт-эпигон уподобил бы его чайке, а маньерист-постмодернист — булавке в заднице у чайки. Почему, спрашивала чайка у своей булавки, почему я не сделал этого раньше?! ведь это так просто, так исполнимо... и так замечательно!

Поэт воздвигся... нет? о'кей: Скульптор встал. Счастливо улыбаясь и хрустя, он облачился в шикарный алый халат с золотыми кистями, взбодрился рюмкой коньяку, пыхнул синей струйкой вирджинского табака и прошествовал в мастерскую. Там отщипнул пластилина, который по привычке предпочитал скульптурной глине — и! — и начал лепить Гулливера.

Счастье источалось из всех пор, он работал с чувством невыразимого облегчения. С таким облегчением корова освобождается от молока в набухшем вымени, с таким облегчением бомбардировщик на пределе дальности распахивает люки над целью, с таким облегчением кирпич отдается силе притяжения и целует вас в темя.

Он лепил ЕГО!!! В его душе такое реяло, что не провернуть. Мечты ходили кругами над вспотевшей головой, как туча бенгальских огней, как косяки золотой саранчи, стая напильников, скрипичные струны, а вместо сердца пламенный мотор.

Эта скульптура ощущалась автором как приношение. Жертва богам в благодарность за дарованные победы. Он воображал ее на месте статуи Афины на Акрополе. Или же Юпитера-Громовержца. Эта божественная статуя своей благой мощью покровительствовала людям, поселившимся под ее сенью.

В воображении прошедших десятилетий исполинский стометровый Гулливер стоял в родной гавани, глядя в бескрайнюю океанскую даль и прозревая там свою судьбу, иные и странные миры, причудливые страны и великую бессмертную славу.

За одно утро он изваял пластилин в масштабе 1:300, и Гулливер был прекрасен. Он крепко держался за корабельную снасть, и это был корабль, вечно несущий каждого из нас сквозь сказочные и горькие истины Бытия. Он сжимал в руке свиток мудрости — и на этом свитке были начертаны пути всех удивительных и грядущих странствий человечества в назидание грядущим поколениям. Короче, мужик был в ударе и вложил всю душу.

...В новую эпоху покупка бронзы не была проблемой. А хоть бы и покупка черта в ступе. И легированная сталь для несущего каркаса. Только плати! А кэшем заплатишь — барон будешь. Скульптор заплатил, и триста тонн инструментальной бронзы встали в шести опломбированных вагонах на товарных путях.

Злые языки утверждают, что и за бронзу, и за изготовление уникума платил город, причем по баснословным ценам. Потому что половина отпущенной суммы сразу возвращалась в карман отпускающего, э-э, высокопоставленного чиновника (в форме пресловутого «отката»). Но мы не будем верить грязным слухам и пустым наветам. Скульптор не был нищим, и имел возможность заплатить за воплощение своей мечты. А если деньги он тоже зарабатывать умел, то быль молодцу не в укор, с сажей играть да рук не замарать, а нищета не украшает никого, кроме кандидатов в депутаты.

И был отлит корабельный врач Лэмюэль Гулливер ростом с небоскреб, и Колосс Родосский только в прыжке дотянулся бы поцеловать его в пупок, а динозавр работает мелким домашним животным типа кошки. Гигантские бронзовые листы, подобные парусам галеонов, башенный кран поднимал в крепеж на каркас, почти равный Эйфелевой башне. И ничтожные лилипуты карабкались по его телу и снизу задирали головы, потрясенные гигантом из неведомой страны настоящих людей.

Нет-нет, это отнюдь не конец истории. Это ее начало. Нулевой цикл. Выведение фундамента под цокольный этаж. Пора приступить к центральному действию.

6. Отечество в опасности

Гулливер был моряк, и он был англичанин, и он ушел в свое плавание к берегам Лилипутии из славного порта Бристоля. Его маяк, путеводная звезда, звезда мировой славы, осколки Британской Империи, короче — идея-фикс влекла великого скульптора, только днище глиссера било по встречным волнам, нет препятствий! Его подсознание решительно полагало, что если беспрецедентный памятник встанет в родном порту, акция обретет сакральный смысл, и благодарность Гулливеру, который вывел его в люди, будет адекватной. Знай наших.

Грузины не мелочатся. Русские тоже. Сдачи не надо. Для души.

Опять же, мировая слава. Что с того, что ты знаменит на родине... есть еще большой мир, всеобщий, главный!

Скульптор полетел в Бристоль. Визит был согласован, и мэр принял высокого культурного гостя в окружении городских властей. После патетических речей и заверений в труднопереносимом счастье от такой жгучей дружбы и взаимополезной любви, скульптор сказал:

— И в знак дружбы двух наших великих народов, в знак братского родства наших великих культур, — я хотел бы преподнести в дар городу Бристолю бронзовую статую!

Внесли на руках статую размером с именинный торт, и скульптор с поклоном вручил ее мэру. Мэр поднял этот витиеватый бронзовый ананас над головой, как футбольный кубок. Благородное собрание зааплодировало.

Это было только начало.

Скульптор произнес на ломаном английском речь о том, что значил Гулливер в его жизни, и чем он ему обязан, и имеет честь отдать долг. Жутко трогательный сюрреализм. Аплодисменты поплескались с оттенком легкого непонимания. Только британским чиновникам и дела, что освежать в памяти подробности классических романов и соотносить их с историей русско-грузинских распрей?..

Скульптор взмахнул рукой на манер тореадора из балета «Кармен», принимающего позу горделивого счастья. По знаку в зал мэрии вплыло художественное панно с панорамой подведомственного города. На фоне мелких домишек и людского муравейника, заслоняя собой пенную гавань с кораблями, уходила в лазурные небеса фигура Гулливера.

Когда первая волна парализующих чувств схлынула, мэр поинтересовался параметрами свалившегося на город счастья. Метры долго переводили в футы, и когда тонны рассыпались на фунты и стоуны, из углов послышался портовый жаргон, крепкий и шершавый, как пеньковый трос.

Благодаря ностальгическим умам, влекомым к описаниям сельских идиллий, мы все теоретически знакомы с курицей, квохчущей над снесенным яйцом. На лестнице эволюции это прямой предок художника, демонстрирующего миру свое творение. Переводчицей при курице, в смысле художнике, выступала крупная броская блондинка, каких кавказцы особенно ценят за все выдающееся, что есть в человечестве. Она обаятельно гундела и обрубала на оксфордском наречии, а скульптор самозабвенно частил и захлебывался, уснащая ликующий русский грузинскими интонациями. — И вдруг влюбленный дуэт стал напоминать Гитлера с Геббельсом, завоевавших беззащитную Англию и надругавшихся над ее историей, культурой и внешним обликом.

Потому что Гулливер был больше всего похож на мрачное пророчество атомной войны. Что-то огромное и перепутанное угрожающе вздымалось из воды к небу. В центре рваных металлических переплетений, среди обломков и огрызков балок, тросов, пушек и парусов, разметанных и вновь слепленных етицкой силой, запуталась депрессивная фигурка с гранатометом в руке.

— А зачем гранатомет? — подавленно спросил мэр.

— Это рулон с картой, — огрызнулся скульптор.

— Ну надо же... — удивился пресс-секретарь. — А по виду и не скажешь...

Вооруженный до зубов Советский Союз только что развалился, и призрак Империи Зла удалялся от берегов. Сюжет с троянским конем положил свою тень на беззащитный пейзаж, угрожаемый бесплатной мондулой. Данайцы некогда смастерили свою скульптурку большой подарочной мощи тоже в стиле монументализма. Исторический переход от реализма в искусстве к пост-

102

модернизму усугублял неприятное впечатление. Словно неживой антигуманный умысел скрутил металл гигантской композиции, распространяя кругом страх и ожидание конца света. Словно СССР, лопнув, разбрасывал по миру смертоносные споры нечеловеческих форм жизни.

Все долго смотрели на картину напасти. Лицо мэра, красное от виски и сизое от портвейна, сделалось самоотверженно-гордым и выразило напряжение Битвы за Англию. Сирены тревог взвыли в его исторической памяти.

— Найн! — почему-то по-немецки, повинуясь прихоти подсознания, сказал мэр. — Гитлер капут! — добавил он, повеселел и подмигнул своей компании. — Мы не можем принять т а к о й дар. Нет. У нас свои законы. Мы должны сначала провести голосование в муниципалитете. Он рассмотрит экспертное заключение комиссии. До каникул собрать ее уже не успеем... Возможно, в будущем году...

Что характерно: первоначальная кабинетная миниатюра муниципалитету понравилась! Но ее же изображение в масштабе Парка Юрского периода привело к исполнению гордого старого гимна:

Никогда, никогда, никогда
англичанин не будет рабом!

Англичане отличаются стойкостью. Бристоль оправился от шока и скорей забыл о страшном сюрпризе.

Излишне говорить о расстройстве автора. Но — все, что не убивает, закаляет.

— Ничего, — сказал скульптор. — А Гулливеру было легко? А кому легко? Парш-шивая Англия... бывшая, панымаиш, великая империя. Что вы хотите? — масштаб утерян! Не тот уже масштаб!..

Закал его жизнью был долг и тверд.

7. Колумб

Масштаб оказался словом ключевым. Близилось пятисотлетие открытия Америки.

— Ты помог мне, — сказал скульптор. — Я помогу тебе.

Его перманентный диалог с Гулливером носил по преимуществу морально-философский характер. Так говорят с далеким другом, своим вторым я.

— Домой не пустили! — плевал скульптор. — Вот — люди!.. Ничего. Ты открыл Новый Свет. Много раз! Там твоя слава! Там твое место!

Незамедлительно вслед за чем известил муниципалитет города Нью-Йорка, что специально для него, в честь и ознаменование великого полутысячелетнего юбилея Нового Света, эпохальной вехи американской цивилизации, он изготовил в дар — достойную грандиозного города статую Колумба. Хай кволити. Кинг сайз.

— Главное — что ты есть, — сказал скульптор Гулливеру. — Имя — не главное. Мы оба знаем: ты — это ты!

Торжества ломились неимоверные. Континент гулял. Латиносы тянули одеяло на себя: испанцы пионеры! Индейцы вякали об угнетении. Денег летело немерено. Америка предъявляла миру хозяйский разворот.

Скульптор явился в кипение подготовки торжеств и очаровал всех своим миниатюрным вариантом. Взмах волшебной руки — и хозяевам дали ознакомиться со своим будущим.

Наступила отрезвляющая пауза.

При входе в нью-йоркскую гавань, на фоне сияющих и взлетающих небоскребов Манхеттена, в непосредственной близости от священной Статуи Свободы торжествовал исполинский Человек-Паук.

Назначение Гулливера Колумбом нисколько не отразилось на его внешности. Он не проходил фэйс-контроль на конкурс красоты. Если скульптуру иногда уподобляют застывшей музыке, то это был обреченный вопль музыкальной фабрики, сокрушаемой гусеницами тракторной колонны. Это была великая антиутопия, внушающая отвращение к смыслу жизни.

— Это надо было поставить посреди Алькатраса, — нарушил общее молчание мэр.

— Почему Алькатраса? — с неиссякаемым добродушием спросил скульптор.

— Чтобы преступники постоянно видели свою сущность и страдали.

Подготовленный к эстетической дискуссии скульптор приступил к объяснениям. Но мэром Нью-Йорка был тогда великий Рудольфо Джулиани, и гомерический замысел злокозненного мецената был пресечен в корне. Джулиани отпилил зубы и когти мафии, Джулиани сделал 42-ю стрит безопасным променадом, Джулиани превратил Нью-Йорк в город без преступности и коррупции, Джулиани не дал денег на выставку «современного искусства», язвительно отрезав: «НЕ искусство — это то, что я тоже запросто могу». И ловкий русский ваятель, напоминавший видом крестного отца сицилийской семьи отчаюг, был ласково развернут в сторону международного аэропорта Джи Эф Кей.

— Ваш гений обладает огромной впечатляющей силой, — любезно и лестно напутствовал Джулиани гостя. — Но городские власти обязаны заботиться о здоровье граждан, муниципальный бюджет разорится, выплачивая компенсации беременным женщинам, у которых может случиться выкидыш при виде этого конкистадора.

Скульптор прикусил язык. Скорость распространения информации, либо буквальность ее совпадения, заморозила соображение. К тому времени в Москве, на Тишинской площади, уже громоздилась монументально-комбинированная скульптура его работы, и злые языки предостерегали, что беременные женщины должны выбирать другие маршруты движения — на всякий случай, именно остерегаясь выкидыша при виде жутковатого и нелепого монстра.

Короче. Горцы — упрямые люди. Грузины — горцы. А Америка — морская держава. И выходит двумя длинными береговыми линиями на два великих океана. Атлантический и Тихий. Колумб, адмирал Моря-Океана и вечный скиталец, искал приюта в тихих гаванях Бостона, Филадельфии и Нью-Орлеана. Затем он повторил вдобавок к собственному подвигу бессмертное деяние Нуньеса де Бальбоа, пересек материк и постучал в Золотые Ворота Сан-Франциско.

Были когда-то у Маршака стихи про недобрую страну буржуев Америку:

Старый швейцар затворяет подъезд:
— Нет, — говорит он, — в Америке мест!

Если бы Колумба так встретили в Америке пятьсот лет назад, там бы и поныне индейцы ездили верхом на ламах и срезали друг с друга скальпы каменными ножами.

Интересно, как земные судьбы реинкарнируются в посмертной мифологии.

8. Скиталец морей

У успеха много отцов, а матерей еще больше. Шесть городов Италии и Испании оспаривают честь быть малой родиной Колумба. Вы уже все поняли.

Генуя отреагировала мгновенно, что не на всякой родине и не всякий памятник нужно втыкать. Ответы последующих намеченных жертв не изобиловали разнообразием. Ваша любовь оценена и взаимна, но то, чего

106

вы добиваетесь, позволить нельзя. О нет, вы не всунете символ вашей любви в центр моего пейзажа.

Колумб отбывал в первое трансатлантическое плавание из порта Палос-де-ла-Фронтера. С веками городишко впал в полное ничтожество, и сегодня в его гавани едва ли стоит ставить матрешку. А еще рядом расположился знаменитый город и порт Кадис, но в качестве обрамления для титанического шедевра и он беден, глух и малолюден...

В долгах, в цепях, на соломе, без чести и славы закончил свой путь настоящий Колумб. Испания вообще бедная и несговорчивая страна. Со времен инквизиции не понимала она своего счастья.

9. Благородный дон

И тут подходит пятисотлетие первого плавания в Индию, совершенного великим первооткрывателем и путешественником Васко да Гамой! Фигура в исторических святцах вполне колумбовского масштаба. Та Эпоха Великих Географических открытий была вообще густа и полна натур одна другой круче.

Наш скульптор, может, и не упал бы на этот вариант, но Португалия находится рядом с Испанией и вообще является почти ее частью. А Васко да Гама там — как у нас Гагарин и Миклухо-Маклай вместе взятые.

Уровень бедности Португалии позволяет России как раз иметь ее за реальный образец своего светлого будущего. Пенсионеры и нахлебники всей Европы норовят жить в Португалии — там все дешево. Перспектива укорениться в нашем радостном завтра усугубила азарт скульптора.

Неликвидная гора цветных и черных металлов со временем стала приводить автора в неистовое раздражение. Причем двукратно: как невтюханная скульптура она уедала самолюбие — а как сумма пропадающих материальных ценностей она ущемляла кошелек.

Гулливеру выписали следующий паспорт. Последовало внедрение нелегала в страну очередного пребывания.

Увы, родственники не опознали вернувшегося с того света дедушку. Приведение ужаснуло потомков, и с помощью заклинаний было извергнуто восвояси. Просторная гавань Лиссабона осталась незамутненной.

— А и как красиво стоял бы в гавани!.. — бурчал и вздыхал скульптор. — Лицом к Америке, через океан показывает, карта в руке... Волны, горы, будущее! Даже лучше, чем на том берегу!

10. В прорубленном окне

И тут колокол зазвонил над колыбелью трех русских революций. И прежде, чем Собчак пропел трижды, Ленинград отрекся от славного имени вождя мирового пролетариата. Народ вспомнил, что он богоносец, и выкрикнул в цари градооснователя Петра. На картах и зданиях менялись надписи. Вернувшийся к истокам Петербург готовился с государственной помпой праздновать свое трехсотлетие.

— Нарекаю тебя Петром Великим! — сообщил своему незадачливому детищу скульптор, и поехал в Петербург.

Он пожаловался мэру Питера, что тоже всю жизнь мечтал жить здесь, да вот не вышло, не доехал немного. Москва проклятая засасывает, разве это город. Два импозантных мужчины в клетчатых французских пиджаках пригубили бордо и изготовились к взаимным неприятностям.

— Люблю тебя, Петра творенье!.. — разрывался от

воодушевления скульптор, показывая слияние своей души с городским пейзажем загребущими взмахами типа снегоуборочной машины.

И подарил мэрии чудесную бронзовую статуэтку — Петр со свитком своего генплана обустройства России стремится меж пушек и парусов в Европу сквозь свеже-прорубленное окно.

Собчак взвешивал в руках — благодарил прочувственно.

— Э! — пренебрежительно отмахивался скульптор от лилипутского Петра, как от надоедливой мухи. — Разве такой масштаб нужен великой северной столице!

Этого лилипута, вкрадчивого лазутчика, он в который уже раз запускал вперед — на разведку. Окучивать грядку.

> — На берегу пустынных волн
> Стоял он, дум великих полн! —

напирал творец. — Это самый прекрасный, самый грандиозный город в стране!.. в мире! Это должно быть... величественно!!

Он обменялся с мэром замечаниями о габаритах Медного Всадника и Петропавловского шпиля. Сама собой речь зашла о мерах длины и веса, достойных города. Скульптор утерял на миг самоконтроль и охарактеризовал Петра как Гулливера в мире лилипутов. Он стелился скатертью и пел соловьем. Он сватал свое любимое детище, как отчаявшийся родитель пытается сбыть с рук великовозрастного идиота-сына, которому отказали в руке и сердце все окрестные невесты в здравом рассудке и трезвой памяти.

Превращение Петербурга в город лилипутов Собчаку не понравилось. «Куда лезет палец, сует и оглоблю», — пробормотал под нос изысканный университетский профессор уличную присказку.

Скульптор не к ночи помянул коллегу Шемякина. Собчак изменился в лице. Он с ненавистью цедил и бурчал об уроде-микроцефале, которого по доверчивости приняли в дар от Шемякина. Теперь это доисторическое чудовище, эта помесь макаки с динозавром, где руки и ноги более всего напоминают из садового инвентаря грабли, а голова — теннисный мяч, укоренилось в Петропавловской крепости, и даже ангел на золотом шпиле стал смотреть в другую сторону. По мнению мэра, чудовище как металлическая реинкарнация великого царя подсознательно символизирует безмозглую и уродливую грандиозность и мощь любых русских реформ. Не говоря о глубоко вбитой в рефлексы Шемякина ненависти к российской державности и государственности, воплощаемых для художника в тупом тоталитаризме.

Затронув тему, они посплетничали о памятнике Казанове, который Шемякин подарил к юбилею легендарного мужа его родной Венеции. Фотографии статуи на фоне Моста Вздохов у набережной Гран-Канала обошли все газеты. Через месяц, вняв городскому хору, власти задвинули милое сюрреалистическое сооружение в неизвестные дали, и более о его судьбе не знают даже венецианские гиды. Что характерно — ни одна газета не обмолвилась об этом ни словом. Пиар — это наука.

Главное в переговорах — ключевое слово. Оно пробьет психологический барьер партнера и развернет новый смысл предмета.

Скульптор метнул гарпун.

— Ось! — озвучил он. — Архитектурная и смысловая ось города! Геометрическая и эстетическая ось.

Мэр-профессор был заинтригован. Ось, накось, выкусь. Он дал согласие ознакомиться с идеей.

На первое подали карту, а на второе — ту же хрень, вид сбоку.

Эта земная ось выперлась наружу над раскатом Невы, меж Зимним и Петропавловкой, забивая бессмертный

110

ансамбль Василеостровской стрелки. Торчала безумная песня, терлись спиной драконы о земную ось, стержень глобуса металлически лохматился.

Торжествующий скульптор звенел и прыгал, что Царь-Созидатель, Строитель и Прорубатель именно здесь необыкновенно уместен.

— Все флаги будут в гости к нам! И запируем на просторе!

Казалось, он подкупил Пушкина, заказав рекламную поэму с последующим банкетом.

Как прекрасен Петр на берегу пустынных волн, полн, а кругом им город заложен, полнощных стран краса и диво! И в сем размере отражен гигантский труд его деяний! И все позабудут небольшого медного, понимаешь, всадника, поставленного Екатериной, тоже мне лошадь с гадюкой, — а помнить будут Собчака, увековечившего правление Великим Памятником!

— Петр — Великий? Да? Ну?!

Накал страсти достиг шекспировского монолога. Собчак утер оторопелый пот. Альтернативное будущее гипнотизировало его.

— Ужо тебе!.. — выскочила из него цитата продолженной поэмы.

Город врос в землю. Шпиль Петропавловки походил на золоченую метлу. Мир съежился. Монстр сиял!

К мэру вернулся слух.

— И в Гавань тоже не пущу, — сказал он.

11. Возвращение

Я шар земной чуть не весь обошел — и жизнь хороша, и жить хорошо. Я вернулся в мой город, знакомый до слез. Выходи на бой, чудище поганое.

Как мы помним, в какие бы дальние страны, населенные различными, но неизменно недобрыми существами ни отправлялся Гулливер — в конце путешествия он неизменно возвращался домой.

Вот таким образом в Москве, сбоку Москвы-реки, никогда не бывшей сколько-то значимой водной магистралью, рядом с конфетной фабрикой «Красный Октябрь» — монументально впаялся в пространство Петр: сбежавший из Москвы в юном возрасте и сделавший все, чтоб ненавистная домотканая столица пришла в ничтожество и упадок. Государь император Петр Алексеевич, перенесший столицу заново на далекий север и чуть не убитый в Москве в невинном отроческом возрасте, Москву терпеть не мог. Просто на дух ее не переваривал, вместе с бородами, армяками, слободами и церквами. Вот стоит. Не знает, что он Гулливер.

Процесс пошел, как гениально выразился первый и последний президент СССР. Как мегатонными вехами процесса, Москва оказалась заставленной циклопическими истуканами Церетели. Возможно, городским властям казалось, что они символизируют своим размером величие нашей эпохи. Вроде как сталинские высотки дали облик своему времени.

За своим плодотворным занятием Церетели развил поистине термоядерную мощь. Если иной город отказывался принимать большую статую — скульптор всучивал ему для первой привычки маленькую. Идешь в Лондоне по Оксфорд-стрит: бац? — в угол дома вмурована такая хреновина в полметра высотой, вроде Прометея, вздымающего вверх свою горящую печень, и на ней надпись: дар скульптора Церетели. Искусство сближает народы. Огребай, руманешти, матросский подарок!

Когда в Нью-Йорке рухнули небоскребы, Церетели подарил городу сорокаметровую слезу. Муниципалитет цинично отверг эту крокодилову слезу. И что? Теперь она пролилась, как серный дождь на Содом и Гоморру, на штат Нью-Джерси, другой берег Гудзона, чтоб с Манхеттена хорошо видели и помнили кару господню.

Нью-Джерси штат дешевый, не балованный дарами, он кочевряжиться не стал.

...Если вы обладаете хоть малым пространственным воображением — уменьшите мысленно уродов Церетели до размеров стакана. И бройлерного Де Голля, и букараху на шпиле Поклонной горы. И вдруг вы обнаружите, что они милы — легки, гармоничны и изящны! Стиль, юмор и аллегоричность! Мужик действительно прирожденный миниатюрист. Охота быть гигантом пуще неволи...

И гнут гулливеры лилипутский народец, мелочь пузатую, предназначенную для их прокормления. Они велики, тяжки и всемогущи. А мы, получается, малы и бессильны. И повинны в недостаточной к ним любви.

Не обижайте детей. Из них вырастает непредсказуемое. Жизнь коротка — искусство мстительно. Отдача художника бывает страшной, и даже сам он не может совладать со своим талантом.

МОНГОЛЬСКОЕ КИНО

Было время — все кинозалы Советского Союза были оснащены цитатой из Ленина — золотом по алому: «Из всех искусств для нас важнейшим является кино». Народу было неведомо авторское окончание сентенции: «...ибо оно одно вполне доходчиво до малограмотного пролетариата и вовсе неграмотного крестьянства». Вторая половина поучения, как оскорбительная для победившего класса-гегемона, была отрезана бережными хранителями ленинизма. А вот для той самой доходчивости. Так кастрируют быков или коней для большей пользы в хозяйственной работе. Не торопитесь завидовать посмертной славе гениев.

И польщенный произведенной над ним операцией народ, уважительно ходя в кино, радовался значительности своей кинозрительской роли. А начальники, лидеры, партийные секретари и прочие вожди в масштабах от вселенной до дуршлага, тужась, изготовляли ему духовную пищу. «Ленин в Октябре», «Член правительства», «Партийный билет», «Если завтра война», «Человек с ружьем», «Секретарь райкома», «Подвиг разведчика», «Подпольный обком действует», «Бессмертный гарнизон», «Три танкиста», «Четыре танкиста и собака», «Истребители», «Торпедоносцы»... Партия — тогда еще не «Единая Россия», а просто — Партия, она же Коммунистическая Партия Советского Союза, — заботилась о важнейшем искусстве всерьез.

Маститый кинорежиссер имел статус олигарха. Денег отваливали из казенного кошта немерено. Когда Запад увидел Бородинскую битву Бондарчука в «Войне и мире», у Голливуда похолодело в животе: когда-то у Наполеона было меньше солдат. Путь к экрану будущие звезды прогрызали зубами, преодолевая тошноту в нужных постелях и на партийных собраниях.

Художественные советы и приемочные комиссии бдели тщательнее контрразведок. Вырезали, выстригали, выбрасывали, запрещали и клали на полки. Режиссер была второй по смертности профессией после шахтеров. Стенокардия называлась режиссерский геморрой.

Но фильмов было до фига-а. Отошла сталинская заморозка, вкачали бабло в благо советского народа строителя коммунизма, и стали выпускать сотни фильмов в год. Иностранщина была редкостью; исключением! Хавали родное, и навоз был усеян жемчужинами! Курочка по зернышку клюет, а весь двор в дерьме.

И вот это родное стало приедаться. Партийное целомудрие как-то отягощало. Дети в кино рождались от поцелуев. Тело в купальнике приравнивалось к сексуальной сцене, а сексуальная сцена — к антисоветской диверсии. Кинопограничники с овчарками ничего подобного близко к экрану не подпускали.

Н-ну, разве что иногда в иностранном кино, чтоб показать растленность их падших нравов... ну, и намекнуть, что мы не чужды широкой терпимости даже в этом... Когда Бриджит Бардо спиной к залу вставала из ванны, ряды очей незрячих пучились от невозможности этой картины! Когда обнаженные плечи Трентиньяна и Анук Эме двигались в такт над одеялом — влюбленные пары в темном зале стеснялись смотреть друг на друга; это было беспрецедентно, степень откровенности сладко шокировала...

Своих фильмов было завались, но по части клубнички больше все предлагали вывоз удобрений на поля и выплавку чугуна. И многочисленные внутрисоюзные и международно-социалистические (полумеждународно...) кинофестивали убаюкивали, усыпляли и заставляли грезить в темном зале совсем о другом. Моральная цензура довела воздержанием и намеком потентный народ до того, что ритмичный вход поршня в цилиндр вызывал циничный гогот подростковой аудитории. Да-да, это вам не реклама прокладок, когда вся семья мирно ужинает перед телевизором.

...И вот Ташкент, и жара, и плов, и тюбетейки, и речи, и такой азиатско-социалистический международный кинофестиваль. Оу йес! Фильмы в те времена были хорошие, плохие и китайские. Эти просто боролись за надои в кооперативе и говорили голосами будущих аргентинских мыльных опер. Мыло про борьбу с воробьями и гоминдановцами.

А также вьетнамские, северокорейские, монгольские, египетские и сирийские. А наши-то гении! — шедевры таджикские, узбекские, туркменские, киргизские и казахские. Надо заметить, что расизм в СССР был скрыт не слишком старательно и носил чаще форму добродушной иронии. Типа: «Этих рок-звезд мы объелись, но вот когда вышла ваша обезьяна в полосатом мешке и стала играть на лопате — вот это было да!»

А в жюри сидят московские товарищи вполне правящей национальности и культурной ориентации. Нет-нет, смуглые там в президиумах представляют большинство, но это большинство все больше расположено по периферии плюс один-два в центре, как цветки в клумбе. А руководящее ядро — наши московские товарищи с ленинградским и минско-киевским подкреплением.

И смотрят по пять фильмов на дню. Ужас! Как тут не пить? И пьют, и вступают спьяну в дикие связи, пропадают в городе, теряют копии, растрачивают командировочные и икают в президиуме; и все это вместе и называется кинофестиваль.

От скуки свело судорогой те маленькие мышцы, которые поддерживают веки над глазами. Глаза бессознательные. Лицо обвисло вниз, как у спаниеля или Героя Советского Союза летчика Анохина под восьмикратной перегрузкой.

Показ фильмов сопровождается, естественно, синхронным переводом на русский. По загадочному закону природы: чем хуже и скучнее фильм — тем гаже и дебильнее делается голос переводчика. Интеллигентные люди с высшим университетским образованием вдруг начинают лживо гундеть, бухтеть и жужжать, как трансформатор, который сверлят бормашиной. Каверзная причина в том, что переводчик тоже человек, и если ему что-то сильно не нравится, его эстетическое чувство оскорблено, он презирает свою долю и оплакивает судьбу, и эти вибрации подсознания изменяют голос до непереносимой мерзости. И вот такими голосами они читают перевод фильма. И все понимают, что смотреть и слушать этот ужас — грязная тяжелая работа, и большие деньги членам этой посиделки платят не зря. То есть объем и тяжесть работы мерится степенью накопленного отвращения к ней. Это вообще по-нашему.

Короче, в аппаратной очередной монгольский кирдык. Ала-башлы. Жюри профессионально засыпает с момента наступления темноты. В зале пусто, как на палубе авианосца.

А переводчика — нет!

Ну, обычный момент, остановили ленту, побежала искать. Что-то долго. Тоже бывает. Оргзадержка.

Но в президиуме жюри сидят сегодня особенно серьезные товарищи. Из Министерства культуры. И так далее.

Прибегают девочки с тугими фигурками, как любят руководящие товарищи, и шепчут панически. Нет нигде монгольского переводчика. Не то кумысом залился, не то монголку себе нашел в недобрый час, не то барана встретил и принялся рефлекторно его пасти. А только монгольское нашествие на Ташкент терпит фиаско. При Чингиз-хане давно бы сломали такому переводчику хребет.

Н-ну... Кидают клич — кто может заменить? В сущности, все монголы братья, причем русским, их в школе учат, пусть режиссер и переводит, где он?

И — ах! Монгольская группа еще не приехала. А режиссер вообще летит из Берлина. Перестановки в программе. Это вообще внеконкурсный показ.

Заменять фильм? А для другого где переводчик, а где группа, а где кто?.. Рабочая суета: мечутся наскипидаренно и сулят смерть друг другу. Мысленно взорвали Монголию. Свет зажигается и гаснет.

Висит клич. Все переводяги братья. Про грудь и амбразуру. И одна тугая девочка с карьерным хотимчиком в честных глазах говорит застенчиво: а давайте Володю Познера попросим... я могу попробовать его найти...

Это сегодня старый лысый Познер начальник Телеакадемии и навяз в экране. А тогда молодой волосатый Володя был статный красавец на все случаи жизни. И профессиональная легенда парила над ним, как орел над Наполеоном. Мама у него еврейка, папа француз (или наоборот), дедушка американец, бабушка русская, гражданства французское, американское, советское, швейцарское и еще одно, и говорит он свободно на французском, английском, немецком, испанском, арабском, еврейском, а на всех остальных читает без словаря и объясняется на бытовом уровне. Человек фантастической биографии: жил в Третьем Рейхе, в Алжире, в деголлевской Франции, в Америке, и везде работал на радио и телевидении на местном языке. Папа у него был советский разведчик, а мама левая интернационалистка (или наоборот).

Девочки стучат каблучками и стреляют глазками вдоль коридоров и кулуаров, щебеча и придыхая про «Эколь нормаль» и «Стэнфордский университет», возвращение европейских коммунистов на родину пролетариата и редакцию международной пропаганды московского радио. Конец всему! Биография Познера действует на поклонниц, как валерьянка на кошек.

И они выскребают снисходительного Познера из сусека, пропитанного веселым запахом местных напитков и женских духов. Монгольский? отчасти! как откуда? я не говорил? — полгода работал в Монголии от Си-би-эс, язык несложный, американцы за него надбавку платили, а китайский еще в Харбине, с родителями жили, близкие языки. И рослое тело волокут на девичьих плечиках вдохновенно и пристраивают за пульт. Пусть блестящий московский журналист и феномен подработает переводом. Тем более эта фигня на одну прокрутку.

Отмашка, луч аппарата, и в темноте Познер включает свой обаятельный мужественный радиобаритон.

А на экране — бескрайняя монгольская степь, переходящая уже вовсе в бесконечную пустыню Гоби. Стадо овец — как горсть мышей на футбольном поле. Юрта, дымок. Пастух верхом на лошадке, которую в Англии называют пони, только эта лохматая. Лицо пастуха — молодое, вдохновенное, юно-героическое. И с протяжной дикой тоской и заунывной страстью он поет: горловые рулады:

— Любовь настигла меня в жаркий день.
Она сладка, как чистый ручей.
Нет выхода печали моего сердца.
Вдалеке таюсь от людей.

«Это ж надо, — тихо делится в темноте один из руководящих товарищей. — Прямо японские танки... или хуйку...» В общем, ценитель восточного искусства.

Пастух поднимает к себе в седло ягненка, рассматривает его, дует в шерсть, целует в милый ягнячий носик и отпускает со словами:

— Ах, не тебя бы я хотел так целовать!.. — переводит Познер своим приятным баритоном, но с той особенной механической ровностью интонаций, которая свойственна в кино синхронистам, все внимание которых занято переводом смысла, а на эмоции и интонации сил и времени уже нет.

Из-за сопки выезжает крошечная далекая фигурка и медленно превращается во встречного всадника. Этот постарше, лицо резче, вид серьезный. Явный степной руководитель.

Поравнявшись, они обнимаются, не сходя с седел, и младший говорит радостно:

— Как я истосковался, пока тебя ждал!

А старший, улыбаясь в морщины, отвечает:

— Я считал минуты до нашей встречи!

На следующем кадре младший загоняет овец в загон и кричит во все горло:

— Вернулся мой дорогой друг! Вернулся мой дорогой друг!

Эта горячая дружба немного забавляет не успевших уснуть зрителей. Все-таки эти монголы очень наивны в своем социалистическом оптимизме. Младшие братья, чего взять.

Два наших пастуха сидят и пьют чай у костерка. Старший прихлебывает и говорит:

— Горяч, как твой поцелуй.

Младший отхлебывает и говорит:

— И жжет внутри, как твои ласки.

??? У зала исчезает как-то желание спать. Люди медленно осваиваются с услышанным. Фразы в контексте... нетрадиционны. Налицо асинхронизация видового и звукового ряда. Это... собственно... как понимать?

И вот наши двое монголов лежат рядом под одеялом. Над ними — мечтательные звезды, отражаются и мерцают в задумчивых глазах.

Познер чуть откашливается и переводит:

— Я так счастлив, что судьба подарила мне еще одну ночь с тобой.

И ответ:

— Я знаю, что это нехорошо. Даже преступно. Но ничего не могу с собой поделать...

— Иди ко мне, дорогой, иди же скорее...

Все. Зал затаил дыхание. Иногда чей-то судорожный вздох и всхлип. Неужели???!!!

— Так, — говорит Познер. — Если переводить дальше, я прошу указания. Там текст эротического характера.

— Переводи! — сдавленно командуют в темноте из президиума.

— Глубже, — с механическим бездушием робота переводит Познер. — Твой нефритовый стержень силен.

Утро, солнце, овцы, степь, двое в седлах:

— Тебе было хорошо со мной?

— Мне еще никогда не было так хорошо.

Обвал. Ужас. Сенсация. Не может быть!!! Вот это засадили братья-монголы!!! Извержение вулкана, взрыв фестиваля: полнометражный художественный фильм о гомосексуальной любви двух пастухов, коммуниста и комсомольца, в далеком монгольском скотоводческом колхозе.

Всем как по шприцу адреналина засадили. Затаили

дыхание, и глаза по чайнику, ушки к макушке сползли и растопырились.

Поймите, это были те годы отсутствия секса в СССР, когда в последнем слове на суде огребающий свой срок знаменитый режиссер Параджанов саркастически произнес: «Все может простить Коммунистическая Партия, но половой член в заднем проходе — никогда!» И получил десять лет лагерей. Н-ну, мы не говорим уже, что в Средние века гомосексуалистов сажали на кол.

Уважение к меньшинствам тогда было не в моде. Тогда и большинство-то в грош не ставили. Но вообще это все — статья за мужеложество. Что делать?..

В президиуме — свист и шип, словно змеи совещаются. И вердикт шепотом: Черт их знает, этих диких пастухов... кто там с козами живет, кто с кем... Товарищи, это первый монгольский полнометражный художественный фильм на нашем фестивале. Надо поддержать. У них тоже отборочная комиссия, партком, международный отдел, братская партия. Значит, так надо, если отправили такой фильм.

А на экране:

— Эта любовь дает мне счастье и гордость! — заявляет юный пастух старшим членам своей семьи.

— Я боюсь, чтобы это не испортило тебе жизнь, — тревожится мать.

— Старший товарищ не научит его плохому, — сурово возражает отец.

Черт. Мы и не знали, что в социалистической Монголии вот так относятся к гомосексуализму. Товарищи, да ведь они в него шагнули прямо из феодализма. А возможно, в развитии сюжета они будут преодолевать свое прошлое?

А-а-а! Вот и кульминация — общее собрание прорабатывает наших любовников. Народ волнуется в большой юрте, стол застелен сукном, председатель звонит в колокольчик:

— Пусть наши, так сказать, друзья объяснят коллективу свое поведение. Много лет мы боролись за социализм! (Аплодисменты.) Случались и раньше подобные факты, мы их не афишировали...

А над головой у председателя, слева и справа, укреплены к походному войлоку полога портреты товарища Сухэ-Батора и маршала Чойболсана, и выражение лиц у них странно принаряженное...

Женщина с орденом на груди сжимает в кулаке меховой малахай и выкрикивает:

— Эти моральные отщепенцы бросают вызов всем честным труженикам! — И срывает гневную овацию всей этой, так сказать, красной юрты.

А старший пастух выходит и говорит:

— Я полюбил его всей душой... и всем телом. Вы можете меня судить и расстрелять, но я ничего не смог поделать с собой. Но верьте: я старался учить его всему хорошему!

И — представьте себе! — он переламывает настроение этой колхозно-овцеводческой общины, и она ему сочувственно кивает и аплодирует.

А младшего встречает смехом и свистом! И он оправдывается:

— Я ничего не мог поделать! Сначала я не понимал, чего он от меня хочет. А потом он подчинил меня своей воле...

Драма, короче, страшная. Он предал своего старшего любовника и попытался начать чистую жизнь. А тот все приезжал к нему и снова склонял к сожительству.

М-да. А потом старший погиб во время грозы и бури, спасая колхозный скот. И хоронили его торжественно всем колхозом. А младший страшно каялся и лил слезы на его могиле. А в конце ехал по степи и пел счастливую песню об их любви, ушедшей навсегда...

Народ был просто громом поражен, в смысле кинозрители. Гомосеков все брезгливо ненавидели, а вот эта драма просто заставила расчувствоваться.

— Тоже люди, понимаешь...

— Тоже любят...

— Слушайте, но кто мог ожидать, что монголы залудят такую мощную работу!

— А ведь это, ребята, и на Золотого Льва натянуть может... и на Оскара!

То есть обсуждение приняло необычно живой характер. А фильм поставили на специальный приз по ходу идущего конкурса. Ну, на первое место все же нельзя: гомосексуальная тема как-никак, однополая любовь, идеологически все же не очень. Но — национальная своеобычность. А вот оригинальность темы, смелость режиссерская, нетривиальная коллизия... и камера-то не такая плохая, и игра актеров, товарищи! — как это все без лишних эмоций, все изнутри показывают, по Станиславскому... Короче — фильм что надо.

Высокое фестивальное начальство, которому прохлаждаться некогда, потребовало фильм себе на просмотр. Они первые четыре смотрят: для порядка, — кому призы давать и премии. Смотреть все им некогда.

А монгольская группа уже подъехала. И в малом спецзале, в уголку за пультиком, лампочка на черном щупальце пюпитр освещает, монгольский переводчик излагает события:

— Здравствуй, Цурэн! Как скот, здоров?

— Спасибо за лекарство, Далбон! Те четыре овцематки, что болели, теперь совершенно здоровы.

Начальство терпеливо ждет, когда начнется гомосексуальная любовь. Оно проинформировано в деталях и тоже хочет приобщиться к оригинальному монгольскому кино.

А разговоры все о поголовье, о методах содержания скота. О повышении рождаемости овцематок и выживаемости ягнят. Привес обсуждают — плановый и сверхплановый! И голосуют за резолюцию всем собранием.

Стоп! — говорит секретарь по идеологии Республиканского ЦК, он же куратор фестиваля. — Вы эту производственную драму нам совать бросьте. Мы понимаем ваши сомнения, но, чувствую, вы просто заробели!

Свет вспыхивает, фильм останавливается, монгольский переводчик краснеет. Мнётся неловко.

— Ничего не стесняйтесь! — говорят ему. — Мы все понимаем. Это искусство. Национальные традиции уважаем. Реалистическая форма, социалистическое содержание. Так что — переводите точно!

С переводяги пот льёт: на таком уровне прессуют! — и переводит:

— Может быть, тебе лучше поехать в город? — (говорит сыну-скотоводу ласковая мать.) — Ты сможешь выучиться на учителя или инженера, люди будут тебя уважать.

А отец ей возражает сурово:

— Сотни лет наш народ выхаживал скот в этой суровой степи. Это наше богатство. Даже на монете скотовод скачет за солнцем! И долг нашего сына — быть там, где трудно. Там, где нужнее родине.

Руководящие товарищи раздражаются. У переводчика сконфуженное лицо, но упирается на своём как баран. А любовники под одеялом рассуждают о выхаживании недоношенных ягнят! В зале посмеиваются.

— Так, — принимает решение секретарь по идеологии. — Нечего тут глаза нам замазывать. Давай сюда старого переводчика!

Бегут за Познером. Познера нигде нет. Долго ищут, приставая ко всем. В конце концов вышибают закрытую дверь и вытаскивают его из комнаты тугих девочек.

Познер необыкновенно благодушен, белозубо обаятелен и поддат. Не совсем понимает, куда и зачем тащат. В конце концов пихают его за пульт. С наказом:

— Переводи, как тогда!

На экране овечье стадо, и болезненно подпрыгивающий в седле пастух поверяет пространству, лаская парнокопытных счастливым взором:

— Сначала мне было больно. Я стыдился своего желания. А потом стал хотеть этого ощущения. — Механической гайморитной скороговоркой строчит гундосо Познер классический киносинхрон.

Руководящие товарищи замирают. Непроизвольно сглатывают сухим горлом.

— Стоп! Сначала поставьте!

И Познер гонит эту скотоложескую гомосексуальную эротику. Нет повести печальнее на свете, чем повесть о Ромео и де Саде.

После чего удивительным и нетипичным фильмом заинтересовались в ЦК Узбекистана. Щекочет тема и обжигает. Эдакая клубничка с монгольским кумысом! Над фильмом засиял ореол стильного.

В ЦК пригласили монгольского переводчика и выгнали вон и его. И снова позвали Познера.

А он уже прет с креном на автомате без заднего хода: а, завтра забудется.

Короче, они пришли к выводу, что из неловкости и конспирации монголы как бы маскируют в СССР свой фильм под скотоводческий, хотя на самом деле он о трагедии феодальной любви, наказуемой социалистическим законом. Работа за гранью риска, безоглядно откровенная и поразительно народная по душевности характеров.

И фильму дали «Специальный Приз». С формулировкой: «За нетрадиционное освещение современной проблематики тружеников монгольской степи».

Прессе, конечно, все было прекрасно известно про настоящий перевод и про попытки авторов фильма скрывать истинный смысл работы и стесняться его. Поэтому корреспондентка журнала «Искусство кино» постаралась построить вопросы своего интервью как можно тактичнее:

— Скажите, пожалуйста, — наклоняла она декольте под нос монгольскому режиссеру, скромному молодому человеку, похожему на Джеки Чана в замшевой куртке и черных очках, — как вы пришли к основной теме вашего смелого фильма?

— Эта тема волновала меня всегда, — отвечал он. — У нас вообще весь народ этим занят. Это часть нашей культуры и истории.

— А как вы относитесь к женщинам?

— Женщина — это друг мужчины, помощник, товарищ в партийной работе.

— А какие мужчины вам нравятся?..

— Храбрые, сильные, работящие. Настоящий друг не бросит тебя никогда!

— А вас когда-нибудь бросали друзья? — расхрабрилась журналистка в легком головокружении от откровенности темы.

— Случалось, — режиссер вздохнул.

— Вы... сильно переживали?

— Конечно. Кто бы это не переживал?

— А... если мужчина любит женщину?

— В этом фильме меня это не интересовало. Я поставил перед собой задачу раскрыть основную тему. И чувства между мужчиной и женщиной тут могли только помешать, отвлечь от более важных переживаний. Помыслы героев имеют иное направление, понимаете?

— Вы верите в любовь?

— Разумеется.

— Как вы думаете, главный герой утешится после своей трагедии?

— Он молодой, ищущий. К нему нашел подход секретарь комсомольской организации. Там уже возникло настоящее взаимопонимание.

— Так что можно сказать — настоящее счастье всегда впереди?

— Конечно. Как всегда.

— А... это чувство не осложняет жизнь героя?

— Какое?

— Ну... главное?

— То есть любовь к основному делу? Конечно осложняет. Да еще как... Но в этом и счастье! Это делает жизнь богаче, наполняет ее смыслом.

Журналистка озаглавила свое интервью «Любовь по-монгольски» и по возвращении в Москву сдала в «Искусство кино» сенсационный материал, первым результатом чего явилось вышибание ее с работы с треском, а вторым — модернистские слухи об ее жизни в коммуне тибетских гомосексуалистов.

Но. Но. Фильм полгода спустя был представлен на Московский кинофестиваль!! И тусовка ломилась на него, куда там Антониони. И получила свои удои овцематок и ремонт кошар.

— Сволочи, — сказали любители кино. — Уроды. Это же надо — переписать весь звук!

Светское-то общество, имея доступы к информации, знало достоверно: Москва приказала своим меньшим монгольским братьям превратить прекрасную народную трагедию однополой любви в производственный роман; соцреализм хренов.

— Вы знаете, в чем там дело, что они говорили на самом деле? — передавали друг другу со вздохом любители... Мат входил в моду эстетствующих салонов.

Познера вызвали в Идеологический отдел ЦК — уже Всесоюзного, и вставили ему фитиля от земли до неба. Познер держался на пытке мужественно. Показывал номер партийного билета и клялся под салютом всех вождей, что переводил с листа, а точнее — просто читал, то, что ему клали на пульт. Знал бы кто? — сдал гадов на месте: но в темноте лиц не видно! При этом он был такой обаятельный и преданный, проверенный интернационально-коммунистический и полезный радиопропаганде на всех языках, а глаза честней сторожевого пса... поднявшаяся в замахе Руководящая Рука погрозила пальцем и отослала выметающим жестом.

Плюнули и спустили на тормозах. Но вспоминали долго, и до конца не верили, что гомосексуальной любви не было.

ШУТНИК СОВЕТСКОГО СОЮЗА

Никита Богословский был не совсем человек, а фантастическая флуктуация. Небесный гость, он прочертил траекторию через сто лет своей жизни в светящемся облаке веселящего газа. Другого бы сто раз сгноили на Колыме, а ему все сходило с рук. Всякий тоталитарный режим обожает своего шута Балакирева.

Страна огромная пела «Темную ночь» и «Шаланды, полные кефали», а Богословский, „жуир и бонвиван“, как написали бы в старом французском романе, наслаждался жизнью на авторские отчисления. Он был по советским меркам богат и преуспевающ, он жил в шикарной квартире композиторского дома на улице Горького у Красной площади, и маленький рост с блеском давал бабам носить его на руках. Шампанское, бенгальское, рояль, шанель, шарм.

Птица его удачи танцевала на столах, и веселье гения носило гомерический характер. Его шутки раскрашивали серый регламент бытия в мифологическую радугу и уходили в фольклор. Ему боялись попасться под легкую руку на острый зуб. Жертвы наслаждали народ искажением лица и биографий. Задолго до появления слов «хэппенинг» и «реалити-шоу» он возвел розыгрыш на высоту искусства в сумасшедшем доме.

Сталин благоволил ему нежно. Он понимал толк в измывательстве над соратниками, и ценил мастера.

На склоне долгих лет и славы, увенчанный всем, что можно нацепить, водрузить или повесить, Никита Богословский решил написать книжку. Автобиографическое повествование приняло форму не столько отчета о проделанной работе, а радостного пересказа диких проделок.

Небесный Покровитель его юмора решил по такому случаю пошутить лично, и книга вышла с опечаткой в фамилии автора на обложке. Не замеченная всем издательством вопреки реальности — уникальная в своем роде Шютка выглядела так:

БНИКИТАЙ
Богословский

И автор не замечал! Такова психология восприятия буквенного пространства. Поощряемый богословским дружелюбием, я целеуказал эту хохму в порядке его развлечения. Никита изумился, расстроился, пока через четверть часа и рюмку коньяку не вдохновился касанием Высшего Перста.

Его подначки обрастали подробностями и передавались в поколениях. Книга не заслонила легенды. Непревзойденный гений мистификации был человеком старого воспитания и холодной петербургской закалки. Скромность интеллигента не позволила изложить бесчинства хулигана во всем их павлиньем блеске. Описание не достигало головокружительных высот действительности.

Даже в такой проходной мелочи, как:

Никита стучит с улицы в окно своей квартиры — жене: дверь открой, пожалуйста, я ключи дома забыл. Она кивает и идет к дверям. И через два шага застывает на месте. Каменеет. Белеет. У нее останавливается дыхание. Она оборачивается к окну...

За стеклом Никита делает приветливые жесты, извиняется.

У нее волосы встают дыбом. Челюсть отваливается. Глаза стекленеют и закатываются. Она падает в обморок.

Они живут на шестом этаже.

За окном — отвесная стена без балконов и карнизов.

Это Никита шел домой и увидел монтера на автомобильной вышке, меняющего лампу в уличном фонаре. Ну, нанял за пятерку, поднялся.

1. Рокировка

В советское время искусство принадлежало народу. И народ его получал. Иногда с доставкой на дом. По разнарядке. Власть заботилась о культурном росте граждан!

Была такая организация «Госконцерт». И была «Госфилармония». Они составляли графики поездок и выступлении артистов на кварталы и годы вперед. По городам и весям. Чтоб глубинка тоже приобщалась и росла над собой гармонично.

И все актеры, певцы, музыканты, поэты и композиторы, танцовщицы и юмористы — все должны были отработать положенное количество выступлений в провинциях. Существовали нормы, утвержденные Министерством культуры. Даже народный артист СССР и заслуженный композитор не могли избежать своей участи.

Собирались обычно по двое-несколько, чтоб не скучно было, и отрабатывали норму. Составлялись дружеские тандемы, революционные тройки, ударные бригады и летучие десанты.

Никита Богословский обычно «выезжал на чёс» с композитором Сигизмундом Кацем. Они жили на одной лестничной площадке, выпивали друг у друга на кухне, и вообще оба были из приличных старорежимных семей.

График поездки сколачивался поплотнее, чтоб уж отпахал три недели — и пару лет свободен. Город областной, город заштатный, райцентр сельского типа, по концерту дали, в гостинице выпили — и на поезд, в следующую область.

К концу поездки подташнивает, как беременных. Репертуар навяз. А разнообразить его смысла нет, конечно: все залы разные, им любое в новинку. Буквально: бренчишь по клавишам — а сам думаешь о своем и считаешь дни до дома.

И вот очередной звездный вояж подходит к концу. Печенка уже побаливает, и кишечник дезориентирован тем ералашем, который в него проваливается. Просыпаешься ночью под стук колес — и не можешь сообразить в темноте, откуда и куда ты сейчас едешь.

Последний райцентр, по заключительному концерту — и все. Настроение типа «дембель неизбежен».

— Слушай, — говорит умный Сигизмунд Кац. — У них тут районный Дворец культуры и кинотеатр.

А давай: ты первое отделение в Доме культуры, — а я в кинотеатре, а в антракте на такси, меняемся, гоним по второму отделению — и как раз успеваем на московский поезд?

Вообще эта вещь на гастролерском языке называется «вертушка».

— Гениальная идея! — говорит Никита Богословский. — По два концерта за вечер — и завтра мы дома.

Местные организаторы против такой скоропалительной замены не протестовали. Афишу в те времена художник домкультуровский переписывал за пятнадцать минут. А на Богословского всегда больше желающих соберется, его-то песни все знают. Тут Кац как бы в нагрузку идет, второго номера работает. Хотя композитор хороший и человек интересный.

Ну — сбор публики, подъезд, фойе, гул, праздничная одежда — московские композиторы приехали, знаменитости. Стулья, занавес.

«Нет-нет, — говорит Богословский, — объявлять не надо, мы всегда сами, у нас уже программа сформирована, чтоб не сбиваться».

Ну — свет! аплодисменты! выходит! Кланяется: правую руку к сердцу — левую к полу.

— Добрый вечер, дорогие друзья. Меня зовут Сигизмунд Кац. Я композитор, — говорит Никита Богословский, в точности копируя интонации Сигизмунда Каца. А люди с хорошим музыкальным слухом это умеют.

— Сначала, как принято, несколько слов о себе. Я родился еще до резолюции, в 1908 году в городе Вене.

О! — внимание в зале: времена железного занавеса, а он в Вене родился, не хухры-мухры.

— Мои родители были там в командировке. А Вена был город музыкальный...

За месяц гастролей они программы друг друга выучили наизусть. И думать не надо — само на язык выскакивает слово в слово.

И Богословский, копируя позы Каца, с интонациями Каца, точно воспроизводя фразы Каца, чудесно ведет программу.

— Но чтобы наш разговор был предметнее, что ли, я спою свою песню, которую все вы, наверное, знаете. Песня военная.

Он садится к роялю, берет проигрыш и с легкой кацовской гнусавостью запевает:

Шумел сурово брянский лес...

Нормально похлопали, поклонился.

Телевизора-то не было! В лицо никого не знали! Не киноактеры же!

— А для начала — такие интересные вещи. Мне довелось аккомпанировать еще Маяковскому. Вот как это случилось...

И он нормально гонит всю программу.

— Когда я служил в музыкантском взводе 3-го Московского полка...

И только за кулисами — администратор помощнику: «Все ты всегда путаешь! Говорил — Богословский, Богословский, я ж тебе говорил, что это Кац!» — «А вроде должен был Богословский...» — оправдывается помощник.

Обычный концерт, в меру аплодисментов, такси — и во второе место.

Антракт. Буфет. Обмен впечатлениями. Второе отделение.

Выходит Кац. Если Богословский — маленький катышок, то Кац — длинная верста с унылым лицом. Неулыбчивый был человек.

И говорит:

— Добрый вечер, дорогие друзья. Меня зовут Сигизмунд Кац. Я композитор. — И кланяется: правая к сердцу — левая до пола.

В зале происходит недопонимание. Никак недослышали. Настороженность. Глаза хлопают и мозги скрипят.

Кто-то гмыкает. Кто-то хихикает коротко. Кто-то совершенно непроизвольно ржет. Ситуация совершенно необъяснимая. Хотят поправить Каца что он, наверное, Богословский?..

— Сначала, как принято, несколько слов о себе, — добрым голосом Богословского говорит Кац. — Я родился еще до революции, в городе...

— Вене, — говорит кто-то в зале тихо.

— Вене, — продолжает Кац. — Мои родители были там в командировке.

И тогда раздается хохот. Эти родители в командировке всех добили. Хохочут, машут руками и радуются. Командировка понравилась.

Ситуация непонятная. Кац рефлекторно оглядывается: над чем там они смеются? Сзади ничего нет, но зал закатывается еще пуще.

Потом зал переводит дыхание, и Кац-2, получив возможность как-то говорить, продолжает:

— А Вена была городом музыкальным...

Остатками мозгов зал попытался понять, что происходит. Этому счастью трудно было поверить. Это какой-то подарок судьбы.

— Но чтобы наш разговор был предметнее, что ли, я спою свою песню, которую все вы, наверное, знаете...

Он садится к роялю, незаметно проверив застегнутую ширинку, заправленную рубашку и целость брюк в шагу. Это ему незаметно, а зал стонет от наслаждения. Но вдруг последнее сомнение и последняя надежда: что он споет?

Шумел сурово брянский лес... —

гнусавит прочувственно Кац-2.

136

В зале кегельбан. Ряды валятся друг на друга и обнимаются, как в день победы. Иногда несчастный композитор льстиво и растерянно улыбается, пытаясь попасть в резонанс залу и постичь его реакцию, и это окончательно всех сбивает и добивает.

Кац-2 впадает в ступор. Он борется с дикой, непонятной ситуацией со всем опытом старого артиста. Он вставляет в этот грохот свое выступление:

— Мне довелось аккомпанировать еще Маяковскому...

Недоуменное мрачное лицо и точный повтор превращают номер в элитную клоунаду, взрывную эксцентрику.

— Уа-ха-ха-а!!! — разрывает легкие зал.

Человек устроен так, что хохотать слишком долго он не может. Опытный печальный Кац-2 ждет. Через несколько минут зал успокаивается, всхлипывая и икая. И Кац, мученик Госфилармонии, обязанный исполнить свой долг художника, композитора, отработать деньги, продолжает:

— Когда я служил в музыкантском взводе 3-го Московского полка...

— Уа-ха-ха-ха!!! — находит в себе силы зал.

Администрация смотрит из-за кулис с безумными лицами. Они в психиатрической лечебнице. Мир сошел с ума.

Кац-2 с заклиненными мозгами впадает в помраченное упрямство. Он категорически хочет продавить ситуацию и выступить. Любое его слово встречает бешеную овацию и взрыв хохота. «Ой, не могу!» — кричат в зале.

Каждые двадцать секунд, как истребитель в бою, Кац-2 вертит головой, пытаясь засечь причину смеха с любой стороны. Это еще больше подстегивает эффект от выступления. Силы зала на исходе.

Наконец он стучит себя кулаком по лбу и вертит пальцем у виска, характеризуя реакцию зала. Зал может благодарить композитора только слабым взвизгиванием. Кто хрюкает на вдохе, у кого летит сопля в соседний ряд, кто описался, — люди не владеют собой.

Не выдерживая, необходимо же спасать ситуацию, администратор выскакивает на сцену и орет:

— Кто вы, наконец, такой?!

— Я композитор Сигизмунд Кац... — ставит пластинку с начала композитор Сигизмунд Кац.

Зал при смерти. Паралич. В реанимацию. На искусственное дыхание.

...Никиту Богословского на шесть месяцев исключили из Союза Композиторов. Сигизмунд Кац два года с ним не разговаривал. И никогда больше не ездил в поездки.

2. Премия

В Москве возвели семь сталинских высоток: резной силуэт эпохи. И в двух давали квартиры знатным людям страны. Под шпилем на Котельнической набережной одаряли престижной жилплощадью творцов. Обожавший все новое Никита Богословский въехал в новую квартиру. Кругом жили новые соседи.

Соседи были разные. Творцы частично склонны к богемному образу жизни. А также паразитическому. Под сенью лавров привыкают к халяве. Империя ласкала своих наемных трубадуров досыта. Стиль ампир развращает искусство.

Скажем, драматург Владимир Губарев приобрел милую привычку на халяву ужинать. Он это дело поставил на деловую ногу. Звонил и извещал жертву:

— Я к тебе сегодня приду ужинать. Ты ведь дома. Вот и отлично. Часов в девять. — И клал трубку. Ответ его не интересовал. В смысле только мешал. Краткость — сестра таланта. Драматург. Предупредил — и съел. Дружески так. Гость. Ты пока готовься.

А как-то отказать неудобно. Не по-дружески. Не по-соседски. Вроде ты жлоб. Вроде ты его видеть не хочешь. Или жаба душит кусок хлеба соседу дать. Люди-то все жили в высотке не нищие. Известные, хлебосольные, своя душа шире чужого брюха.

Короче, Губарев всех достал своей продразверсткой. И следил, кто в отъезде, кто вернулся: гестапо наладил! Составил типа графика: очередная повинность, чтоб не слишком одних и тех же объедать. А выпить наливал себе со стола сам; не стеснялся.

Таким образом, звонит он днем в очередной раз Богословскому:

— Старик, я знаю, ты сегодня дома. Я к тебе вечерком загляну к ужину, часов в восемь, лады? — И трубка: бряк!

Богословский задумывается, глядя в окно на эксклюзивный пейзаж с Кремлем. Матерится беззлобно, с какой-то даже философской интонацией... И начинает готовиться к ужину. Домработнице велит то-сё сходить купить. Друзьям тем-сем позвонить, пригласить. Сходить кое-куда. Чего уж одним Губаревым ограничиваться, гости так гости.

В друзьях у Богословского роилось и слиплось пол-Москвы, и все сплошь народные артисты и заслуженные деятели. И первый поэт страны Константин Симонов, и первый драматург Алексей Арбузов, и первый писатель-международник Илья Эренбург, и главный диктор государства Юрий Левитан. Хотя Левитан прийти не смог по занятости; но на часок Богословский его навестил, у них были свои дела.

В девятом часу народ собирается. Компания избранная и теплая. Сливки общества в интерьере. Кремлевские звезды! — не нынешним проходимцам чета. Пьют, закусывают, рассуждают о возвышенном. Бойцы вспоминают минувшие дни: то взлет — то посадка, то премия — то разнос. Смачные мужские сплетни под стакан: сейчас награды по сговору, а не по заслугам.

— Погодите, — сытно вспоминает Арбузов, — а когда, кстати, оглашение по Госпремиям? Ведь оно сейчас где-то... в среду?

— Да как раз сегодня Комитет по премиям заседал, — говорит Симонов и смотрит на часы. — У меня два года ничего нового, я не слежу...

— А мне в прошлом году первой степени дали, — машет Эренбург.

А настенные часы машут маятником, и Богословский предлагает:

— Без пяти девять... последние известия будут... послушать?

Включает приемник, и он тихо бухтит про выпуск кирпичей и народную самодеятельность.

Часы бьют девять. Никита прибавляет звук. А приемник, как тогда было, большой лакированный ящик, ламповая радиола, верньеры под светящейся шкалой, индикаторный глазок и клавиши. Дизайн!

Подстраивает он волну, щелкает регистром, чтоб речь разборчивей звучала. Сигналы точного времени пропищали. Последние известия. И действительно:

— Внимание. Говорит Москва. Передаем правительственное сообщение.

Металлический тяжкий баритон пророчит и обрушивает информацию катастрофического масштаба. Приговор эпохи оцепенил героизмом дух и пространство. В грозном торжестве гремит гибель богов. Юрий Левитан. Апокалипсис нау. Кто не слышал — не поймет. От его праздничных объявлений дети писались в ужасе. Голос века. Любимый диктор Сталина.

— Указ Президиума Верховного Совета Союза Советских Социалистических Республик. О присуждении Государственных премий за 1955 год. В области науки:

академику, доктору физико-математических наук... — и так далее.

Все слушают. Это имперский ритуал. Иерархия творцов в структуре благоволения власти. Это интересно и показательно. Здесь свои рецепты и приемы, свои законы карьер и падений.

И, наконец, самое интересующее коллег:

— В области культуры. Государственную премию первой степени. Улановой Галине Сергеевне, народной артистке СССР, солистке Большого театра оперы и балета. За исполнение партии Жизели в...

А премий в те времена было много. Государство давало пряник правильным людям. По каждому разделу и подвиду — трех степеней. Что ни год — артисты, прозаики, драматурги и так далее.

— В области литературы. Первой степени. Бубеннову Михаилу Алексеевичу. За роман «Белая береза»...

И суммы были гигантские. Первой степени — 100 000 рублей. Это две шикарные дачи. Второй — 50 000, третьей — 25 000. При зарплате инженера 600 рублей в месяц — это было чем вдохновиться.

— В области драматургии...

Слушают тихо, сделав паузу в сеансе одновременной жратвы. Ревность, любопытство, пожатие плеч: свой цех.

— Государственную премию третьей степени. Губареву Владимиру Александровичу. За пьесу «На подъеме».

В хрустальной тишине — детская неожиданность и одобрительная мимика: реакция зреет.

Губарев бледнеет, стекленеет и вспыхивает, как фонарик. Он розовый, как роза, и алый, как заря. Он временно забыл дышать.

Кто хмыкает, кто кивает, кто показывает большой палец.

Губарев сосредоточенно собирает глаза в фокус и смотрит на Богословского. На Арбузова. На Симонова.

Рот непроизвольно разъезжается к ушам, зубы торчат в детской счастливой улыбке. Грудь вздымается.

— Э-э-э!.. — вдохновенно и смущенно говорит он.

А кругом все сидят лауреаты. Они все получали, их ничем не проймешь, в их кругу это дело обычное. Кому обычное — а кому и не очень!

— Я, в общем... ожидал... но не ожидал... можно сказать, — лепечет он в забвении.

Богословский начинает дружески аплодировать Губареву, и все подхватывают. Хлопают по плечам, обнимают и пожимают:

— Поздравляем, брат!

— Ну что же. Давно пора.

— Заслужил! Заслужил... Молодец.

— Но наш-то тихоня, а? И ведь никому ничего!..

Губарев сияет умильными глазами, как удачливая невеста бывшим любовникам:

— Клянусь... не планировал... да ничего я не готовил, знать не знал... не хлопотал... даже не верится!

Наливают фужер, провозглашают за лауреата, ура с поцелуями!

— Нашего лауреатского полку прибыло!

— Эх, да не так, это шампанским надо отметить! Пошлем сейчас.

Коллеги спохватываются — вспоминают:

— Ну что, брат? С тебя причитается!

— Да уж! Двадцать пять косых отхватил, не считая медали. Проставиться положено!

— Конечно, — готовно суетится Губарев. — А как же! Разумеется! Нет, ну надо же, а? Сейчас, сейчас сбегаю! А лучше поехали в «Арагви», а? Или в «Националь»!

— Поздно, — машет Богословский. — Там сейчас уже ни одного столика. Да пока накроют, приготовят. Ты сбегай за деньгами, шофера пошлем, он возьмет.

На радостях собутыльники составляют меню лауреатского банкета. Список заказов на двух сторонах листа.

Радостный Губарев убегает в свой подъезд выгребать из сусеков наличность и одалживать у соседей. Не ударим лицом в грязь! В помощь шоферу отправляют домработницу. Елисеевский до одиннадцати.

Вслед Никита звонит администратору магазина и велит подгрузить к заказу еще кое-что, сославшись на него.

И они закатывают царский пир. Лукулл бесчинствует у Лукулла. Они пьют отборный коньяк и закусывают черной икрой. Рябчики и копченая колбаса, ананасы и виноград, крабы и торт бизе — все баснословно дорогое и только для сильных мира сего. Хай-класс той эпохи. Только что лебединые кости из рукава не вылетают. Бокалы звенят, тосты гремят, челюсти чавкают, и у всех настроение ну просто необыкновенно приподнятое.

— Я хочу выпить за всех собравшихся!.. — пошатывается Губарев с тостом. — За вас... за коллег, за друзей... за всех нас. Это вы так дружески... теплая поддержка всегда... а ведь сколько зависти и недоброжелательности в наших кругах!.. и когда такое отношение... мои дорогие товарищи!

Он путается в придаточных оборотах, и дышит слезами умиления, лобзает как сеттер всех, кого может достать, и являет обликом и поведением известный плакат: «Не пей, с пьяных глаз ты можешь обнять своего классового врага».

Часы, однако, бьют полночь.

— А включи еще разок послушать, не всех запомнили, — предлагают Никите: последние известия идут.

Он включает приемник. Повтор сообщения только начался:

— ...геевне Улановой...

Слушают, комментируют. Губарев цветет, потупившись.

— ...рвой степени. Бубеннову Михаилу Алексеевичу...

А вот и оно! Наконец:

— Губареву Владимиру Александровичу... (*пауза тянется*)   Н-И   Х-У-Я!!!

В остановленном времени, в хрустальном звоне осколков мира, сознание Губарева распалось в пустоте. Бесконечную секунду вечности и смерти он осознавал смысл звуков. Безумие поразило его, и он умер! Облик его мумифицировался. Кожа обтянула древний череп. Нитка слюны вышла из распяленного рта. Глаза выпрыгнули и висят на ниточках отдельно от морды. Тихий свист: последний воздух покинул бронхи.

Из линий и пятен складываются друзья... он различает их неуверенно и в бессмысленной истерической надежде. Он уповает на их слух! В здравом уме и твердой памяти! Ну?.. Сердце летит в ледяную мошонку. Их силуэты перекошены, лица искажены... Ну???!!!

— Да-а!.. — тянут друзья. — Ну — ни ...я так ни ...я! Что ж делать.

И, тыча в останки Губарева, не в силах сдерживать конвульсии, они хохочут как убийцы детей, хохочут как враги народа, хохочут как птеродактили, как иуды с мешком серебреников каждый. Они лопаются, задыхаются, падают с диванов и дрыгают ногами. Выражение лица жертвы придает им сил взвизгивать и стрелять нечаянной соплей.

В убитом Губареве, в черной глубине черепа, начинает шевелиться одинокая мозговая извилина. К ней присоединяется вторая и принимается подсчитывать убытки.

— Уах-ха-ха-вва-бру-га-га!!! — восторгаются лауреаты и бьют себя по ляжкам.

Днем друг Левитан записал это Богословскому на пленку. Это была не радиола. Это была магнитола. Первая в Москве! Неизвестная заграничная диковина. Никита обожал новинки. Знакомые продавцы звонили ему.

Губарев в ступоре вышептывает мат и выпадает по линии выхода.

— По-моему, неплохо посидели, — говорит Никита.

Больше Губарев н и к о г д а н и к к о м у не ходил ужинать.

МЕДНЫЕ ТРУБЫ

Не спешите раздевать женщину, полюбуйтесь на нее, а тем более — рядом с революционером.

Виктор Анпилов

Обнаженные женщины — это те места отдыха, где отдыхают европейцы.

Владимир Жириновский

Красивых женщин я успеваю только заметить. И больше ничего.

Виктор Черномырдин

Прежде чем лечь в постель, надо познакомиться. Поэтому давайте сначала познакомимся, но выскажем намерение, что потом мы ляжем в постель.

Юрий Лужков

146

Конечно, я старая ведьма, почему бы и нет?

Елена Боннэр

Свадебным генералом я в жизни не был, а уж свадебным болваном не буду тем более.

Евгений Примаков

Не может он от нее отбиться ни как от женщины, ни как от дипломата.

Иван Вертелко

Кто-то не любит рыжих, кто-то черных, кто-то седых, кто-то лысых...

Борис Ельцин

Вечно у нас в России стоит не то, что нужно.

Виктор Черномырдин

Зад — не самая лучшая часть человека. Спереди — другое дело, за это спасибо, а так — в зад — что же это? Нельзя в зад снимать.

Виктор Анпилов

Нельзя, извините за выражение, все время врастопырку.

Виктор Черномырдин

Лично я против того, чтобы государство залезало в постель к своему народу, и надеюсь на взаимность в этом смысле.

Борис Немцов

Он всегда боится за девственность пролетариата.

Виктор Анпилов

Как говорится, нам не удастся ночь переспать и невинность сохранить. От принятия бюджета нам не уйти.

Николай Харитонов

Российские политики не хотят жить с деревянным рублем.

Яков Уринсон

На ноги встанет — на другое ляжем!

Виктор Черномырдин

Все-таки первое, куда обращаешь внимание, идя по улице — не на мозги ведь, а на ноги, ну еще на некоторые вещи.

Павел Бунич

Какой такой член? У меня таких членов нет.

Леонид Кучма

Кепка защищает некоторые обнаженные части моего тела.

Юрий Лужков

Давайте делать. Свое! В том числе противозачаточные средства. Наши некрасивые? Зато — более прочные и надежные!

Владимир Жириновский

Я не похож на презерватив!

Борис Немцов

Я не знаю, зачем вы меня пригласили, я знаю, зачем я сюда пришел.

Сергей Кириенко

Вас хоть на попа поставь или в другую позицию — все равно толку нет!

Виктор Черномырдин

Мы с Колем встречались три раза! Вот такая мужская любовь!

Борис Ельцин

Мне жаль тех людей, которые не знают, как жирно и как развратно жили коммунисты при своей власти...

Эдита Пьеха

От отношений между мальчиками дети не рождаются, но это же часть сексуальной культуры!..

Владимир Жириновский

Если бы я был магом, я бы обратился к нашим девушкам и женщинам с призывом рожать.

Геннадий Селезнев

Рожаете вы плохо. Я понимаю, сейчас трудно рожать. Но все-таки надо постепенно поднатужиться.

Борис Ельцин

Главное — нужно хотеть и стараться, и тогда все будет получаться.

Юрий Лужков

Коммунисты заинтересованы в увеличении числа нищих, потому что это их избиратели.

Борис Немцов

В парламенте много выдающихся женщин: Хакамада, Памфилова, Старовойтова... Они сильные, находятся в хорошем возрасте, и если бы забеременели до 8 Марта, это было бы лучшим подарком Думе. А то сидят без дела...

Владимир Жириновский

Если бы не врачебная тайна — я бы сказала, какое количество абортов приходится на Государственную Думу!

Екатерина Лахова

Провести реформу — это не ребенка родить! Это дело довольно тонкое, здесь нельзя ошибиться!

Борис Немцов

После того, как меня послушает, женщина может сойти с ума и родить урода.

Владимир Жириновский

Если мужчины голосуют за этот проект, то, я думаю, в России мало найдется женщин, которые пожелают иметь отцом своего ребенка мужчину.

Екатерина Лахова

Идеальная пара: муж храпит, а жена глухая.

Александр Лебедь

Женщина должна сидеть дома, плакать, штопать носки и готовить!

Владимир Жириновский

Она любила мужчин, а если женщина любит мужчин, разве можно относиться к ней плохо?

Юрий Лужков

N

ЮГО-ЗАПАД

В СТОРОНУ КРЕМЛЯ

РЫБАЛКА

Однажды Ельцин и Хасимото собрались ловить рыбу.

Начало типично сказочное, но на то и президентская администрация, чтобы превращать сказку в быль. Или быль в сказку. В зависимости от поставленной задачи. У них для этого работает специальный политтехнологический аппарат по управлению воображаемой действительностью. Демонстрирует удивительное торжество объяснения над разумом! Таким образом, жанр нашего повествования точнее всего определить как скептический реализм.

В сказке они взяли бы удочки и пошли на речку. Сейчас! В реальности они вообще не собирались ловить рыбу. То есть на самом-то деле собирались, но в государственном масштабе — рыболовецким флотом близ злополучных Курильских островов. Споры вокруг этой рыбалки продолжаются уже полвека. И чем меньше там остается наших — тем большей твердостью политической позиции приходится компенсировать убыль населения. В результате, что удается поймать японцам — они едят. А что удается поймать нам — мы продаем японцам и, опять же, они едят. И при этом спорят, кому ловить, а кому сосать. Как бы большим ртом компенсируя узкие глаза. К глазам мы еще вернемся.

Итак, встреча президента Ельцина и премьера Хасимото произошла в Красноярске. Вроде как на середине между Москвой и Токио. (Ох да есть что-то тревожное в таком делении дистанции пополам... Японская традиция половинить соседям здоровья не сулит.) Они обсуждали государственные интересы и крепили дружбу.

И вот прогулочный теплоход, нарядный, как после евроремонта, красиво плывет по седому Енисею-батюшке, имея на палубе двух государственных особ со свитой. Шезлонги, столик, бутылки, секретари за спиной. Ельцин активно работает с документами, стакан не просыхает. Японец вежливо макает в бокал верхнюю губу и ласково кивает на любое предложение. На втором литре лицо у Ельцина цвета коммунизма, а глаза уподобляются японской узости. Дедушка потеплел. Царь добр.

Он смотрит с жалостью на маленького, трезвенького, добренького японца и хочет сделать ему приятное.

А кругом гладь серебряная, по берегам леса сизые, островочки какие-то зелененькие после весеннего разлива.

И, расплывчато уловив скользящие поперек взгляда островочки, Ельцин хватает за хвостик какую-то мысль, мысль тащит его в своем направлении, он отмахивает величественной дланью и шлепает Хасимото по колену, плюща японский организм.

154

— Ы! — одаривает он. — Забирай свои острова. Мое слово.

Японец деревенеет и начинает недоверчиво лучиться.

По свитам проходит ветер и шорох.

— Мы — великая — страна, — гудит Ельцин. — Земли — у нас — до хрена. — Взмахивает стаканом, чокается об японца, бросает жидкость в горло. — Если — вам — так уж — надо — — берите. Берите! Для — друзей — нам — не жалко.

На лицах русской свиты — преддверие Страшного Суда. Президент дошел именно до той кондиции, когда перед встречающей делегацией писает на колесо своего лайнера.

— Россия — щедрая — душа! — завершает царь рекламным слоганом бабаевского шоколада.

В японской команде медленно, как сход лавины, возникают и ускоряются манипуляции с бумагой, папками и ручками. Русская группа блокирует эту опасную суету и теснит к борту. Ельцин грозит трехпалым кулаком официанту, указывая пустой стакан. Хасимото напружинился и подался к нему. Стоп-кадр произошел.

Придворная политика учит скорости и риску. Краткое перемигивание и перешептывание в русской группе переходит в перепихивание. Два ходатая и глашатая предстают пред тяжелые государевы очи. Рослый и кудрявый любимый вице-премьер Немцов и маленький лысый ценимый пресс-помощник Костиков.

Шутовскими движениями они бухаются на колени и простирают руки, взывая скоморошьим речитативом:

— Да уж не вели казнить, государь-батюшка, вели слово молвить! Да уж не вели ты японцу землицу-то нашу дарить, вели своему народишку оставить! Слову-то своему ты хозяин в державе своей, да и при тебе пусть будет оно, острова-то российские законные не попусти забрать рукам заморским загребущим!

Ну потому что назревает страшный международный скандал. Потом не расхлебаешь. Посмешище и позорище на весь мир. Дедушка протрезвеет — сам же убьет всю свиту. Срочно надо делать что угодно. Обратить в шутку, игру, спектакль, дурь, что хотите.

Японцы окончательно перестают въезжать в ситуацию. Это госсовет в национальной русской традиции? Их загадочный парламентаризм?

Немцов, стоя на коленях, наливает себе трехсотграммовый коктейльный стакан водки, легко глотает залпом и на закуску смачно и театрально целует Ельцину руку. А Костиков не пьет — по причине слабого организма, и не целует — по недостаточной игривости характера.

Ельцин смотрит молча, и в зрачках его выныривает одинокая молекула трезвости. Он хмуреет, светлеет и звереет. Его спутанное чувство требует разрешения в каком-то действии.

Кивком и цоком подозвав охрану, он указует на Костикова, а другой рукой — за борт. Радостная охрана взмахивает легким Костиковым. Вид спорта в стиле кантри — метание карликов на дальность.

Персидская княжна улетает в волну, как из бомбомета, Стенька отдыхает. Японцы понимающе переглядываются, делая жесты у живота.

Уши начальника пресс-службы, оттопыренные улавливанием президентских безумств, работают в полете как тормозные решетки пикировщика. За них же через оживленную паузу матрос тащит в шлюпку мокрую тушку, по невозможности ухватить тонущего за отсутствующие на лысом глобусе волосы.

И уже мчится по трапам доктор, однако к Ельцину, мерить давление тонометром, а состоящая из бюста и ног блондинка потчует Хасимото пирожками, заслоняя ему международные отношения своей сахарностью.

Такова была преамбула.

А вот и амбула.

Необходимо спасать переговоры. По любому поводу и без повода японец сдержанно улыбается, а искры негодования буквально трещат у него в волосах и срываются с пальцев. Джедая необходимо обесточить и обезвредить. Размять партнера! В непринужденной неофициальной обстановке. Задружить накоротке. Брэйн-штурм по силуэтам: водка, бабы, деньги, экстрим, колорит а'ля рюсс. Отвлечь, короче, и по-свойски, по-дружески, выбить из него эту дурь насчет островов.

Наконец-то культурной программе придается государственное значение! А что есть культурного в Красноярске?.. Все, что мы делаем руками, по мнению японцев ужасно. Зато мы делаем ракеты, перекрываем Енисей, а также в области балета... стоп! Национальное достояние. Енисей и балет — это рыбалка с женским коллективом.

И вот в умных и по должности озабоченных головах, отвечающих в протокольном отделе за культурную программу, оформляется мысль. Мысль взогнали вверх по инстанциям, и Ельцин рассмотрел ее благосклонно. Рыбалка — это костерок на берегу, уха, ну и под нее же соответственно. Накормить-напоить самурая, под бочок ему все удовольствия, и при сладостном щемлении вальса «На сопках Маньчжурии» небольно ампутировать прыщик в памяти. Размякнет! авось...

Хасимото предложение также принял. Японцы вообще вежливы донельзя и отказом не отвечают никогда. Если ты предложишь ему взорвать завтра Токио, он будет с поклонами благодарить за честь и извиняться, что именно завтра очень занят. Хотя всегда все сделает по-своему, например, выпустит тебе кишки. Но очень вежливо и без вот этого нашего хамства.

Таким образом, внесли мелкие изменения и раздвинули пункты программы, разместив гвоздь встречи и украшение переговоров — таежную сибирскую рыбалку.

Ну, запланировали и приступили. Свистнули главных охотоведов, лесничих, егерей, поставили задачу, посадили в вертолет и полетели выбирать поблизости наилучшее место для рыбалки. Кружили долго, снижаясь и целясь так и сяк, и ставили на карте кружочки и восклицательные знаки.

Но главное в президентской рыбалке, в отличие от обыкновенной, — это чтобы он сам уцелел. За этот шаг, как и за все прочие, в первую голову и собственными головами отвечает охрана.

Ответственные лица охраны, эксперты по снайперской стрельбе и диверсиям в условиях лесной местности и водных преград, садятся в другой вертолет и тоже долго кружат над зеленым морем тайги. Тоже тычут вниз пальцами, перекрывая гул спором, и рисуют на карте кружочки и восклицательные знаки.

Обе команды садятся, встречаются и начинают бдительно сличать свои карты. И? И! И ни одно место не совпадает.

Оно и понятно. Одних интересуют такие места, чтоб улов был больше, а других — чтоб риск меньше. Противоположность интересов совместить трудно. Без труда и рыбка из пруда матерится отчаянно.

Спорят долго, страстно. Максимальная безопасность против чана с ухой. Руками машут, крутят у виска и хрипят. Но охрана объясняет все категорические условия: чтоб в радиусе двух километров не было высотки, где может сесть снайпер; а также не было выдающегося промеж прочих по высоте дерева; чтоб сплошные заросли, «зеленка», не подходила ближе ста метров; и чтоб район рыбалки можно было блокировать двойным кольцом охраны, исходя из ее наличной численности. Короче, на карте охраны река вообще нигде не была отмечена. Это фактор повышенного риска. Оттуда аквалангист вынырнуть может. Не говоря уже о знаменитом старом случае сваливания Ельцина с моста в реку. Коржаков с тех пор рек не одобрял.

— Ващще?!! Мало Ермака на Енисее замочили?.. Хрен тебе золотая рыбка! Подводная одиссея команды Кусто...

Но поскольку рыбалку дедушка уже утвердил, вопрос государственной важности, пришлось охране скрепя сердце пойти на компромисс. Согласились на самое безопасное место.

— А-а-а-а!.. — застонали егеря, хватаясь за сердце. — Да там же вообще ни одной рыбы нет! Там перекат. И берега скалистые, и дно — голая галька, и не жила там отродясь рыба, потому что жрать там нечего... а проходит там вал только в нерест, а до него еще месяц да месяц.

— Подождем, — уступчиво соглашается охрана.

— Я вам подожду, идиоты! — вопит ответственный из администрации. — Два дня до рыбалки! Все будете уволены на хрен!

— Есть мнение, что наш президент дороже вашей рыбы.

— Сам лови!

— Сам охраняй!

— Японец уже согласился!.. дед утвердил!..

— Пусть лесники ищут безопасное место, — настаивает охрана.

Полетели смотреть то, которое самое безопасное. Голые скалы, галечная отмель, волны бурлят и мчатся. Дикий пейзаж. Эстетический минимализм. Кстати, не чужд японской традиции.

Охрана прикидывает:

— Так... Здесь и вон там сажаем снайперов. И вон на той скале. Отлично, они перекрывают подходы. В расщелины — наряды. За утесом прячем катер с группой. А оцепление в кустах здесь и здесь... и вдоль той кромки. Ну... годится!

Рыбинспекция теряет сознание:

— А ловить-то, ловить-то тут чего?!

Представитель администрации:

— А вот это не вашего собачьего ума дело. Поймают.

— Здесь даже триппер не поймаешь, здесь вообще ничего нет.

Наивным лесным людям объясняют, что за поимку отвечает другой отдел, специально обученный. Их проблемы.

Специально обученные решают проблемы. Тут же достают спутниковые телефоны и звонят в Ставропольский край. И командуют, что нужна живая рыба. Сколько? М-м, ну, давайте бочку. Нет, лучше две. Присылайте четыре.

И вот Ельцин и Хасимото на политической авансцене щеголяют друг перед другом дипломатическими манерами и весомостью своих великих держав и выпивают в свете прожекторов в смокингах, все за счет бюджета. А за сценой, за кулисами, там, где в чаду и смазке со скрипом проворачиваются колеса политического механизма, кипит бешеная работа, птеродактилями реют крылатые фразы, и пар из пор пахнет адской серой.

В бывшем образцово-показательном рыбоводческом хозяйстве Ставрополья крутят телефоны и хвосты соседям: скребут по сусекам, иначе тебе наскребут по сусалам. Подстанывая от исполнительности, набивают по бочке судака, карпа, форели и стерляди. А пятую бочку, на всякий случай, от всего пролетарского сердца, наполняют отборной икоркой черной паюсной. Показывают свое понимание политики Кремля. Прессуют это все да под самую под крышечку, чтоб — щедро, спрыскивают для свежести водичкой и грузят в самолет. Рыба взмывает в поднебесье и мчит со скоростью девятьсот километров в час. И холодеют от зависти теплые океаны со своими порхающими мальками: получите летучую рыбу по-русски!

Когда рыбинспекторы в Красноярске узнают подробности, у них начинается икота, переходящая в инсульт.

160

Не водится в той речке тая рыба! Звонят мичуринцам в Ставрополье. Уж и от стерляди рыло воротят, а, удивляются там. Вот он, пресыщенный оскал капитализма. Где ж мы вам возьмем нельму? Какой чир?.. Пускай ловят что дают! Ихтиандры... А рыба уже к Уралу подлетает.

В Красноярске бочки перегружают в вертолет и везут на место. План простой: перед рыбалкой выпускать ее из бочек выше по течению, за поворотом, а поскольку течение быстрое, то деваться ей некуда: поплывет вниз. Тут ее и поймают.

На месте выясняется неувязка: река прямая, как стрела. Охрана позаботилась о безопасности. Ближайший поворот — в направлении горизонта. Километрах в шести.

— Доплывет! — уверяет охрана. — Рыба же.

— Да там сесть негде, — стучат по лбу вертолетчики.

В самом деле: тайга и скалистые берега. Сгоряча попробовали переть бочки на себе, но быстро остыли. Там и без груза пешему трудно пробраться.

— Да давайте их по одной на катер — и отвозите вверх.

— Да нету катера!.. Идет. Перед рыбалкой только и успеет.

Прыгают, курят, бьют комаров: переходят к личным оскорблениям.

— Ты ж — вертолет! Завис — и спускай бочки на тросе.

— Завис он... над очком... Да нет у нас троса.

— Пач-че-му нет?!

— Не возим. Без надобности. Не положен так-то.

— В Красноярск за тросом — мушкой полетел!

Полетел мушкой. Через три часа тарахтит с тросом.

— Так. Давай, стропь. Смотри сюда! — вот так спустите.

— Да как же мы ее спустим?..

— Молча, тля!!!

— Да она ж... ух-х, с-сука... здоровая! Хрен ты ее на руках спустишь. Тут лебедка нужна.

— Да? Кулибин! Механизатор. Так давай лебедку!!

— Да откуда у нас лебедка?!!

Скопом оттеснили охрану, которая рвалась к мордам вертолетчиков — линчевать за саботаж. Позвонили на аэродром в Красноярск. Позвонили военным. Вертолеты отдельно, лебедки отдельно; и море ценных советов.

Все вибрируют, скелет как кастаньеты. Часы тикают. Зарплата капает, но завтра время может остановиться навсегда.

— Какого хрена! Стропь на тросе, закрепляй конец и вези по воздуху.

Застропили. Примерились.

— А там кто примет?

Черт. А там никого нет.

— Так! Ковригин — давай в вертушку. Там спустишься по тросу.

Ковригин давится сигаретой, дым идет из ушей, как у пораженного дракона. Лететь отказывается категорически. Я не десантник, не спецназ, по тросу сто метров из вертолета спускаться не буду. Готов заявление по собственному желанию.

— Суки! Д-о-л-г! Падлы! П-р-и-с-я-г-а! Кретины! Г-р-у-д-ь-ю з-а-с-л-о-н-и-т-ь! Четыре человека — по берегу — бегом — арш!!!

Опера «Жизнь за царя» забуксовала и перешла в балет. По скалам и доброй тайге шесть километров бегом — это два часа на рекордный результат.

Через два часа вертолет тужится, отрывается, молотит воздух, наискось дергает бочку и разбивает об валун. С представителем администрации обморок. Стерлядь, живучая доисторическая фауна, резиновыми запятыми скачет в воду. Охрана ловит себе закуску. Вертолет с крышкой на веревочке криво удаляется.

— Садись, тварь!!! — орут все и трясут оружием, как партизаны на поляне.

От выстрела над ухом представитель администрации вскрикивает, переходя из наркоза к кошмару, и звонит в Красноярск. На его информацию они отвечают своими пожеланиями, из которых усыхание гениталий и перелом ног самые милосердные. Из трубки летят молнии, разя живых и мертвых.

Происходит общая задумчивость.

— Есть какие суда выше по течению? — спрашивают московские у местных егерей, лесников и рыбинспекторов.

— Да-а... должны быть. Это выше узнать надо.

— Где?

— В Монде.

— А ваше хамство, товарищи, неуместно!

Однако звонят на самый верх речки — в поселок, с безбашенной рекламой наименованный Монды. И выясняется — что идет самоходка!

Часах в двадцати выше по течению.

Ну, так. Бочки в вертолет. Вертолет в Монды. Что значит — заправиться?!! А-а-а!!! Вмондячить, согласно указанному пункту, барже той самоходной правительственные бочки в печенку и гнать сюда в гриву, чтоб вприпрыжку мчалась!!

В седую старь уходит нить анекдота, как иностранец в России пил с русскими и вспоминал: «Вечером я боялся, что умру. А утром пожалел, что не умер вечером».

Таким образом, глухое Ничто начинает обретать цвет в ядовито-зеленую поперечную полоску на фоне вечной ночи. Приближающееся сознание извещает о себе тонкой взлетающей тошнотой. И смерть грезится голубым ангелом с прохладно веющими крыльями. Здравствуй, я твое похмелье.

Сознание начинает бить в мозгах молотом, крушить все грязными сапожищами, гнилостно рыгать, и в конце концов по-хозяйски размещается в своем телообладателе, пыткой заставляя его вспомнить себя как капитана самоходной баржи.

Пространство вокруг постепенно становится каютой. Бутылки и огрызки объясняют самочувствие. Капитан восстанавливает свое местоположение в реальности. Тряся и звеня, плещет полстакана на поправку. И выставляет в окно на ветерок ужасный лик царя природы.

Начинает смотреть и думать, куда они плывут, и где. По реке они плывут. Но очень медленно. Совсем медленно. Можно даже сказать, что и вообще не плывут. Типа стоят.

Почему стоят? Кто на руле? Капитан требует у распадающейся памяти доклад о судовой роли. Экипаж баржи — кэптен энд ту бойз: классическая схема европейского каботажа кто знает.

На руле не стоит ни ту бойз, ни уан. Сибирский бой спит в рубке на палубе. Ссссученыш. И въехала баржа на мель. Вот, кстати, почему палуба кривая.

Ну, мель так мель. Дело житейское. Кто-нибудь пройдет — поможет сняться. Но для порядку капитан воспитывает смену: поднимает пинком, будит подзатыльником и вчиняет отеческий строгий допрос: хрен ли он? Мальчик кается: мычит.

И тут капитан цепенеет от космического холода: он сошел с ума. Вот ты какая, белочка. Милый, я твоя белая горячка. Что пил?.. А внутри него с абсолютной отчетливостью играет музыка. Средняя между оперой и балалайкой, в натуре такой не бывает, мелодия шизофрении. В нем нет силы противостоять галлюцинации, и он деревянными пальцами ощупывает мерзкую плоть.

И тащит из кармана спутниковый телефон, рассыпающий ноты во все стороны. Трое смотрят на телефон, как папуасы на клизму. Происхождение предмета

164

загадочно, назначение необъяснимо. От невозможности принять осмысленное решение они нажимают зеленую кнопку с изображением трубки.

— ...бу и высушу!!! — ревет людоед в телефоне.

— Ишь ты... — изумляется капитан.

— Где вы, вашу мать?!! где вы?!! ГДЕ ВЫ!!!

— Мы-то здесь... А вы-то что?..

— Рыба! Рыба жива?!

— Какая рыба?..

— В бочках, в бочках!..

— В каких бочках?..

— Это кто?.. — помолчав, спрашивает трубка человеческим голосом.

— Конь в пальто! — злобно отвечает капитан, от стресса у него усилился обмен веществ, он перегибается за борт и скрежещет мучительно.

— Что у вас происходит?! — орет трубка.

— Что! Что! Блюю! Ну что! — злобно отвечает капитан.

Следующие четверть часа космический телефон верещал, как свинья под ножом, и грохотал, как артподготовка. В ледяную воронку у капитана ухало и выкручивалось все между сердцем и коленями. Вздрагивая и томясь, он боролся с амнезией, он складывал загадочный пазл, стыкуя разрозненную мозаику вчерашних событий. Любящие испуганные мальчики подавали детали, и «Варягу» наступал последний парад. В центре картины тарахтел вертолет. Оттуда махали и тыкали в берег. Потом смешались в коллаже поселок, причал, луг, вертолет, бочки из вертолета катят на баржу. На переднем плане располагался магазин, бутылки и консервы.

Профессиональное поведение команды баржи при сходе в порту принципиально не отличается от действий экипажа авианосца: неукоснительно нажираются, стремясь с отходом перенести удовольствие на борт и продолжить.

Телефон — средство связи, рыба — четыре бочки на палубе, пункт назначения — президент Российской Федерации Борис Николаевич Ельцин, источник и организатор всех наших побед и имущества — администрация президента.

— Осознал наконец, мудлон?!

— Усраться и не жить, — впечатлился капитан.

Слава богу, оставалось всего полста километров. Через час с ревом примчался катер охраны, разваливая реку на две стоячие белые волны. На него перегрузили три бочки, и он осел под планширь. Перекрестились, спустили четвертую, и он тихо затонул.

Старший на катере зарыдал в голос. Отхлестали и отпоили.

К счастью, катер лег на мель, на которую баржа к несчастью села. По грудь в воде, мать твою раз-два взяли! подняли бочки. Воду откачали. Мотор высушили. И с тремя бочками пошли вниз на всей разумной скорости.

— Тихо-тихо, не спеша, едет крыша чуть шурша... — пришептывал старший, молясь матерно.

И вот только здесь начинается история собственно о рыбалке.

Осталось только назначенную местность опрыскать невыразимым парфюмом от комаров и гнуса.

Ельцин и Хасимото вылезают из вертолета. С удовольствием вдыхают таежный воздух. Смотрят вдаль фотогенично. Говорят друг другу, какие чудесные места в российской Сибири. Направляются к берегу, где для них уже держат наготове спиннинги. По дороге натыкаются на какой-то неогибаемый фуршетный столик.

— Ну, чтоб ловилась, — гудит Ельцин и начинает нагибать японца.

А на костерке уже булькает котелок. А в кустах невидимо отдается команда.

Услышав в трубку эту команду, на катере за утесом приступают. Выбивают из бочки днище и споро вываливают в реку бочку черной икры.

И смотрят тупо — осознают. Не верят — переглядываются. Течение унесло и растворило — как не было.

— Может, это рыба была такая... икряная?..

— А по дороге лопнула... и икра...

— Ну ладно... — а где же сама рыба?..

Ладонью снимают со стенок — на закуску. Старший бьется в падучей и мечет хлопья:

— Кто!!! Кто!!! Как??? Как??? Мудак!!! Мудак!!!

А из трубки:

— Пошла?

— Пошла, — отвечают, осторожно вскрывают вторую бочку и переводят дух с облегчением.

А Ельцин и Хасимото, соблюдая национальный ритуал по разгонной и по заздравной, суют ноги в рыбацкие ботфорты, по-мушкетерски взмахивают бамбуковыми хлыстами и закидывают снасти. И с непередаваемой внимательностью рыболовов, этим радостным и требовательным ожиданием чуда, — следят.

Старик и море. Два капитана. Чудо не чудо, но на лицах начинает появляться выражение.

Следить есть за чем. По реке таки да плывет рыба. Довольно быстро, в соответствии с течением. Но плывет как-то нехарактерно. Можно сказать, вызывающе плывет. Во-первых, поверху. Во-вторых, не только головой вперед, но в вольных позах: и боком, и даже задним ходом, по-рачьи хвостом вперед. В-третьих, белеет обращенными кверху брюхами, как на курорте. Отчего ее особенно хорошо заметно.

Уснула рыба. Баиньки. Сдохла. Пока в самолете, пока в вертолете, пока на барже, пока на катере, — русский экстрим крокодила доконает. Да и бочки были щедро запрессованы, придавая обитателям компактную, но трудную для жизни квадратную форму. Такого путешествия никакой Пржевальский не вынесет. И плывет теперь рыба исключительно повинуясь закону Архимеда.

А что, когда вываливали ее из бочек в реку — не видели? Видели. Безвыходность оглушала. Ужасались и истерически хихикали. А что делать.

Лицо Ельцина искажается мучительным умственным усилием. Соображает он плохо, но видит хорошо. У него нормальная старческая дальнозоркость. И в его мозгу содрогается монтажная работа по соединению увиденного с подобающим. И неодобрительная растерянность кристаллизуется в облик крупного кровососущего зверя. Свита ссыхается, пятясь.

У Хасимото же дело обстоит как раз наоборот. Ему трудно разглядеть собственный ай-кью, но не потому что он микроцефал, а потому что минус до хрена на каждый умный глаз. Он воспринимает живописную природу сквозь толстые выпукло-вогнутые очки. По причине недостатка животных жиров в рационе японцы долго живут и плохо видят. Меньше огорчаются.

Тем временем стиль плавания рыбы никак не сказывается на ее аппетите. Дохлая не дохлая, она исправно делает то, что от нее и требуется — она клюет! Причем сильно так, бодро клюет. И не сопротивляется при вытаскивании. Эх, зеленая, сама пойдем, подернем-подернем — да ухнем! И являет во-от такой размер и умильную упитанность.

Эта оголодавшая падаль клюет всеми местами! Ельцинский карп схавал крючок спинным плавником. А хасимотовская форель подбежала и ударилась об острие животом.

Увеличенные линзами глаза Хасимото делаются как марсианские летающие блюдца.

Тонко поет одинокий неприкаянный комар...

Назревает тихий и ехидный международный конфуз. Уже проступают в небе роковые буквы — издевательские заголовки желтых газетенок.

И тут мимикрирующий под рыбака-ассистента охранник находит и осуществляет изящное решение. Перехватывая взлетую из воды рыбину и активно дрыгая под ней сачком, он легким ювелирным движением фехтовальщика смахивает этим сачком с японца очки. Тот даже почувствовать ничего не успел, только хрупкий шепот послышался — это стекла об камень брызнули.

Все раскрыли рты. Кроме японца, который наоборот, сощурил все лицо с выражением обороняющейся подслеповатости. Охранник содрал рыбу с крючка, плюхнул в ведерко, поозирался на окружающие выражения и с душераздирающими ахами стал бить себя по голове. Всем поведением он демонстрировал решимость встать на колени и сделать харакири.

В воздухе распустился розовый вздох всеобщего счастливого облегчения. Утешают японца и аж тают от сочувствия.

— Ковригин! идиот! смотреть! думать! рапорт! вон! — гремит начальник охраны, как майская декоративная гроза, а сам ручку ему жмет и глазами лижет до дыр.

— Виновный будет строжайше наказан! — вытягивается он перед Хасимото и как бы невольно кидает взгляд на рыбацкий тесак.

— Ничего, рыба крючок сама найдет!.. — уверяет старший рыбинспектор.

— Сейчас — поджарим — и — после стопки — по-русски — мимо рта — не пронесешь! — гудит Ельцин, подмигивая и похлопывая.

Что же коварный самурай? Он достает из кармана запасные очки. Детально крепит свой оптический прибор на носу и ушах. Теребит и дергает, проверяя на прочность. И машет небрежно: Япония богатая страна, очков хоть всеми местами носи.

Молодецким взмахом он со свистом посылает блесну на середину реки. В самую гущу этого пейзажа после битвы. И опять сразу по-крупному клюет. Топит и тянет.

Свита азартно вскрикивает, обеспечивая звуковую поддержку. Хасимото крутит катушку силой и откидывается, словно выбирает якорь линкора. Леска звенит опасно в натяге! Удилище рвется из рук и буксирует рыбака в воду.

Помощник, охранник и секретарь вцепляются в своего премьера, согласно национальной русской инструкции «дедка за репку, внучка за жучку». Сползают, бороздя упертыми каблуками. В эту ночь решили самураи перейти границу у реки. Перетягивание каната. И-эххх!.. Кий-яяя!!!

И н-а-к-о-н-е-ц показывается из воды...

Большое! Лоснящееся. Черное. Круглое. Длинное. Как кашалот. Лох-несское чудовище.

Оно бьется, пузыря воду!!! Огромное!!! Загадочное... Раздвоенное!!! Мощное и страшное.

Боже, что это...

Это зад аквалангиста в гидрокостюме. Двоих доставили из Москвы, чтобы они рыбу на крючки под водой нацепляли. Обычное дело, так часто делают.

А здесь мелко. По колено, можно сказать. Местные эксперты предупреждали. Приходится аквалангисту лежать на дне на брюхе и переползать по-пластунски. Сделал одно неверное движение — и выставишься.

И вот эта дрянь недорезанная, имперский реваншист, всадил ему крюк в ягодицу. Такой блесной только акулу ловить. Резина костюма прочная, толстая, а бурлак узкопленочный на радостях тащит, как тральщик!

Вся береговая братия уставилась на несвоевременное явление Христа народу. А у японцев переклинило мозги — они тащат! Вообще жестокий народ.

— Ковригин, твою мать, любимый мой... — бессмысленно шипит и гаснет начальник охраны; а сам щиплет больно...

Рыбак-охранник-ассистент с суетливым криком:

— А вот я помогу! сейчас!.. сейчас!.. дайте... — забегает в воду, хватается за натянутую леску, кряхтит от верноподданности и чиркает ножом.

Черное и глянцевое исчезает бесследно, как и подобает мифическому чудовищу. Только плавником взмахнуло, словно погрозило кулаком. Типа: сволочи, я в Красной Книге.

Японская рыболовная артель, неожиданно лишившись противовеса, посыпалась на спины, задрав ноги. Самый удачный камень попался под затылок Хасимото. Снопом брызг из глаз очки сорвало с креплений и унесло в неизвестность.

Уловив полет очков, наемный убийца Ковригин буквально преобразился в сокола. Хищно подобравшись, он прыгнул на цель и одним поворотом каблука растер стекло по гальке. При этом он не переставал заботливо смотреть на Хасимото, руками в то же время оказывая ему первую и вторую помощь: поднимал, щупал, гладил по затылку и отряхивал как мать родная. Когда он убрал каблук с очков, там искрилась радужная пыль.

Хасимото наощупь идентифицировал своего благодетеля и вежливо пожал ему руку.

Американцы сбросили на японцев атомную бомбу от отчаянья. Их ничто не брало, самые эффективные средства борьбы отскакивали. Упрямый народ! Азиаты. Островитяне. Трудоголики.

Секретарь достает металлический футляр, из футляра — очки, кидает кинжальный взор по сторонам, и с поклоном подает Хасимото. Странно, что он при этом не закричал: «Хэйко банзай!»

Сломить их нельзя, но наказать можно. Футбольным пинком в ноги секретарю летит ведерко с рыбой — как косой его скосило. Вездесущий Ковригин подхватывает стремительное тело и встряхивает, вроде тигр жертву, вышибая очки из цепкой ручонки. То, что осталось от очков после этой дипломатической процедуры, можно выставить в витрине «Личные вещи жертв холокоста», но увидеть сквозь них можно только близкую смерть.

...Ну, а дальше все было прекрасно и даже неплохо. За утесом на катере бросали из бочек рыбу, она плыла, президент и премьер закидывали спиннинги, акваланги-сты цепляли добычу, подручные подхватывали ее сачка-ми, свита палила костер и готовила уху и шашлыки.

В заздравном тосте, у огня под таежными кронами, Хасимото сказал, что никогда в жизни не был на такой замечательной, веселой и обильной рыбалке. А насчет очков его друг Ельцин-сан прав: все главное без очков видно даже лучше. Двусмысленность предпочли не за-метить. Рыба была вкусной.

Также японский премьер удостоил своего благо-склонного внимания Ковригина. Он поинтересовался, много ли у него родственников и в каких областях эко-номики они трудятся? Он впечатлен умелостью и квали-фикацией российских специалистов. С такими людьми успехи вашей экономики закономерны, и будущее не вызывает сомнений.

В азиатском комплименте усмотрели гнусную издев-ку. Дедушка загремел с гримасой оскорбленной добро-детели, но поскольку орать на японского премьера после 1945 года не принято, пришлось виновному Ковригину служить пуделем для пинков и огребать неподъемный груз монаршей благодарности. Кто высунулся — тот и громоотвод.

Начальник охраны сожрал глазами верховное на-чальство и загнал Ковригина вон в темь и кусты, улю-люкая вслед.

А японцы дули на уху и улыбались сладко, как са-дисты.

...Вследствие ли того, или просто после того, но про-давить на переговорах Хасимото не удалось. Бетонное нежелание Ельцина вернуться к обсуждению отдачи

Южных Курил, оно же возвращение Северных Территорий, вызывала у него острое неодобрение. Япония вложила в развитие Дальнего Востока и Приморья ровно одну иену. За неимением монеты мельче Хасимото кинул ее в фонтан во Владивостоке — примета, на счастье, чтоб вернуться. Он пообещал вернуться обязательно. И глянул вдаль, словно к воротам города приближалась Квантунская армия.

Поскольку ни одно хорошее дело не остается безнаказанным, ответственного за культурную программу выгнали с госслужбы. А Ковригина на эхе президентского крика уволили из охраны, о чем исправно доложили наверх, но президент работал с документами так регулярно и углубленно, что фамилии различал не каждый день. И уволенный Ковригин устроился на хорошую зарплату в хорошую фирму, где друг по Девятому управлению возглавлял службу безопасности.

В тех кругах прошел слух, что он, поддавшись моде, тоже решил написать книгу о Ельцине; но это домыслы. Академический словарь русского языка содержит около двухсот тысяч слов и выражений — но ни одного из той сотни, какими Ковригин вспоминает Ельцина; кроме числительных. Ограниченный же лексический запас «Словаря ненормативной лексики» не позволяет создать сколько-то масштабное литературное произведение.

К чести Ельцина надо заметить, что через год он, уже на другой рыбалке, вспомнил с улыбкой сметливого охранника, поинтересовался, и приказал наградить к ближайшему празднику орденом «За заслуги перед Отечеством» 4-й степени. Наименование награды, все давно и ехидно отметили, несколько неудачное: не то заслуги у тебя четвертой степени, не то отечество третьестепенное и еще незначительней. Пока награда искала героя, спускаясь все ниже по вертикали власти, чиновничек на одном из этажей перехватил орденок себе. Видимо, по заслугам и отечеству он счел это для себя как раз подходящим.

ДЕНЬ РОЖДЕНИЯ ГАЙДАРА

Из всех произведений Аркадия Гайдара наибольшее впечатление на читающую аудиторию, а равно нечитающую, а также на вовсе неграмотную и чуждую литературе, произвел его внук Егор. До девяносто первого года он был известен преимущественно даже не подписчикам журнала «Коммунист», где руководил, а среди любителей фантастики. И не как творец утопий, и даже не внук своего революционного романтика деда, а в качестве зятя братьев Стругацких. Такое определение родства развлекало фэнов. Понятно, что в силу физиологии и брачного законодательства тестем являлся один брат; старший, Аркадий. (Интересно, есть ли закономерность в совпадении имен деда и тестя?) Нехитро обыгрывалось и подразумевалось двуединство великих фантастов как ипостасей одного писателя.

Фантасты докаркались, грянула перестройка. И ближайший родственник четырех великих сказочников — Гайдара, Бажова (неплох и второй дед) и двух Стругацких — пришел в политику. В эпоху поршневой авиации была предзапусковая команда «От винта!».

Запуск произошел, Союз рухнул, невыразимая родина развалилась на части, и эти части свалились в рынок, обретая отличья и увечья. Незабвенный девяносто второй. Свобода приходит нагая, как возбужденно заметил поэт, и эта нагота напоминала предостережение парторга о стриптизе: «Мерзкое это зрелище!..» Реформы вылетели из мешка Пандоры, и реакция на их бесчинства наяривала симфонию трещотки и пыльного мешка с подстоном издохшей волынки: щелкали зубами более от неожиданности, чем даже от голода или злобы. Сбережения сгорели, денежный прах рассеялся, впереди были ваучеры и то место, которое на них раззявилось.

Благодарность современников своим реформаторам всегда была безграничной по размеру и многообещающей по форме. Не полагаясь на свои внешние данные Винни-Пуха и харизму Пятачка, Гайдар никогда не любил публичности, а уж нарубив лесов на щепки в должности премьера стал не то чтобы вовсе мизантропом, но по характеру начал склоняться к схимничеству. Истрепанные нервы и переутомленный мозг взывали к идеалу Робинзона Крузо.

И с удалением из штормовых потоков сумасшедшего дома, именуемых «коридорами власти», он преподнес себе в подарок привычку: на день рождения улетать куда-нибудь к чертовой матери подальше, чтоб не видеть никого и ничего знакомого, и наслаждаться там хоть раз в год одиночеством. Это наслаждение делилось разве что с женой Машей. Остальное население и ландшафт страны ему наслаждения не сулили и скорее портили праздничное настроение. А день рождения Гайдара, если кто не знает, первого апреля. Самое то. Вот вам всем. Шлите телеграммы. Наш с вами общий праздник. У Господа с чувством юмора тоже нормально.

Итак, наступает первое апреля. В данном случае — девяносто шестого года. Сколько бы ни было сейчас дураков в стране — тогда их было намного больше (отрицательный прирост населения!). И они были еще беднее. Это вполне определяло настроения.

А что такое девяносто шестая весна? Забылись граждане, зажрались, вымерли, ослабли памятью от компостирования мозгов и недостатка фосфора... Лишь четыре года с развала Союза. Империя расчленена, но единое кровообращение еще не иссякло. Рождаемость в ноль, пенсионеры вымирают, старушки в булочной считают обесцененные стольники на полбуханки. Зарплата раз в год — тазами, трусами и чашками. Натуральный обмен. Барахолки на месте всех стадионов. Тротуары и переходы забиты ларьками с пестрым фальшивым ширпотребом. Братва надела кашемировые пиджаки цвета крови и крышует страну. Спортсмены — в бандиты, студентки — в проститутки, инженеры — в челноки, офицеры — в охранники, ученые — в задницу. Поезда пустые и холодные, авиарейсы отменяются.

Нефть!!! — по пятнадцать долларов. Добыча падает. Управление экономикой страны сводится к выклянчиванию кредитов на любых условиях. Кто больше напрошайничал — тот лучший экономист.

Ужас, ужас, ужас... — опера «Иван Сусанин». Аптеки — шаром покати: все лекарства сожрали от ужаса, а деньги кончились. Заказные убийства на улицах идут длинным списком ежесуточных новостей. Интеллигенция в умственном затруднении от бескормицы. Все на продажу. Кто не украл — тот опоздал. Приватизация.

Чеченская война, шестисотые мерседесы и пронзительная ностальгия электората по колбасе за два двадцать. Просторечной формой кисло-сладкого слова «демократия» стало исключительно произношение с мягким «р» после «е».

И шансы Ельцина на грядущее летом переизбрание равняются шансам жестянщика победить на конкурсе Чайковского. И рейтинг его колеблется, как нитевидный пульс реанимируемого, в пределах двух процентов. А у коммунистов — выше пятидесяти. Знамена реют, лозунги гремят, «Ельцина — на фонарь!», и мальчики кровавые в глазах маршевыми колоннами движутся к командным высотам. Дореформировались, сионисты?! развалили страну, бандюки, обокрали, американские наймиты? пакуй чемоданы! петли намылены.

Так что Новый девяносто шестой год ельцинское окружение встречало без энтузиазма. С очень умеренным оптимизмом. Искали выход, как в темном кинозале перед пожаром. Ну неподъемен Ельцин.

Обратились и к изгнанным «молодым реформаторам»: н-ну? а вы что думаете? утописты от слова «утопили»... Гайдар говорит: ничего. Придумаем. Поднимем. Раскрутим Ельцина. Просчитаем. Победим. Ему отвечают коротким словом, в контексте означающим «ничего не выйдет». И пальцами у виска крутят. Реалисты, то есть. Демократия демократией, но пора и о священных правах собственной личности подумать. Например, о праве на жизнь. Или свободу.

Гайдар настаивает. Кроме Ельцина, выставлять против коммунистов некого. Велика Россия, а выбирать всегда приходится из каких-то уродов. Зовите Чубайса в организаторы. Он что хочешь организует, только руки развяжите.

Зовут. Развязывают. И начинают раскручивать Ельцина. А у Ельцина один инфаркт за другим. В перерывах он расширяет сосуды исконным народным методом. И пресс-служба уже перестала стесняться клише «работает на даче с документами». С такими документами полстраны работает под холодную закуску. Проще раскрутить египетскую пирамиду.

Вот в такой обстановке Гайдар просыпается первого апреля в пять утра от перебоев сердца и поздравляет себя с днем рождения. Вспоминает, что через несколько часов улетает в противоположный конец глобуса, в Австралию: оживает. Закусывает рюмку нитроглицерином и идет в душ. Жизнь сносна и даже неплоха. Ближайшие сутки никакими неприятностями не грозят.

Розовый и бодрый, в свежей сорочке, заварив терпкого японского чаю, он бросает удовлетворенный взгляд в зеркало и видит, что забыл побриться. Берет в ванной жиллетовский станок.

И тут по нервам — др-р-ррынь! в рассветной тишине. Телефон. Шесть утра. Кто спозаранок поздравляет?..

— Ты знаешь, что сейчас введут особое положение? — спрашивает Чубайс вместо приветствия.

— Где? — непроизвольно спрашивает Гайдар.

Чубайс откликается в рифму.

— В стране, — сумрачно отвечает он. — Угадай с трех раз, в какой. Ты уже проснулся?

Гайдар немедленно жалеет о том, что он уже проснулся.

— Прими мои поздравления, — желает Чубайс.

— А?

— С днем рождения. У тебя ведь сегодня сорокалетие?

— Да что случилось? — вопит Гайдар.

— Что, что. День дураков... Подарок к юбилею!

А случилось следующее. Ввечеру измученного трудностями жизни Ельцина замели в угол доски три ферзя: Коржаков, Барсуков и Сосковец. И объяснили ему, что трудности только начинаются. Предстоящие выборы, можно считать, уже провалены. Коммунистов в таком случае надо рассматривать как правящую партию. И тогда «шоковую терапию» можно считать предварительной любовной лаской. Ждите хирургических мер, и не сомневайтесь: шашек, в смысле скальпелей, на всех хватит. Дважды два — четыре. Как арифметика?

То есть бьет полночь, кукушка выскакивает из часов и вскрикивает: «Что делать? Что делать? Что делать?»

А делать, Борис Николаевич, остается только следующее. Вводить особое положение! Вот что делать. Как, что, чего?! И очень просто. Действие Конституции приостановить. Выборы перенести. Куда?! Туда... И что? И то: премьера Черномырдина меняем. На что я его поменяю — на водку?! На Сосковца, вот он сидит, смотрите внимательнее. Министра МВД Куликова меняем на другого Куликова... не смотрите, его здесь нет. И тогда мы сохраняем власть и укрепляем свое положение, спасая страну от контрреволюции и коммунистического красно-коричневого террора.

— Спасатели, — злобно комментирует Чубайс. — Лавры Шойгу им покоя не дают. Ты понимаешь, что из этого будет?!

Гайдар понимает, что из этого будет. Если в девяносто первом «Альфа» отказалась идти на Белый дом, то сейчас, после пяти лет свободы и демократии, в этой стране вообще никто и ничего исполнять не будет. Паралич власти меняем на бред власти. Аншлаг, аншлаг! воруют все. Анархия — мать порядка. Это во-первых. А во-вторых, в этих дивных условиях коммунисты через полгода приходят к власти со стопроцентной неизбежностью. Потому что больше просто некому. Если сейчас за них половина населения, то будет девяносто процентов. И приход их будет обставлен как возвращение к законности. Спасение демократии.

— У нас есть несколько часов...

Надо что-то делать!!!

И вот тогда у Гайдара появился нервный тик. У обычного человека при нервном тике дергается обычно веко. Или щека. Или вся голова. У Наполеона в критических ситуациях иногда дрожала левая икра, по поводу чего в анналах зафиксировано: «Дрожание моей левой икры есть великий признак». Гайдар оскаливается и щелкает челюстями. Выглядит это страшно даже в зеркале. Добродушный Винни-Пух на миг являет жестокую суть хозяина леса. Такой щелчок перекусывает железный лом.

Он щелкает, а в руке у него телефонная трубка, а в другой — бритвенное лезвие. Пожалуйте бриться. И лезвие дергает его по уху. И с уха стекает струйка крови на щеку, шею и свежую сорочку. И в таком виде его застает жена. И со сна вскрикивает. Ван Гог.

Оба оказываются с раннего утра при деле: жена начинает останавливать кровь, а окровавленный и решительный, как красный командир на баррикаде, Гайдар начинает звонить прямо Клинтону. Раз Билл такой друг Бориса, пусть скажет ему по-дружески пару ласковых! Однако по-американски заботящийся о своем здоровье Клинтон уже лег спать. Будите, орет Гайдар, на том свете выспится; и от волнения не помнит, что выдает по-английски, а что для поддержания тонуса по-русски. Что случилось?! А то, что сейчас в России будет переворот, трах-тибидох. И вас тоже с днем дураков, сэр. А-а-а, идиоты!!. Введение диктатуры и тихий ужас! Пусть срочно отговорит кореша, раз они друг друга так любят и вместе дуют водку и в саксофон. Что значит «дуют»? Не ваше дело! Чего ждать — когда Россия опять Америке кузькину мать покажет?! Чью мать? Вашу мать!.. Да, так и передайте! Проснется? Да он в другом мире проснется! При первой возможности, немедленно, сразу! Что? Алло!! А чтоб вы все сдохли...

Кто из Москвы может разбудить президента Америки? Разве что президент России. Но во-первых он сейчас сам наверняка спит, причем после доброй дозы, а во-вторых это именно ему и надо вправить мозги. Как шанс остается посол США в России Пикеринг...

Гайдар звонит в американское посольство: подъем мистеру Пикерингу! О-о, эти русские шутки с утра, ха-ха... Сами дураки!! Что, кого, зачем, что случилось?.. Если нет, то сегодня у вас будет двое безработных: вы и ваш посол. Я выезжаю, так и передайте!

Кадр следующий: утренняя Москва, малое движение, машина мчится, шины визжат, в салоне Гайдар репетирует тексты и прижимает ватку к сочащейся мочке уха; американские морские пехотинцы в белых фуражках распахивают ворота посольства.

Без пяти семь утра взъерошенный и припухший Пикеринг в своем кабинете делает шаг навстречу Гайдару и останавливается. Гайдар в окровавленном пиджаке. Широкое лицо напоминает чугунную маску. И эта маска щелкает зубами. Кажется, положение в Москве действительно серьезное. Эти русские шутят круто. Своеобразно. Что ни день, то Хэллоуин.

— О Господи, мистер Гайдар, — говорит потрясенный посол, — мне сообщили, что у вас сегодня день рождения.

— У меня сегодня день смерти.

— Это первоапрельский розыгрыш?

— Это конец света!

— Что бы ни случилось, — решает посол, — я хочу преподнести вам свои поздравления...

— Преподнесите их своему президенту, и прямо сейчас, — говорит Гайдар.

— С чем?..

— С тем, что его лучший друг заболел злокачественным размягчением мозга. Решил покончить политическим самоубийством.

— Вы ранены?

— Я — ранен?! Да я убит! Можно сказать, попадание в сердце.

— А почему кровь на плече?

— Сползла...

— Мистер Гайдар, вы уже завтракали? Разрешите предложить вам чистый пиджак и сорочку...

— Мистер Пикеринг, я не нуждаюсь в американских пиджаках, — злобно прерывает Гайдар этот сюрреалистический диалог, и непроизвольно думает, что пиджак у него итальянский. — Я нуждаюсь в американском президенте. Ему следует не-мед-лен-но позвонить российскому президенту.

— Господин Ельцин уже может говорить? — дипломатично осведомляется посол, с сомнением глядя на часы.

— Нечего ему говорить, — парирует Гайдар. — Его дело — слушать!

Кому сейчас хорошо — так это Ельцину. Приняв с тремя богатырями их богатырское решение, он утвердил его в свойственном ему стиле. Бухнул, то есть, хорошо. И спит беспробудно. Крепкий сон оздоравливает и снимает стрессы. Интересно, что ему снится. Вероятно, народное ликование и рейтинг сто процентов.

В четверть восьмого перед послом развернут фильм ужасов. Триллер по-русски. Как одним словом выразить состояние Ельцина? Недееспособен. Зачем он нужен Коржакову, Барсукову и Сосковцу? Ставить подписи. Как гарант Конституции. А если при особом положении действие Конституции приостанавливается? Тогда он им и вовсе ни за чем не нужен. Можно править страной самим. Пусть себе болеет, спит и пьет. А что означает приостановка Конституции и президент без очередных выборов? Что президент нелегитимен. А кому нужен нелегитимный президент? Строго говоря, вообще никому не нужен.

Посол суровеет. Москва просыпается. Гайдар переодевает американский пиджак. Часы отщелкивают минуты.

— Что же будет? — соображает посол.

— У друга Билла будет одним другом меньше, — заверяет Гайдар.

А будет то, что совсем о другой политике мечтал Запад, подсыпая нам в раззявленный и дырявый карман. Все эти международные кредиты и прочие гуманитарные помощи обрежет как ножом. Сказать, по какому органу придется этот нож? Не надо? Российская дотационная экономика и так дышит на ладан, а тут просто сложится, как карточный домик. О бюджете можно забыть. Социальные выплаты прекратятся начисто как жанр. А чего люди всегда хотят, невзирая на?.. Жратеньки они хотят, ежедневно. Когда жрать нечего, они волнуются. Что делать с этими волнениями? Армия никаких приказов выполнять не будет: кругом развал, верить некому, сама голодает, и кормить ее нечем. Народ полезет на улицы, и мало не покажется никому! И коммунисты въезжают в Кремль на белом коне, а этот сценарий мы уже проходили в семнадцатом году.

За окном хлопает на ходу автомобильный баллон, и стекла вздрагивают, как от пушечного выстрела. Посол вздрагивает в такт.

— Мистер Пикеринг! Если вы не хотите думать о своей карьере, подумайте о судьбах мира!

Посол в атасе: первого апреля спозаранок — самое время подумать наконец о судьбах мира!.. Загадочная страна мыслителей.

В половине восьмого обруселый и оборзелый посол начинает дозваниваться до Клинтона. Спит Клинтон! Мычат на том конце проводе и подробности выпытывают. Не хотят будить... Вот так и рушатся мировые державы...

Гайдар рвет с печенкой из Пикеринга все страшные клятвы, что Клинтона он достанет хоть из материнской утробы. Кесаревым сечением. Любым способом. Вплоть до извещений о самоубийстве Моники Левински, наводнении на Потомаке и вручении ему премии Луи Армстронга. А сам звонит Чубайсу.

— Плохо дело, — говорит Чубайс. А когда Чубайс говорит, что дело плохо, тут представляется что-нибудь типа эпидемии чумы или нашествия марсиан. — Приезжай.

Гайдар мчится к Чубайсу. Одной рукой держится за голову, другой за сердце, третьей за ухо. Водитель поминает Шумахера. Буравится через пробки, как штопор, аж братки в джипах удивляются.

Рыжий кирпичный Чубайс сидит на разноцветных телефонах. От телефонов идет дым, от Чубайса идет пар, явственно пахнет не то порохом, не то поносом. Гайдар щелкает зубами.

— Ты чего в крови? — военным тоном заботится Чубайс.

— Порезался, — машет Гайдар и щелкает как оскаленный медведь и одновременно как медвежий капкан.

— Впечатляет, — признает Чубайс. — А будто ранен...

Трещит и вибрирует телефон: достали на даче Ходорковского. Чубайс похожим на топор голосом ставит задачу: или стрелой в приемную Ельцина и там ждать — или вешаться на воротах своего дворца; вот такая сегодня у олигархов альтернатива. Ай-кью у олигархов приличный, вешаться они не любят.

— Береза и Гусь уже летят в Москву, — сообщает Чубайс, — скоро сядут в Шереметьево. Потанин куда-то провалился.

То есть играется большой сбор по полной программе.

— А что еще плохо? Есть новости?

— Указы уже подписаны. С ночи. И не только о переносе выборов вплоть до (*непарламентские выражения*). И о приостановке Конституции... в соответствующих моментах. Но и на сладкое — о запрете компартии.

Поставить себя не только вне Закона, но и вне фактического большинства... политики (*непарламентские выражения*). Все ясно?

Чего неясного. Страна на пороге диктатуры силовых ведомств. С добрым утром. Встает солнце Ватерлоо. Зайчики по стене побежали. (Скоро и мы... как зайчики...)

— Сороковые, роковые... — бормочет Гайдар. — Вот у женщин есть хорошая традиция — сорокалетие вообще не отмечать. На всякий случай. Чтоб легче проскочить. Нехорошая цифра...

— Садись, пиши мне речь.

— Ты и сам неплохо выражаешься.

— Сейчас прямо с утра дедушку на абордаж брать буду. Пока тепленький. Чтоб лишнего не нарезать, понимаешь!.. И не упустить ничего. Давай! Погоди, я прикажу пиджак тебе чистый найти.

Гайдар меняет сорочку, стильно подвертывает рукава очередного пиджака и капает кровью на клавиатуру компьютера. В ухе до черта сосудов, кровь бывает трудно остановить.

— Во-во, кровью пиши, — хмуро наставляет Чубайс.

Гайдар выбивает из компьютера текст с выразительной экспрессией деда Гайдара и тестя Стругацкого. О неизбежной анархии. О шоке в Америке и полном пресечении денежных потоков. О торжестве коммунистов в ореоле мучеников и святых борцов за справедливость. А главное — о предательстве и коварстве гнусного триумвирата Коржаков-Барсуков-Сосковец, которые измыслили план: отстранить всеми любимого и незаменимого президента от власти и узурпировать ее, причем грязными руками. А Чубайс заглядывает через плечо и подпрыгивает у телефонов.

В десять утра Чубайс сует в карман этот шедевр в жанре антиутопии и со свистом мчит в Кремль. В пол-одиннадцатого он раскаляется в приемной у бело-золотых царских врат. Брызжет ядреным соком.

Дедушки нет! Зато подтягиваются к краю пропасти олигархи. Полощут воздух комментариями и жестикулируют. Минералкой давятся. Березовский не ест бутерброды.

В одиннадцать Гарант Конституции почтил похмельной особой. Тяжело и недобро смотрит на окружающий мир. Угроможлается за стол.

И Чубайса вносит к нему сквозь дверь, как булыжник из катапульты.

— Борис Николаевич!! — хватает он быка за похмельные рога. — Зачем ВЫ *отрекаетесь от власти*?!

Если слушать Чубайса с закрытыми глазами, возникает черная кожанка и маузер. Так оглашает приговор председатель чекистского трибунала, а за его спиной выстроился расстрельный взвод. Это производит заметное впечатление на подчиненных и оппонентов.

Но если бы в подвале Ипатьевского дома сидел не Николай, а Ельцин, хрен бы они этого царя расстреляли. Он бы их сам выгнал и перешлепал.

— Кто-о — отрека-ается от вла-асти? — пускает он через стол медленный бас, низкий и угрожающий, как танк.

— А вы думаете, они ее вам о-с-т-а-в-я-т? — давит Чубайс, все больше багровея от волнения. По такому признаку Цезарь когда-то отбирал легионеров.

У Ельцина поднимается давление. Ему хочется опохмелиться. Он сжимает над столом трехпалый кулак. Опасный признак: плохо владеет собой.

— Это элементарный расчет на узурпацию власти, — гонит текст Чубайс.

— Мы-ы — не мо-ожем — выи-играть — вы-ыборы, — вразумительно гудит президент.

— К черту первоапрельские ужастики!! Мы — можем — все!! — срывается Чубайс и хватается за спасительную бумажку. — Пять минут! Пять минут!

И декламирует отчаянно и бешено, как Троцкий в восемнадцатое году, провозглашая Отечество в опасности!

Через пять минут Ельцин впадает в каменную задумчивость. И отрицательно мотает башкой.

— Реше-ение — принято. — (Грох по столу!)

И тут — телефон!!! —

— Борис Николаевич, простите, Белый Дом на проводе. С вами хочет говорить Билл Клинтон.

Достал его Пикеринг.

Заметьте, в Вашингтоне четвертый час ночи. В этот час принимаются роковые решения. Можно представить себе человека, которого будят в три ночи и говорят, что вот сейчас он может решить судьбу России. Такой человек бывает возбужден, резок, даже неадекватен, и спросонок может пообещать что угодно.

Мы не располагаем точной информацией о том, что именно сказал Клинтон Ельцину в ту незабываемую ночь. Но в той речи было много пряников и длинный кнут. В ней сладко пел саксофон, звенели золотые динары и вздымалась большая дубинка Дяди Сэма.

В течение пятнадцати минут Ельцин чернел, расцветал, держался за печень и сжимал кулак. Положив трубку, он засопел, зарозовел, раздулся и начал угрожающе пыхтеть, как котел перед взрывом.

— А! Только хуже будет, — наконец протянул он и жестом отослал Чубайса.

Пузырясь и брызжа, Чубайс вырвался в приемную, пнул дверь и дал отмашку олигархам. Буржуины двинулись зло и отрешенно, как офицеры-заговорщики бить императора Павла.

Краткая беседа носила конструктивный характер. Рынок подмял политику и одарил актом любви насильственно. Литературно-хоровой монтаж красочно развернул тему Пушкина: «Все куплю! — сказало злато».

— Мы располагаем фактически неограниченными средствами для проведения предвыборной кампании, — сказал Потанин, давая ясно понять в том смысле, что «наши деньги — ваши деньги».

— Мы контролируем практически сто процентов средств массовой информации, — заверил Гусинский.

— Мы за неделю разработаем предвыборные технологии, которым ничего нельзя будет противопоставить, — сообщил Березовский.

— Они возмечтали сослать вас в Горки и печатать для вас газету в одном экземпляре, как для Ленина, — предостерег Фридман. — Но у них ничего не получится.

— Они не в силах противостоять мировой банковской системе, — успокоил Ходорковский.

Короче: Борис Николаевич, ваш единственный шанс — идти на выборы. Другого шанса нет и не будет. Дадим все, снимем с себя последнее. Ляжем костьми. Какие сомнения — вместе мы сможем все!

Для политика и бизнесмена любой день — первое апреля...

— Вре-емени уже нет, — мучится Ельцин. — Как же это все организовать... Сколько работы...

Организуем, будьте уверены. Создадим штаб. Задействуем всех. А координировать поставим Чубайса. Он может, он может, зовите его.

Встает, жмет руки. Колеблется, как скала в неустойчивом равновесии: раскачали, и то ли рухнет она в ту сторону, а то ли в эту.

— Ну... зовите... договорим...

И вкатывается на колесиках Чубайс, бомба на взводе, рыжее с кирпичом наготове. Вбивать слова и дожимать ситуацию. Он умеет дожимать ситуацию.

Размяли дедушку чище тайского массажа. Пьяного пугнули, храброго вдохновили.

В двенадцать ноль-ноль Чубайс покидает президентский кабинет походкой израненного триумфатора. Куранты сыплют государственный полдень. В двенадцать ноль одну Ельцин извещает администрацию гневным рыком: всем разбиваться в лепешку! Мы идем на выборы и побеждаем!..

Прожившие ночь и еще не обнародованные указы исчезают в пасти документоизмельчителя, превращаясь в бумажную лапшу, годную только для навешивания на уши. Уже стучат паркеты и проминаются алые дорожки под каблуками груженых и ликующих Коржакова и компании! И тут президентский ковер разверзается под ними, как люк под висельником. Рывок, удавка, падение, звон! Из политики вылетают вниз.

Перекуковала ночная кукушка дневную. Утро вечера мудреней. Кто рано встает — тому бог подает. Бог вам подаст, идите, милые.

Чубайс — собирает штаб. Пикеринг в гипертоническом кризе телефонирует в Вашингтон: диктатура отменяется. А олигархи вынимают очищенные бабки кэшем — в общак: на выборы. Звонят малиновые колокола славу семибанкирщине! И коробки с долларами, и изгнания за границу, и безумные миллиарды, и тюрьмы, — все впереди...

...А Гайдар смотрит на часы: вылет рейса в четыре. Хорошо управились. И наливает себе в награду первый праздничный стакан.

В самолет он влезает в запятнанном кровью пиджаке — шестом за этот день. Седьмой, на смену, с собой в сумке. Из этой сумки он тянет флакон мальтового скоча «Гленливет» и булькает, как младенец. Таки есть за что!

— С днем рождения, наконец! — чокается с ним жена Маша и точнее операционной сестры промакивает ему пот на лбу и кровь на ухе. Ее папа, Аркадий Стругацкий, был редкий боец и банку (три бутылки коньяку) держал исключительно. Так что с пониманием мужского организма у нее все в порядке.

— Никаких условий для нормального отдыха, — жалуется Гайдар, замедляясь в выборе между горлышком и стопкой.

В Сиднее он сполз по трапу, как небольшой удав, проглотивший тридцать восемь попугаев. За что в день рождения никого нельзя упрекнуть.

Протянув паспорт пограничнику, он щелкнул зубами и не мог понять его перепуганного лица.

«МИГ» ГУБЕРНАТОРА

„Есть только «МиГ» — за него и держись!"
Песня из советского кинофильма

В ноябре тысяча девятьсот девяносто первого года Бориса Немцова назначили губернатором Нижнего Новгорода. Через месяц развалился весь Советский Союз.

Это был грандиозный успех для молодого, еще не достигшего тридцатилетия человека. Гроссмейстер политического пасьянса Ельцин умел делать выбор и делал его часто — с неизменным результатом. Однажды Немцов, что называется, проснулся знаменитым. В отличие от многих, менее энергичных и перспективных людей, которые предпочли бы вообще не просыпаться.

В биографии любого знаменитого человека есть точка прорыва, где впервые проклевывается на свет сквозь скорлупу обыденности его сущность и определяется стезя. Так юный Наполеон, наблюдая из толпы отречение Луи XVI с балкона, выпалил: «Мизерабль!.. Батальон гренадер — и эти канальи драпали бы до городских застав!» Такой точкой для Немцова было первое армейское утро, когда он стал знаменитым не просыпаясь. А это уже поцелуй судьбы, перст фортуны.

Салабон рядовой Немцов встать по подъему отказался. Это не оформлялось в акт протеста — он просто не просыпался. Трясли и проверяли: дыхание наличествовало, алкогольный дух отсутствовал. Примчался замкомвзвода учебки и застыл в позе «расстрел дезертира», длинного румяного Немцове привели в вертикаль и подняли ему веки.

Змея, которая убивает плевком в глаз, по сравнению с разъяренным сержантом показалась бы музыкой Вивальди. Отплевавшись, сержант измыслил вид казни. Оставшиеся шесть месяцев учебки рядовой Немцов, раз ему трудно стоять, будет передвигаться на карачках. Гусиным шагом. Этим гусиным шагом он будет маршировать по сортирам, которые ему надлежит драить, и на кухню, где наряд будет драить его самого; а через день совершать марш-броски.

Медленно пробуждающееся сознание нарисовало рядовому Немцову счастливую судьбу Маресьева и преимущества тележки на шарикоподшипниках перед другими видами транспорта. Проснуться в армии вообще неприятно.

Сержант не первый год давал салагам понять службу, и за страданиями подчиненного тела не забывал суть христианства — мук бессмертной души: без этого счастье командира не полно. Недаром изобретатель инквизиции начинал с армейской стажировки. Пытка надеждой очень обогащает ощущения — как наказуемого, так и воспитателя.

— Имеешь шанс, Немцов, ходить как человек — и всю службу вместо зарядки спать, раз так это дело любишь.

Взвод замер. Немцов проснулся окончательно.

— Если подтянешься на турнике больше меня. А нет на карачки!

Сержант был невысок, жилист и оттренирован. Немцов пожалел, что проснулся.

— На плац... шаго-ом... аррш!

Сержант упругим прыжком взлетел под перекладину и потянул над ней подбородок. Взвод считал:

— Двадцать один! Двадцать два!

— Прошу!

И Немцов взболтнулся в воздухе, как силуэт-мишень.

Из крупных, рослых людей не получаются гимнасты. С ростом массы усилие, требуемое на ее перемещение, растет в прогрессии.

— Пять... шесть...

Перекладина тряслась.

На двенадцатом разе он посинел. На шестнадцатом глаза его стали красными, как у дьявола. На двадцатом ноги затряслись мелкой быстрой дрожью повешенного. Изо рта пошла пена. Сержант изменился в лице.

Он подтянулся двадцать пять раз и шлепнулся на бетон. Пуговицы в этот день ему застегнул сосед по койке. В столовой он не ел: руки не поднимались.

Позднее, желая, вероятно, сделать приятное сержанту и представить его человеком слова, Немцов рассказывал, что тот так и разрешил ему спать вместо зарядки — но здесь уже, простите, начали проявляться профессиональные черты будущего политика: ненавязчиво подчеркивать свою исключительность и изображать жизнь в нужных красках. Нехитра солдатская мечта...

Из справедливости заметим, что у сержанта сохранилась своя версия событий, отличная от вышеизложенной

193

настолько, насколько вообще взгляд народа на жизнь не совпадает с мнением власти. Память сержантов и биография политиков взаимобестактны.

Теперь вам понятно, как становятся губернаторами. То есть обстоятельства меняются, но волевой посыл повелевает тянуться, пока не треснешь. Или не треснет все окружающее. Лучше смерть на виселице, чем жизнь на карачках.

Итак, долог путь до Типерери, вьется веревочка, протираются железные башмаки и обретают политическую гибкость железные характеры: Немцов прибыл в Нижний для представления по случаю вступления в должность.

Фанфары застряли в пути. Нижний Новгород — сердце России, и мужики встретили власть дубинами. Этими дубинами они дубасили витрины. Малиновый звон.

Власть заинтересовалась. От радости встречи у народа снесло башню? Гладиаторские игры по-новгородски? Заговор стекольщиков? Почему шюм? Или прикурить им давно не давали?

Так точно, отрапортовала встречная свита: давно. — Так дать! — Так нечего... Сигареты в городе кончились. Извольте видеть: табачный бунт. Демократия: борьба за права курящего человека.

И месяц молодой энергичный губернатор работал снабженцем. Утро начиналось с селекторного совещания, а потом он ехал лично контролировать и накручивать хвосты. Хвостов было много, и рука к вечеру отваливалась.

Когда появились сигареты, исчезла водка. Когда появилась водка, исчез хлеб. Прожорливость среднестатистического человека способна свести на нет самые благие политические планы. Такой народ легче убить, чем прокормить. Когда появился хлеб, исчез Советский Союз. Губернатор перевел дух.

194

По телевизору президент поздравил свободный народ с Новым 1992-м Годом! Растерянный народ выпил и пошел погулять. Произошла встреча свободного народа со свободными ценами. Народ осел на дно, а цены взлетели в космос: в сто раз! С этой высоты им стало не видно простого человека. Оправдалось пророчество поэта о том, что свобода приходит нагая: но наша за свой стриптиз выставила на бабки даже тех, кто ее и видеть не хотел!

Приехал Ельцин порадоваться за своего любимого самого молодого губернатора. Он встретился с пенсионерами и стал нащупывать в воздухе невидимую виселицу. Царь повелел цены снизить, а ответственных снять. У Немцова появился первый седой волос.

С особенным цинизмом проходила приватизация магазинов: торги назначили в Доме Партполитпросвета. Прилетел и Гайдар полюбоваться зрелищем. На площади его зажал митинг с плакатами: «Руки прочь от советской торговли!» Костюм добравшегося до зала реформатора свидетельствовал о низком качестве яиц и помидоров, которыми торговля располагала.

После этого Гайдар навсегда потерял вкус к общению с народом и даже не считал нужным объяснять ему смысл своих действий по разорению окружающего пространства.

Площадь Ленина использовалась для продажи грузовиков водителям. На первом же приватизированном грузовике эмигрировал памятник вождю мирового пролетариата: происходящее могло разорвать даже чугунное сердце.

И конечно же не обошлось без наших эмигрантов. Их выписали прямо из Нью-Йорка налаживать альтернативный парк частных такси.

Лишь нейтронная бомба могла бы низвести этот бедлам до уровня погрома кухни в сумасшедшем доме.

Ученый экономический советник губернатора комментировал ситуацию так: «Пока еще в стадии разработки находятся теории для нестабильных, неравновесных турбулентных экономических систем».

От такой турбулентности кувыркаются с неба бомбардировщики. Таким образом, мы изящно переходим к военной авиации.

В Нижнем Новгороде были три оборонных завода. Вы спросите, а где их не было? Но новгородские заводы получили статус свободных экономических зон. Понятие свободы у нас равносильно приказу «Спасайся кто может!» А смысл спасения подразумевает воровство. После чего на заводах стало гораздо легче воровать деньги, которых в любом случае не стало. Заводы, как заведено, клепали титановые кастрюли и дюралевые лопаты для нужд западных дачников в особо крупных размерах. Скрытый экспорт сырья без лицензий.

Раньше один из заводов делал МиГи. Он и теперь пытался их делать. Прекрасные боевые машины обнаружили только один изъян, губительный в условиях рынка для всей российской авиации: за них никто не хотел платить. Характерно, что в России никто ни за что не хочет платить... но не будем отбивать тощий хлеб у ученых: экономических теорий для турбулентных систем, как мы только что упомянули, в мире еще не существует.

Контрактный отдел, подстегиваемый страхом за свои места, рыл землю и грыз плеши во всех направлениях. Он выедал потенциальным заказчикам печенку и подвергал их сеансам коллективного и индивидуального гипноза по методу Кашпировского. И нарыл заказ в Индии! Индусов убедили, что именно МиГи не распугивают коров и ввергает в нирвану йогов. Не то наши парни у факиров стажировались, не то про откат объяснили — заключили контракт!

Индия — страна бедная, но нужда научит и у собаки кость отобрать. Вырвали аванс. И этот аванс мгновенно растворился в воздухе. Жить стало лучше, жить стало веселей.

Подошел срок, и индусы стали смотреть на небо в ожидании МиГов. Думку гадают. В небе гадили птицы и сиял Тибет.

Индусы поправляют чалмы и звонят в Росвооружение. Звонят на завод. Просят переводчиков объяснить непонятные слова. Вникают в нашу систему — турбулентная система, ничего не скажешь! И звонят губернатору, который, как им объяснили, должен за все ответить.

Иногда Немцов может сказать лишнее. На заводе так считают до сих пор.

Отдельно взятую экономическую зону обложили матом и налогом. Это обещало сильно способствовать процветанию губернии.

Завод предъявил калькуляцию, и по этой калькуляции ему были должны все вплоть до Создателя, который недодал. Подлость арифметики всегда бесила руководство.

Представьте себе хор жрецов из «Аиды», который поет губернатору цыганский романс: мы осыплем вас золотом, только сначала вложите вот в эту дырочку сорок лимонов зеленых американских рублей. А им в эту дырочку — наотмашь! Пей до дна.

Ельцин любит Немцова. И Немцов просит денег. Любовь начинает приобретать виртуальный характер. Вроде бы она и есть, а вроде бы денег и нет.

А часы: тик-так! А календарь: порх-порх. А работяги на заводе зубами: щелк-щелк. Индусы сучат ногами в белых кальсончатых шароварах, губернатор бьет чечетку на новгородском паркете, а президент засел на даче и работает с документами не просыхая, и выковырять его оттуда труднее, чем дятлу — отражение гусеницы из зеркала.

А в это время регионы по всей стране начинают отключать свои источники питания от общей сети: экономят! И частота тока падает с 50 до 48 герц, а при этой частоте встают атомные станции, а они по области давали треть всей электроэнергии, и, чтобы избежать катастрофы, Немцов отключает половину котельных, и начинают лопаться трубы, и за ним гоняется народ, тщась разорвать на части.

И тогда он гениально совмещает бегство из города с набегом на президента при максимальной экономии времени. Он мчится на военный аэродром и приказывает везти себя в Москву.

В те времена президенты еще не летали на «Су»-двадцать пятых. Немцов выступил пионером. Хотя на полвека раньше Буш-старший начал полет в президенты в палубном штурмовике. Вообще американское влияние на младореформаторов, как газетчики ни подпрыгивали, изучено неглубоко.

Тот, кто никогда не командовал авиационным полком, не представляет себе, как хлопотно списывать разбитого губернатора. Когда летчик сажает современный истребитель, пульс у него зашкаливает за полтораста, а давление — за двести. Только летная подготовке помогла командиру полка одновременно с приказом не получить инфаркт.

— Не имею права, господин губернатор... — растерянно брыкнулся он.

И тут же получил такое право, затейливо орнаментированное разнообразными словами.

— У вас и рост высокий... — расстроено отметил он. Стандартный истребитель рассчитывается под стандартного летчика в сто семьдесят пять сантиметров, хотя переростки случаются.

— Колени подожму, — пообещал Немцов и вспомнил армейскую юность. — На карачки встану!

— На карачки поставят меня, — мрачно ответил командир, прикидывая карьеру.

— Топливо, продукты и две квартиры для офицеров, — парировал Немцов.

За квартиру офицер согласен летать на МиГе верхом, можно и без МиГа.

Стали искать скафандр — противоперегрузочный костюм — подходящего размера. Немцов нервно смотрел на часы и терзал телефон. Ельцин в Кремле, но пробудет недолго!

— Только не давайте ему пить! — бестактно орал он в трубку, как будто громкость совета способствовала его исполнимости.

В конце концов на него натянули обычный комбинезон первого срока, нахлобучили шлем и повезли к заправленной машине. Пилотировать командир, понятно, решил лично.

— Ради Бога, Борис Ефимович, ничего не трогайте, — молил он в связь, выруливая на старт.

— Не бздим-бом-бом, генерал, — весело отозвалось в наушниках.

Это «генерал» немедленно сложилось в полковничьей голове в образ лестницы, восходящей к служебным небесам. Полосы на ковровой дорожке алели, как лампасы. Марш авиаторов загремел «Все выше и выше!..» Истребитель взлетел.

— Давай быстрее, — понукал пассажир с заднего сиденья, и его вдавило в спинку. Быстрее для МиГа — это скорость автоматной пули.

Через двадцать минут они сели в Москве. Остальные час сорок из двухчасового пути ушли на проталкивание машины с мигалкой в город и сквозь.

Еще на инерции сверхзвукового полета Немцов влетел в коридор власти. Он был исполнен готовности выгрызти деньги любым способом — так фокстерьер выгрызает из норы лисицу.

На подходах к президентской приемной он споткнулся о выставленную ногу, подпрыгнул и услышал дружелюбный смех.

— Из какой это жопы ты в таком виде вылез? — поинтересовался Березовский.

Из анналов:

Всесильный председатель Совета Безопасности СНГ, регент президентской семьи, Варвик Делатель Королей, наместник дьявола по России и кузен Золотого Тельца, автор и плательщик главной творческой премии страны «Триумф», куратор Чечни, изобретатель олигархии и капо ди тутти капи русской демократии: далекий от лондонского изгнания, как морской лев от Льва Троцкого.

— А? — ошалело переспросил Немцов и, последовав указующему жесту, взглянул в зеркало. В зеркале он увидел штатского человека после полета на истребителе.

Пояснение: от нагрузок и напряжений человек потеет. Приземлившись и сняв шлем, летчик выливает из него полстакана воды. Потом выжимает подшлемник, мокрое белье меняет позднее. Вот официальный костюм Немцова и был тем бельем, которое еще не сменили.

— К-хм... — сказал он, оттягивая брюки жестом купальщика, по выходе из воды расправляющего плавки.

— Переодеться не хочешь? — посоветовал Березовский. — Дедушка сейчас трезв — увидит. Но не поймет.

При этом известии Немцов поспешно взглянул на часы и взвыл.

— А где взять-то?.. Срочно?..

— Что б вы все без меня делали, — вздохнул Березовский и позвонил шоферу: срочно везти костюм на смену.

— Так это когда привезут!..

— Думаете, в ЦК дураки сидят? На солнце ночью полетите.

С Глушковым (*из анналов: еще замгендиректора «Аэрофлота», не кравший, не сидевший, не эмигрировавший, верховой среди верховых*) подцепили Немцова под руки, как трудолюбивые запасливые муравьи ошалевшего жука, поволокли в кулуары и стряхнули в кресло. Березовский оглянулся и всунул стул ножкой в ручку двери.

— Раздевайся, — пригласил он.

— Зачем так рано? — удивился Немцов.

Ответ был краток и циничен. Глушков загоготал.

— Давай, давай! — Березовский уже прыгал на одной ноге, стаскивая брюки.

Немцов швырнул свою одежду утопленника на парчовую обивку стула.

— Не бережете народное добро, — укорил Глушков. — Пропал стульчик. Объясни, наконец — ты что, вплавь добирался?

— Влет.

— На чем?

— На МиГе.

— О? А я думал, они с крышей. Дождь или ветер?

— Трусы надень обратно, — остановил Березовский. — Я тут без трусов сидеть не буду, можешь всунуть газету вместо подгузника, если в мокрых неприятно.

Немцов надел его костюм и стал похож на Гекльбери Финна.

— Это зрелище заставило бы Джанфранко Ферре сменить профессию — оценил владелец. — Брюки спусти пониже. На бедра. Да потяни ты их вниз! А пиджачок распахни пошире, ну, как будто тебе жарко.

Чувствуя потребность тоже что-то снять, Глушков дал Немцову носки и повязал свой галстук.

— Просто красавец, — одобрил Березовский. — Ну кто ж такому откажет в деньгах.

— Боже, — воззвал Глушков, — почему мы не гомосеки? Какой мэн уходит!

Обдергивая пиджачок и пытаясь хоть немного втянуть ноги в суставы, Немцов пошел к Ельцину.

— Ты что, подрос, что ли? — спросил Ельцин задумчиво.

Одолженная волчья шкура была не по росту.

— Переодеться никогда, Борис Николаевич, — напористо улыбнулся Немцов. — Кручусь по двадцать часов. Работаем.

— А что ж город бросил? Все, понимаешь, в Москву вас тянет.

— Да я МиГом, двадцать минут полета. Быстрее, чем из Горок, — сказал Немцов и прикусил язык.

— Ско-олько? — нахмурился президент.

— На военном истребителе, — объяснил Немцов.

— Зачем?

— Время дорого.

Ельцин подумал и начал расцветать. Такой подход к делу ему явно импонировал. Молодой, понимаешь, здоровый, энергичный, гордиевы узлы рубит с плеча. На истребителе прилетел! Потому что время дорого.

— Ну... и как оно... на МиГе? Ты серьезно?

— Отличная машина, Борис Николаевич! Продадим партию в Индию — вообще город поднимем.

— Молодцы. Продавайте.

— Доделать их только надо.

— Доделывайте.

— Деньжат чуток не хватает.

— Так а вы их продайте.

— Доделать вот только надо.

— Так доделывайте.

Немцов потянул носом воздух, выдохнул на три счета и доверительно признался:

— С ног падаю, Борис Николаевич, сутки не спал. Чуть бы взбодриться — и все вам точно доложу.

Желание взбодриться встретило у президента отеческое понимание. Палец нажал на кнопку.

Немцов молодецки осадил стакан и видом выразил прекрасность и правильность жизни.

— Ну-у, одному взбадриваться — это не по-русски.

Через час взбодрившийся Ельцин взбодрил бюджет на сорок лимонов.

202

— Я тебе верю! — обнял он на прощание березовский костюм. — Но-о, — покачнул царским пальцем, — смотри у меня.

Немцов посмотрел орлом. И на сильных крыльях вылетел в приемную.

В это время но коридору нервно бегал Потанин (*диагноз: олигарх был, олигарх есть, олигарх будет есть!*). Служба личной разведки уже доложила, что Немцов бухает с дедушкой и что-то серьезное из него вынимает. А этак если каждый залетный начнет вынимать, то олигархам останется только по миру с сумой. Дедушку и так доят все, кто может дотянуться: одной рукой в любви объясняются, а другой доят. Найти и обезвредить!

Потанин принимает в коридоре Немцова на корпус и интересуется жизнью. Немцов мычит обаятельно, а у самого на роже жизнь такая хорошая, что и умирать не надо. Короче, в кормушке стало на сорок лимонов меньше, и вынул их не Потанин. Сумма, может быть, и не большая, но может испортить настроение — если не тебе досталась. А ну как он приноровится ежедневно лапу в закрома родины запускать. Это вроде как муравьи плинтус проточили: и дырочки-то не видно, и несут по пылинке, а вся постройка скоро рухнуть может. А если муравья тренировали на переноску госкомимущества в России? Да он у льва мясо упрет.

— А что ты ко мне срезу не обратился? — удивляется Потанин. — Тоже мне деньги. Друг друга выручать надо. Слушай, тут у меня есть проект, и бабки найдутся, но вот обсудить с тобой хочу... час найдешь?

Система координат время-деньги описана не хуже, чем пространство-время. Зависимость тут прямая: чем больше денег, тем больше для них образуется времени. И наоборот. У Немцове находится время, и по мере называния сумм оно растет. И он едет с Потаниным отдохнуть после перелета и переговоров и обсудить дальнейшие подробности своего взлета.

203

Потанин везет его в Лужки. Есть такое подмосковное имение, по слухам не имеющее никакого отношения к Лужкову. Там указывает ему на усадку и усушку костюма и предлагает набор плавок и полотенец. И дружески пихает в бассейн.

С неба в тот же бассейн падает урожай фруктов: набор девиц «сделай сам». Им явно никто не предлагал набора купальников. Как их мать-природа родила, так высыпали в бассейн к Немцову.

Немцов по дороге еще принял для расслабления, и теперь реагирует неадекватно. Некритически то есть. Лыбится и поддается на провокации. И шлепает ладонями.

В этом бассейне, полагал расчетливый и злокозненный Потанин, он Немцова утопил. Во-первых, оказались, что никаких грандиозных финансовых планов у того нет, и ничем его наезд на Кремль Потанину не грозит (да и использовать его невозможно: недостаточное пересечение сфер). А одновременно с потрошением агента в момент истины — возник на него компромат. А компромат редко бывает лишним.

И для пущей гарантии безопасности компромат тут же доводится до Ельцина. Чтоб знал, кому сорок лимонов слил. И иллюзий старческих не строил.

Но Ельцин находился еще в приподнятом мнении о Немцове. И к записи, которой недруги пытались молодого губернатора скомпрометировать, отнесся по народному принципу «быль молодцу не укор».

— Вот это, понимаешь, работает, — с одобрением заметил он. — И летит, и деньги выбивает, и самолеты за границу продает, и к девкам в бассейн падает... — в падении в воду Ельцину увиделось нечто особенно родственное. — Даже, понимаешь, костюм сменить некогда! Все за день.

И задумчиво смотрит в пространство. Углубляется в монаршие планы, в бездонный омут. И когда он выныривает из этого омута, он назначает Немцова вице-премьером.

— Это растущая фигура!

Вот так, назло и посрамление недругов Немцов шагнул на следующую ступень и стал вице-премьером России.

До дефолта, обрушивания рубля, лопанья банков и всеобщего изумленного обнищания оставался ровно год.

ПРЕМИЯ ДАРВИНА

Не могу молчать.

Эта премия опровергает тезис о неискоренимой завистливости людей. Напротив, известие о ней воспринимают с чистой и бессердечной радостью. По воздействию на окружающих она является, можно сказать, экологически чистой.

Она присуждается за максимальный вклад в эволюцию человечества. То есть из генофонда человечества изымаются гены идиотов. Попахивает реакционной евгеникой и постмодернистским цинизмом.

Как бы такая эпитафия в жанре черного юмора — за самую кретинскую смерть года. Но все демократично. Возникнув на излете XX века, она дается исключительно общим анонимным голосованием открытого интернет-сообщества. Рыбак рыбака видит издалека.

...Первую премию получил сметливый парень, который бил автомат с кока-колой, решив выбить из него бутылочку бесплатно, пока нокаутированный автомат не упал и, в свою очередь, пришиб его насмерть.

Прекрасен был туземец, сидевший на суку красного дерева и пиливший его на продажу, пока перепиленный сук не избавил его от всех материальных забот.

Отдельный раздел занимает длинный мартиролог переростков, с моста помочившихся прицельно на высоковольтные провода.

Почетное место принадлежит арабской семье, поочередно спускавшейся в узкий колодец для спасения упавшего цыпленка, и в той же очередности утонувшей там в полном составе.

Честно заслужили славу четверо бандитов, которые перегораживали своей БМВ ночное шоссе и грабили остановленные фургоны. Водитель огромного трака заснул за рулем и был разбужен хрустом под задними колесами.

Не все заботятся о своих генах самостоятельно. Иногда вмешивается Господь. Возникает ощущение, что Парень Наверху порой не может совладать с собственным чувством юмора.

На бескрайнем пепелище лесного пожара в Калифорнии вдруг обнаружили останки человека в нехарактерной для лесных прогулок одежде. Он был в маске, оплавленных ластах и с аквалангом за спиной. Э?.. Попытались идентифицировать, стали проводить расследование: и оказалось. Вообще парень поехал к океану поплавать с аквалангом. Он наслаждался подводными красотами, когда его зачерпнул ковш пожарного вертолета и, перенеся в высоте, вылил с водой на горящие деревья.

Всех превзошли обитатели дома хроников в Испании. В рамках государственной заботы о стариках и инвалидах их посадили в комфортабельный автобус и повезли любоваться красотами на экскурсию в горы, где и свалили вместе с автобусом в пропасть.

В каше погибли не все. К выжившим на дно пропасти сел вертолет. Взлетая со спасенными, он зацепил лопастью за скалу и рухнул.

Из обломков удалось извлечь двоих как-то уцелевших. Их подняли на веревках, погрузили в санитарную машину, и на въезде в тоннель она вмазалась в разделительную стену.

И только тогда уже, после третьей попытки подряд, не избежал своей участи никто из назначенных в тот день к переселению Наверх. Вероятность такого тройного совпадения близка к математическому нолю. Словно некий Высший Палец давил егозливую букашку, пытавшуюся ускользнуть. Но иногда остаются живы. Будто на рассаду оставлены.

1. Воздухоплаватель

Человек всегда мечтал летать. Мечта о небе окрыляла наших предков. Лайнер серебристый. Пламенный мотор. Икар упал. Гинденбург, камикадзе, Гагарин, стингер, стринги.

Простой парень, мечтавший о небе, поступил в летное училище. Страна не имеет значения. Уже начал летать, пока с третьего курса не комиссовали по здоровью. Тосковал страшно. Пошел работать.

Теперь страна имеет значение. Потому что через несколько лет у него, старательного банковского служащего, был домик с газончиком, купленный в рассрочку, и джип перед домом, приобретенный в кредит. У него была хорошая кредитная история. Он был американец.

Это неправда, что американцы исключительно зарабатывают бабки. Америка — страна великих романтиков. Она создана свободными людьми, привыкшими

208

сурово бороться за свои мечты. Они ехали за океан на новое голое место и делали там что хотели, не ожидая ни от кого помощи, но, правда, и вмешательства не терпя. И вообще самолет реально изобрели американцы братья Райт. Короче, кто летал — тот уже не забудет...

И по уикендам наш клерк, раскинувшись на белом пластиковом садовом креслице и задрав ноги на такой же пластиковый столик, ограниченный в позе периметром своей микролужайки, дывился на небо та й думку гадал... Нет, он не был украинским эмигрантом, это мы так, для поэтичности.

Что сделал бы щирый украинский парубок в аналогичной ситуации? Он бы налил стакан горилки, нарезал шмат сала, заспивал душевну писню и ухватил гарну дивчину за то мисто, шоб летало.

Что же делает это воплощение американского гегемонизма, этот несостоявшийся бомбардировщик Сербии и Ирака?

В одну прекрасную пятницу после работы он едет на метеостанцию. С нее на соответствующий склад. И покупает две дюжины метеозондов и баллон гелия.

На обратном пути заезжает в «Тысячу мелочей», то есть у них это «Все за 99 центов», и выбирает моток бельевой веревки. Потом посещает оружейный магазин и берет дешевенькую пневматическую винтовку и коробку пулек. А в супермаркете запасается упаковкой баночного пива.

И погожим субботним утром, свистя и щурясь от счастья, он приступает. Он предвкушает. Он все продумал долгими вечерами, за недели и месяцы.

Технология процесса, этот мозговой прорыв, заслуживает описания. Он колдует с веревкой и рулеткой, нарезая куски разной длины. Привязывает свое белое пластиковое креслице за ножку к бамперу джипа — как козу на поводок. К спинке и подлокотникам пришвартованного креслица — вяжет длинные куски веревки...

И — подступает с вялым лоскутом зонда к баллону с газом.

Он натягивает на штуцер баллона резиновый хоботок зонда и осторожно крутит кран. Зонд шевелится, дышит, — раздувается! Лоснится! Зонд здоровый — метра полтора. Наш парень крепко перетягивает клапан и короткой веревкой привязывает тянущий вверх шар к одному из длинных хвостов, зачаленных за стул.

Под шаром стул всплывает в метре над лужайкой — длина поводка от бампера джипа. Композиция сюрреалистическая. Синее небо, оранжевый шар, белый стул, зеленая трава, черный джип. На лице конструктора — выражение ангела, сдающего Господу зачет по пилотажу.

Он надувает зонды и вдумчиво распределяет по периметру креслица, через равные промежутки подвязывая поводки к длинным веревкам, как фрукты к ветке. И гигантская апельсиновая гроздь над головой собрана компактно и выглядит разумно и празднично.

Иногда он налегает на креслице своим весом, проверяя подъемную силу. И когда эта гондола перестает проседать под ним — он добавляет еще пару шаров, закрывает баллон и аккуратно уносит в дом.

— Готовность номер один! — поет он себе под нос. — Убрать колодки!

Набивает карманы пивными банками, лезет с бампера в свое летающее креслице, поперек колен пристраивает винтовку. Елозит, угромождаясь поудобней.

— Зажигание. Есть зажигание! Запуск. Есть запуск!

Пульки в одном нагрудном кармашке, складной нож — в другом.

— Девятый просит разрешения на взлет! — мурлычет счастливый ребенок.

Со вздохом великих дел он оглядывает свой скромный коттеджный поселок. Домики из оштукатуренной фанеры под пластмассовой черепицей. Газончики размером с письменный стол. Бассейн как экстаз — таз, бывший в употреблении. Скромный служивый люд. Бескрылые трудящиеся суслики.

— Взлет — разрешаю!..

И он чиркает ножом по натянутой веревке вниз ножки стула.

Прыгает вверх и со свистом несется ввысь стремглав, как ракета!!! Дергает, скачет и вращается вокруг оси!

Где там нож, винтовка кувыркаясь достигает земли, такой далекой внизу... Соседи в своих двориках задирают головы и пучат глаза, воплями призывая всех любоваться!

В ужасе и шоке он судорожно вцепляется в хилые пластиковые подлокотнички. Гроздь шаров болтается, как качели в шторм, и наш авиатор ощущает себя пропеллером в заднице у дьявола. На профессиональном языке это называется «потеряно управление».

Он-то хотел что? Он полагал, что взлетит метров на сто-двести, проплывет в воздухе над округой, окинет пейзаж с высоты. А затем из воздушки прострелит пару шаров, конструкция снизит подъемную силу и плавно приземлится. Отстреливая по шару, отчего ж нельзя регулировать спуск вполне постепенно.

Ветер, тряска, холод, скользкий стульчик, пустота без края! Головокружительная пейзажная панорама!..

Стремительно рассекая пространство, как устремленный в зенит перехватчик, маленькая оранжевая гроздь с грузиком становится точкой и вонзается в массивное кучевое облако. И больше нашего героя никто нигде никогда не видит.

Все.

Вот это улетел — так улетел.

С концами.

Соседи обсуждают. Звонить ли 911? Зачем? Человек улетел. Летать не запрещено. Закон не нарушен. Насилия не было. Америка — свободная страна. Хочешь летать — и лети к чертовой матери.

...Часа через четыре диспетчер ближнего аэропорта слышит доклад пилота с заходящего лайнера:

— Да, кстати, парни, вы в курсе, что у вас тут в посадочном эшелоне какой-то мудак летает на садовом стуле?

— Что-что? — переспрашивает диспетчер, галлюцинируя от переутомления.

— Летает, говорю. Вцепился в свой стул. Все-таки аэропорт, я и подумал, мало ли что...

— Командир, — поддает металла диспетчер, — у вас проблемы?

— У меня? Никаких, все нормально.

— Вы не хотите передать управление второму пилоту?

— Зачем? — изумляется командир. — Вас не понял.

— Борт 1419, повторите доклад диспетчеру!

— Я сказал, что у вас в посадочном эшелоне мудак летает на садовом стуле. Мне не мешает. Но ветер, знаете...

Диспетчер врубает громкую трансляцию. У старшего смены квадратные глаза. В начало полосы с воем мчатся пожарные и скорая помощь. Полоса очищена, движение приостановлено: экстренная ситуация. Лайнер садится в штатном режиме. По трапу взбегают фэбээровец и психиатр.

Доклад со следующего борта:

— Да какого еще хрена тут у вас козел на воздушных шариках путь загораживает!.. вы вообще за воздухом следите?

В диспетчерской тихая паника. Неизвестный психотропный газ над аэропортом.

— Спокойно, кэптен. А кроме вас, его кто-нибудь видит?

— Мне что, бросить штурвал и идти в салон опрашивать пассажиров, кто из них ослеп?

— Почему вы считаете, что они могут ослепнуть? Какие еще симптомы расстройств вы можете назвать?

— Земля, я ничего не считаю, я просто сказал, что эта гадская птица на веревочках работает воздушным заградителем. А расстройством я могу назвать работу с вашим аэропортом.

Диспетчер трясет головой и выливает на нее стакан воды и, перепутав руки, чашечку кофе: он утерял самоконтроль.

Третий самолет:

— Да, и хочу поделиться с вами тем наблюдением, джентльмены, что удивительно нелепо и одиноко выглядит на этой высоте человек без самолета.

— Вы в каком смысле??!!

— О. И в прямом, и в философском... и в аэродинамическом.

В диспетчерской пахнет крутым первоапрельским розыгрышем, но календарь дату не подтверждает.

Четвертый борт леденяще вежлив:

— Земля, докладываю, что только что какой-то парень чуть не влез ко мне в левый двигатель, создав угрозу аварийной ситуации. Не хочу засорять эфир при посадке. По завершении полета обязан составить письменный доклад.

Диспетчер смотрит в воздушное пространство взглядом Горгоны Медузы, убивающей все, что движется.

— ...И скажите студентам, что если эти идиоты будут праздновать Хэллоуин рядом с посадочной глиссадой, то это добром не кончится! — просит следующий.

— Сколько их?

— А я почем знаю?

— Спокойно, борт. Доложите по порядку. Что вы видите?

— Посадочную полосу вижу хорошо.

— К черту полосу!

— Не понял? В смысле?

— Продолжайте посадку!!

— А я что делаю? Земля, у вас там все в порядке?

— Доложите — вы наблюдаете неопознанный летательный объект?

— А чего тут не опознать-то? Очень даже опознанный.

— Что это?

— Человек.

— Он что, суперйог какой-то, что там летает?

— А я почем знаю, кто он такой.

— Так. По порядку. Где вы его видите?

— Уже не вижу.

— Почему?

— Потому что улетел.

— Кто?

— Я.

— Куда?

— Земля, вы с ума сошли? Вы мозги включаете? Я захожу к вам на посадку!

— А человек где?

— Который?

— Который летает!!!

— Это что... вы его запустили? А на хрена? Я не понял!

— Он был?

— Летающий человек?

— Да!!!

— Конечно был? Что я, псих.

— А сейчас?

— Мне некогда за ним следить! Откуда я знаю, где он! Напустили черт-те кого в посадочный эшелон и еще требуют следить за ними! Плевать мне, где он сейчас болтается!

— Спокойно, кэптен. Вы можете его описать?

— Мудак на садовом стуле!

— А почему он летает?

— А потому что он мудак! Вот поймайте и спросите, почему он, тля, летает!

— Что его в воздухе-то держит? — в отчаяньи надрывается диспетчер. — Какая етицкая сила? Какое летательное средство??? Не может же он на стуле летать!!!

— Так у него к стулу шарики привязаны.

Далее следует непереводимая игра слов, ибо диспетчер понял, что воздухоплаватель привязал яйца к стулу, и требует объяснить ему причину подъемной силы этого сексомазахизма.

— Его что, Господь в воздухе за яйца держит, что ли?!

— Сэр, я придерживаюсь традиционной сексуальной ориентации, и не совсем вас понимаю, сэр, — политкорректно отвечает борт. — Он привязал к стулу воздушные шарики, сэр. Видимо, они надуты легким газом.

— Откуда у него шарики?

— Это вы мне?

— Простите, кэптен. Мы просто хотим проверить. Вы можете его описать?

— Ну, парень. Нестарый мужчина. В шортах и рубашке.

— Так. Он белый или черный?

— Он синий.

— Кэптен? Что значит — синий?..

— Вы знаете, какая тут температура за бортом? Попробуйте сами полетать без самолета.

Этот радиообмен в сумасшедшем доме идет в ритме рэпа. Воздушное движение интенсивное. Диспетчер просит таблетку от шизофрении. Прилетные рейсы адресуют на запасные аэропорты. Вылеты задерживаются.

...На радарах — ничего! Человек маленький и нежелезный, шарики маленькие и резиновые.

Связываются с авиабазой. Объясняют и клянутся: врач в трубку подтверждает.

Поднимают истребитель.

...Наш воздухоплаватель в преисподней над бездной, в прострации от ужаса, околевший и задубевший, су-

дорожно дыша ледяным разреженным воздухом, пред-
смертным взором пропускает рядом ревущие на сни-
жении лайнеры. Он слипся и смерзся воедино со своим
крошечным креслицем, его качает и таскает, и сознание
закуклилось.

Очередной рев раскатывается громче и рядом — в
ста метрах пролетает истребитель. Голова летчика в про-
сторном фонаре с любопытством вертится в его сторону.
Вдали истребитель закладывает разворот, и на обратном
пролете пилот крутит пальцем у виска.

Этого наш бывший летчик-курсант стерпеть не может, зрительный центр в мерзлом мозгу передает команду на впрыск адреналина, сердце толкает кровь, — и он
показывает пилоту средний палец.

— Живой, — неодобрительно докладывает истребитель на базу.

Ну. Поднимают полицейский вертолет.

А вечереет... Темнеет! Холодает. И вечерним бризом,
согласно законам метеорологии, шары медленно сносит
к морю. Он дрейфует уже над берегом.

Из вертолета орут и машут! За шумом, разумеется,
ничего не слышно. Сверху пытаются подцепить его крю-
ком на тросе, но мощная струя от винта сдувает шары в
сторону, креслице болтается враскачку, как бы не вывa-
лился!..

И спасательная операция завершается по его собственному рецепту, что в чем-то обидно... Вертолет возвращается со снайпером, слепит со ста метров прожек-
тором, и снайпер простреливает верхний зонд. И второй.
Смотрят с сомнением... Снижается?

Внизу уже болтаются все береговые катера. Вольная
публика на произвольных плавсредствах наслаждается
зрелищем и мешает береговой охране. Головы задраны,
и кто-то уже упал в воду.

Третий шарик с треском лопается, и снижение гроз-
ди делается явным.

На пятом простреленном шаре наш парень с чмоком и брызгами шлепается в волны.

Фары светят, буруны белеют, катера мчатся! Его вытраливают из воды и начинают отдирать от стула.

Врач щупает пульс на шее, смотрит в зрачки, сует в нос нашатырь, колет кофеин с глюкозой и релаксанты в вену. Как только врач отворачивается, пострадавшему вливают стакан виски в глотку, трут уши, бьют по морде... и лишь тогда силами четырех матросов разжимают пальцы и расплетают ноги, закрученные винтом вокруг ножек стула.

Под пыткой он начал приходить в себя, в смысле массаж. Самостоятельно стучит зубами. Улыбается, когда в каменные от судороги мышцы вгоняют булавки. И наконец произносит первое матерное слово. То есть жизнь налаживается.

И когда на набережной его перегружают в «скорую», и фотовспышки прессы слепят толпу, пронырливой корреспондентке удается просунуть микрофон между санитаров и крикнуть:

— Скажите, зачем вы все-таки это все сделали?

— Вы протестовали против загрязнения экологии? — подпрыгивает другая.

И он — понимает! Вот и настал этот миг! Его звездный час!

Он глубоко вдыхает теплый вечерний воздух, и этот вдох расправляет его и наполняет упругостью, как надутый зонд. Вдруг выдергивается из объятий санитаров. Встает на неверных ногах в позу статуи и скрещивает руки на груди. Откидывает голову по-наполеоновски. Он человек, и звучит гордо! Этим кошмарным днем он честно выстрадал свою фразу для истории:

— Нечего сидеть всю жизнь на заднице! Господь — он нас, а мы?

2. Бочонок

Радио нынче не то, что век назад. Ореол романтики и прогресса слинял, как песец. Вспомогательное развлекалово автомобилистов и утешение пенсионеров. Ликбез на кухне. Под сурдинку.

Когда-то классный коротковолновик был — как сейчас программист или хакер. Дорогой приемник в доме стильно сиял знаком продвинутой касты. Мир ловил сигналы экспедиций и катастроф сквозь космический треск.

Сегодня компьютер и телевизор дадут тебе все, потом догонят и добавят бесплатной рекламы. Коротковолновик — слово архаичное, из той же эпохи, что Коминтерн, Лига Наций и Осоавиахим.

Но отдельные энтузиасты неизбежны. Как филателисты, эсперантисты и коммунисты. Чем, кстати, отличается реликт от раритета? И правда ли, что анахорет — средний размер между анапестом и хореем?

То есть. Он был коротковолновик. Любитель отчаянный. Все деньги тратил на аппаратуру, а время — на монтаж новых схем и вступление в связь с братьями по разуму. Чем бы дитя ни тешилось, лишь бы не беременело.

И вот у этого мелкого служащего (заметьте — все безумства мира происходят из среды мелких служащих) случился отпуск. Две недели законных.

Он был молод, одинок, у него был свой маленький домик и при нем маленький участочек. Угадайте с трех раз среду обитания. Китай и Судан не предлагать.

И выстраданный отпуск он грохнул на строительство суперусовершенствованной приемо-передающей антенны для коротковолновой связи. Он купил бруса, досок, гвоздей, и соорудил во дворике трехногую вышку метров в двадцать из «Звездных войн». По двести раз на дню он взлетал по скоб-трапу, как белка или матрос клипера. И из разнообразного железа монтировал наверху огромную

218

ажурную бабочку, вращающуюся на шарикоподшипнике с приводом. Антенна вышла — крейсер отдыхает.

В последний вольный вечер он вышел на связь с буревестниками радиоволн из Новой Зеландии и Азорских островов. Качество связи — правительственная! А уж передачи со спутников ловит — ЦРУ обзавидуется.

В сумерках собирается дождь. Утомленные мышцы гудят сонно. Подъем завтра на работу в шесть сорок. А на верхней площадке вышки топорщится гора инструментов, запчастей и ценной дребедени. Полмесяца таскал всеми местами, как муравей.

Человек рационального мышления, он любил труд в лекарственных дозах. Корячиться на трех лапках по скобам со столба, зажав в четвертой железяку, отвращало. Прыг-скок, а там и утро.

Первая капля метеоосадка цокает в темечко, как звонкое ньютоновское яблоко в колокольный купол гения. И в уютном покое под черепной крышкой рождается мысль.

Он отвинчивает колесо от тачки, сдирает с него тонкую резиновую шину, лезет наверх, и сбоку настила приколачивает колесо костылем сквозь втулку — на ось сажает к ребру площадки, как блок. Потом затаскивает наверх конец длинной веревки и перекидывает его через этот подъемный блок в качестве шкива. Крутится! Работает.

Внизу приносит железный бочонок из-под масла. Старательно крепит к одному концу веревки. Вытягивая другой конец, поднимает бочонок до верхней площадки, до самого блока. И закрепляет свой нижний конец за скобу-ступеньку опоры.

И вот, скромно и горделиво бормоча комплименты своим способностям, как взлетевший на насест петух, он сноровисто сгребает в бочонок свой остров сокровищ: стальную арматуру, мотки медной проволоки, паяльники, гаечные ключи и пассатижи. Килограммов полтораста.

Рисуясь лихостью, скользит вниз, отвязывает нижний конец веревки от скобы и, для верности пустив виток на руку, начинает медленно травить конец, опуская бочку вниз...

...Это он так мечтал. Когда реальность превосходит мечту, мировое равновесие нарушается. Бочка, стало быть, весила центнера полтора. А царь природы, тужащийся на другом конце, — от силы килограммов семьдесят. Сила действия, вопреки совету учебника физики, оказалась не равна силе противодействия. Закон Ньютона сработал, как катапульта.

Веревка дернула за руку, вытягивая ее из плеча. Сустав затрещал, он налег двумя руками, но чего-то не хватало. Пружиня легкие ноги, он глянул вниз: не хватало земли под ногами. Дергаясь, он рывками пытался уравновесить груз.

Секунды растянулись, как резинка из детских трусов. Вздернутый на дыбу принимал страшные пыточные позы. Катушка спиннинга крутилась, и пескарь извивался на леске. Ускорение свободного падения сменило знак. Умный радиолюбитель взлетал в эфир. Он был сильный — но легкий, легкий!

Умный и легкий принял решение спрыгивать к черту. Внизу оказалась высота трехэтажного дома, и он передумал. Доверившись судьбе везти его до верха, а там он перелезет на площадку. И он посмотрел, сколько еще ехать наверх?..

Сверху — на него — летел — бочонок!!!

Так забивают сваи. Свистящий удар ожег ухо, сокрушил плечо, сломал ключицу, треснула пара ребер в содранном боку, от удара щелчком сбилась коленная чашечка, — и смертоносная бомба продолжила пике, с гулом грянув оземь.

Контуженый пришел в сознание. Он был подвешен носом к площадке. Но слезть с крючка оказалось невозможно. Виток веревки охватил запястье наручником. А пальцы попали в зажим между веревкой и бло[...]

Мысль о свободе владела им краткую до[...]
ды...

Из выси бухнув в грунт полутора центнерами железа, бочонок развалился. Шов лопнул, и дно выпало. Громыхнувшая дребедень сыпанула конусом на поддоне. Противовес исчез.

Лифт на эшафот пришел в обратное движение.

Радиоакробат екнул слабым нутром. Состояние невесомости неотличимо от свободного падения. Блок перед глазами прыгнул вверх. Горизонт загибал края. Полет вниз ускорялся, и сквозняк леденил травмированный мозг.

Он мчится обратно, и понимает, что скорость возвращения будет велика, и мягкая посадка не гарантирована. И когда он переводит взгляд вниз — сколько еще осталось лететь с этим ускорением — он видит:

Снизу — на него — летит — бочонок!!!

Он бьет его в зад, сдирает пол-ягодицы, ломает копчик, пересчитывает позвонки и проминает затылок!..

И отпускает лететь вниз дальше.

Без сил и средств несчастный грохается на подстилку. На кучу железа с острыми углами, штырями и ребрами — опаньки! Это его добро, вывалившееся с дном бочонка. Вот мы и дома. Организм хрустит и выдыхает. В голове звучит алилуйя и выключается свет.

Теряя сознание, человек расслабляется. Пальцы разжаты, и веревка соскальзывает с руки, щекоча и шаркая. Этот веревочный рашпиль прерывает его краткий обморок, и когда он открывает глаза:

Сверху — на него — летит — бочонок!

Он прыгает жертве на живот, ломает тазобедренный сустав, отбивает мошонку и прокатывается по уцелевшей коленной чашечке.

Матч окончен. Два неодушевленных предмета лежат рядом.

Везли в морг, но завернули в реанимацию.

...Он вышел из больницы через девять месяцев на своих ногах. Эту песню не задушишь, не убьешь. И поздравил с этим коротковолновиков мира.

Больше никто бы не узнал, но он долго судился со страховой компанией. Жаба их душила — не заплатили: нечего будить зверя в бочкотаре.

АЛМАЗНЫЙ МОЙ РЕЗЕЦ

Надо контролировать — кому давать и что давать. Почему мы вдруг решили, что каждый может иметь?

Виктор Черномырдин

В России еще не пришло время, когда можно служить безнаказанно честно.

Анатолий Куликов

Сегодня мы находимся в переходном периоде, когда люди умом сознают, а руки тянутся к деньгам.

Владимир Семаго

Зарплата — это наркотик для лиц наемного труда.

Святослав Федоров

У меня, к сожалению, ни копейки в кармане денег не бывает. Ну, бывает там миллион, два, три.

Владимир Брынцалов

О каких доходах вы говорите?! Посмотрите, как я хожу: в стоптанных ботинках, старых брюках. Четыре года назад купил немного ткани — пошил себе рубашку. Карманы пусты — один носовой платок!

Владимир Жириновский

Но ведь бывают моменты, когда не знаешь, куда эти деньги деть. Иногда думаешь: на кой черт они у меня есть?..

Владимир Ресин

Люди, которые работают в моей партии и зарабатывают деньги, тоже немножко жулики, как и вы.

Александр Лебедь

Успешному экономическому подъему мешает прежде всего громадность территории нашего государства.

Владимир Кинелев

До тех пор, пока российские чиновники не ощутят на собственной заднице всю прелесть наших дорог, никакие сдвиги в экономике невозможны.

Борис Немцов

Там не только канализация — там есть вопросы поинтересней!

Александр Лукашенко

Может произойти все что угодно — ляжете спать в одной стране, а проснетесь совсем в другой, если вам еще дадут проснуться.

Эдуард Россель

Российская экономика вышла на нулевой рост.

Михаил Задорнов

Нам не нужно денег. Нам нужна скорее моральная поддержка, что они верят в Россию. Они верят, что мы выдержим, мы не свалимся.

Борис Ельцин

Богатство — это когда люди богатеют вместе со страной, а не вместо нее.

Александр Лебедь

Но пенсионную реформу делать будем. Там есть где разгуляться.

Виктор Черномырдин

Или, извиняюсь, голую задницу подставить, или все-таки как-то обеспечить себе, понимаешь, на Востоке хорошее прикрытие.

Борис Ельцин

Налоги нужно собирать невзирая на лица. Но для начала лучше потренироваться на кошечках.

Александр Шохин

Мы помним, когда масло было вредно. Только сказали — масла не стало. Потом яйца нажали так, что их тоже не стало.

Виктор Черномырдин

Скоро белорусский народ будет есть нормальные человеческие яйца.

Александр Лукашенко

Ну не идет в горло кость, когда кругом неустроенность.

Владимир Брынцалов

Мы верили в скорый приход благополучия и процветания. Но это было лишь началом больших перемен...

Борис Ельцин

Мы осваивали, так сказать, неведомое. Доосваива-
лись! До ручки дошли.

Виктор Черномырдин

Из отчетного доклада президента, членов правительства я так и не уловил, и не разглядел луч света в конце
тоннеля нашей обвальной нищеты во всем и вся.

Николай Харитонов

Завтра будет лучше, я сам в это верю.

Леонид Кучма

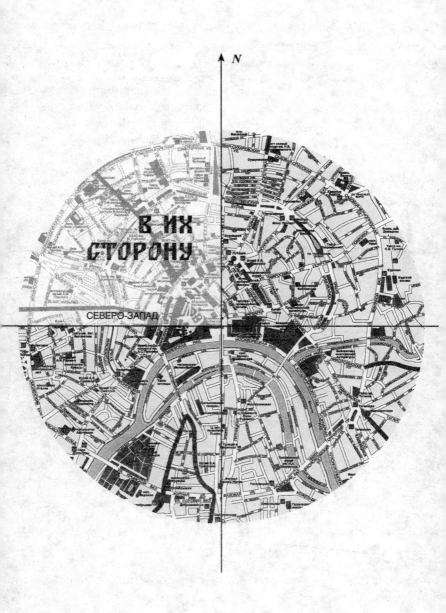

N

В ИХ
СТОРОНУ

СЕВЕРО-ЗАПАД

МОН ЖЕНЕРАЛЬ

1. Юрист, сын буржуя

Венец эволюции — это адвокат. Легко издеваясь над умственными способностями сограждан, он обращает черное в белое и порок в добродетель, смакуя секрет философского камня. Конфликт между совестью и истиной ученик дьявола решает в пользу гонорара. И даже пред Высшим Судом адвокат легализует иммиграцию грешников в Рай, перетолковывая тонкости Божественного Откровения.

Завистливой толпе осталось искать утешения в пошлых пословицах типа: «Чем отличается сбитый на дороге адвокат от сбитой на дороге собаки? Перед собакой видны следы торможения». Или: «Чем отличается адвокат от вампира? Вампир сосет только ночью».

Итак. Давным-давно, в одной далекой галактике... Легенды о советских адвокатах живут в профессиональных кругах и поныне, скрепляя мифологическим раствором фундамент корпоративной гордости. Ибо в советские времена исключительно прерогативой государства было и сбивать, и сосать, и жрать с костями. Адвокат же выступал героем сказки о храбром мышонке, примерившем латы Дон-Кихота. Его благородство обретало форму циничной лояльности режиму. Ненависть к государственно-прокурорскому корпусу прикрывалась маской наивной приверженности Закону. Комары вставали в оппозицию к ветру!

Когда нынешние светила и зубры адвокатуры были юными... о ностальжи!.. нет, юными были Генри Резник и Генрих Падва, а Анатолий Кучерена и Михаил Барщевский еще узнавали на заборах новые интересные слова, — жила в народе легенда о «золотой десятке». Это почти как Чаша Грааля. Это десять лучших в стране (СССР!) адвокатов, которые могли вытянуть самые безнадежные дела. Построить из букв Закона преграду Власти и спасти обреченного. Гм... ну, и еще их услуги баснословно дорого стоили.

И вот на самом западном форпосте страны — не столько даже в географическом, сколько в идеологическом смысле, — в Эстонии, — трудился, посильно мешая государственным прокурорам насаждать социалистическую законность карающей пролетарской рукой, адвокат Симон Левин. Фамилия однозначная, сомнения излишни.

В определенном смысле он из этих золотых был просто платиновый. У него был постоянный загранпаспорт с открытой визой. Миф из быта небожителей. И с этим паспортом он каждое лето ездил отдыхать в Швейцарию. А на Рождество (запрещенное!) — в Париж.

О дети новых эпох! — не пытайтесь вообразить. Полстраны жило в бараках и землянках. Тетрадей в школах не хватало по спискам распределения. Деревня не понимала рассказов о городском асфальте. Мировой империализм грозил войной! А адвокат Левин из сказочно культурной процветающей Эстонии ездил в Швейцарию. Здесь нечего даже напрягать мозги для постижения загадки. Из жизни марсиан.

Многие пытались повторить фокус Симона Левина с постоянным загранпаспортом и открытой выездной визой, но никому больше средь адвокатской братии это так и не удалось. Пришлось уничтожать Советский Союз... стоп, это нас уже не туда заносит.

А если по порядку, то летом сорокового года в Эстонию пришла Советская Власть. Она пришла на хороших танках с хорошими намерениями. Защитить Эстонию от Гитлера. Президента Эстонии взяли за шкварник и отправили куда подальше, Эстонская подсекция Коминтерна въехала под названием народного правительства, объявила социалистическую революцию и попросилась в братскую семью народов СССР. Братская семья распростерла объятиями, зорко прищурилась классовым прищуром и стала сортировать новых родственников. Кого на руководящую работу, кого в Сибирь, кого в концлагерь. В Эстонии возникло ощущение, что Гитлер им теперь просто лишний. И без него новый порядок наведен.

Левины были из старого эстонско-остзейско-еврейского рода. Они жили здесь века, и к 1940-му году владели несколькими домами в Таллине и еще кое-каким хорошим имуществом.

И тут пошел слух, что будут все национализировать. Эстония маленькая, секрет утаить невозможно.

Вечером глава семьи, умный оборотистый дедушка, придя домой, ухарским шулерским жестом, как колоду засаленных карт, шлепнул на стол пачку документов.

— Вот так! — объявил он. — Они решили, что они умнее меня. — Он показал кукиш в сторону Бога и Москвы одновременно, куда-то вверх, но восточнее зенита. — Я продал все!

— Что все? — робко уточнила бабушка.

— Ты не слышала? Все! Все наши дома, постройки, сапожную мастерскую и швейное ателье.

— Готыне... — сказала бабушка. — Что это значит?..

— Это значит, — торжествующе спел дедушка, — что мы нищие! У нас ничего нет! И нечего национализировать! И хрен они с нас что возьмут!

— А... как же?..

— А никак! А деньги в банке! — злорадно ухмыльнулся дедушка. — Воображаю себе их физиономии, когда они это узнают.

Он всегда знал о себе, что он самый умный. Он без особого труда посмеялся над жадной и недотепистой Советской властью. Он был не прав.

Теперь представьте себе назавтра дедушкину физиономию, когда он узнал, что все банковские вклады национализируются. Он потерял вкус к жизни, и вскоре угас, завещав семейству держаться от этой власти подальше.

И семейство, внемля увещеваниям семейного мудреца, расползлось по свету в те бурные и переменчивые года, кто куда горазд. И кого не уничтожили в оккупации, оказались в непредсказуемых точках мира. Разве что один из внуков, Симон, после войны вернулся к родному пепелищу.

2. Здрасьте, я ваш дядя

Итак, молодой специалист Симон Левин, выпускник Тартуского университета, работает себе в юридической консультации, медленно набирается опыта и параллельно — собственной клиентуры, и еще не умеет зарабатывать ничего, кроме зарплаты. Война позади, гонения на космополитов позади, смерть Сталина позади. Слава богу, настало время, когда можно хоть как-то жить.

И тут у него дома звонит телефон. И голос телефонистки говорит:

— Ответьте Парижу.

Парижу? Почему не Марсу? Это были времена, когда для звонка в другой город люди заранее занимали очередь на городском междугородном переговорном пункте и орали в трубку так, что на том конце можно было слышать без телефона. А родственник за границей квалифицировался как измена Родине.

И он слышит в трубке:

— Симончик, это ты? Как ты себя чувствуешь? Как ты живешь, мой мальчик, расскажи же мне.

— Кто это? — ошарашенно спрашивает он.

— Кто это, — горько повторяет трубка. — Ты что, меня не узнаешь?

— Нет... простите...

— Он уже на вы. У тебя что, осталось так много родственников? Ну! Я хочу, чтобы ты меня узнал.

— Я... не знаю...

— Таки что я могу сделать? Я тебя прощаю. Это я! Ну?

— Кто?..

— Конь в пальто! — раздражается трубка. — Говорится так по-русски, да? Это твой дядя Фима! Эфраим! Брат твоего отца! Сколько было братьев у твоего отца, что ты меня не помнишь?

— Дядя Фима... — растерянно бормочет Симон, с тоской соображая, что близкий *родственник за границей*, в капиталистической стране, — вот сейчас вот, вот в этот самый миг, бесповоротно испортил ему анкету и будет стоить всей последующей карьеры.

— Ты мне рад? — ревниво осведомляется дядя.

— Я счастлив, — неубедительно заверяет Симон. — Какими судьбами? Откуда ты?

— Я? Из Парижа.

— Что ты там делаешь?

— Я? Здесь? Живу?

— Почему в Париже? — глупо спрашивает Симон, совершенно не зная, как поддержать разговор с родным, но оттого не менее забытым дядей.

— Должен же я где-то жить, — резонно отвечает трубка. — Ну, расскажи же о себе! Сколько тебе лет? Ты женат? У тебя есть дети? Кем ты работаешь?

По молодости Симону особенно нечего рассказывать. Мама умерла в эвакуации, папа погиб на фронте, остальных в оккупации расстреляли, живу-работаю.

На том конце провода дядя плачет, сморкается и говорит:

— Послушай, я хочу, чтобы ты приехал ко мне в гости. Говорил я вам еще, когда они в Эстонии в тридцать восьмом году приняли эти свои законы, что надо валить оттуда к чертовой матери. Вот вы все не хотели меня слушать. А теперь у меня нет на свете ни одного родного человека, кроме тебя. Ты слышишь?

— Да, спасибо, конечно, — на автопилоте говорит Симон.

— Так ты приедешь? Я тебя встречу. Когда тебя ждать?

Симон мычит, как корова в капкане.

— Но, дядя, я же не могу так сразу!

— Почему нет?

— У меня работа... дела... у меня клиенты!

— Возьми отпуск. Клиенты подождут. Объясни им, они поймут, что у них, нет сердца?

И, вытащив клещами обещание вскоре приехать, дядя стократно целует и обнимает племянника.

— Вы окончили разговор? Отбой, разъединяю.

Симон смотрит на телефон, как на злое волшебство Хоттабыча.

И ходит на работу с чувством врага народа, которого вскоре постигнет неминуемая кара. Ждет вызова куда надо. Там все известно. Там всё знают. Скрытый родственник в капстране! Следующее по тяжести преступление — поджог обкома партии.

Проходит месяц:

— Ответьте Парижу.

И Симон отвечает, что занят нечеловечески, и кроме того, болен.

— Чем ты болен? — тревожится дядя. — Так, может, нужно прислать тебе какие-нибудь лекарства? Все равно приезжай, у меня здесь есть хорошие знакомые врачи.

— Да-да, обязательно, вот только калоши сейчас надену.

— Калоши не надо. В Париже сейчас никто не носит калош.

В консультации Симону кажется, что все косятся ему в спину...

При третьем звонке он начинает объясняться ближе к правде жизни:

— Дядя, по советским законам это делается не так! В Советском Союзе плановое социалистическое хозяйство, планирование доходов и расходов, в том числе валютных...

— Тебе нужны деньги? — перебивает дядя. — Я тебе пришлю. А что, юристам у вас не платят за работу? Ты работаешь или нет, скажи мне честно!

— Не в деньгах дело... — стонет Симон. — Просто у нас полагается, если человек едет в гости за границу, чтобы ему сначала прислали приглашение.

— Какое приглашение? — удивляется дядя. — Я же тебя приглашаю? Письменное?

Через полтора месяца Симон получает письмо с кучей ошибок: дядя приглашает племянника в гости.

— Нет, — терпеливо разъясняет он, — приглашение должно быть не такое.

— А что плохо?! Какое еще?..

Ну, чтобы оно было официально заверено в МИДе Франции или где там еще, с печатью и подписью, по установленной форме. Надо обратиться к юристу, тот все расскажет.

— На кой черт все это надо?! — взрывается дядя.

— А хрен его знает, товарищ майор, — меланхолично сочувствует родственнику Симон. — Чтобы был во всем порядок.

— Такой порядок при немцах назывался «орднунг»! — зло говорит дядя. — Ничего, мы им показали «орднунг»! Кстати, с чего ты взял, что я майор? Ты так мелко обо мне думаешь? Или это ты... не ко мне обращался? — вдруг догадывается он. — Там у тебя кто-то есть?..

— Это присказка такая, — отмахивается Симон, и невидимый майор, как далекий домовой в погонах, следит за ним из телефонной мглы. Боже, что за наказание! Ну как ты ему по телефону объяснишь, что все международные переговоры, да еще с капиталистическими странами, обязательно прослушиваются? Что все международные письма обязательно читаются цензурой, оттого и ходят по два месяца?

Через два месяца, к приходу официального приглашения, он уже знает о дяде все, как о родном. Обо всех его болячках. О том, что от круассанов утром у него запоры. О том, что он живет на авеню де ля Мотт-Пике, на шестом этаже с лифтом и видом на Эйфелеву башню. О том, что по субботам он ходит в синагогу, но не всегда.

— Так теперь уже я могу в субботу тебя встречать? — радуется дядя. — Это приглашение тебя устроит?

Это даже поразительно, какая мертвая хватка бывает у некоторых ласковых стариков!

Симон объясняет (а сам непроизвольно представляет кэгэбэшника, который все это слушает, и старается выглядеть пред ним как можно лояльнее: это было свойственно всем советским людям при любых международных переговорах!). Что по советским порядкам полагается, чтобы ехать за границу, быть человеком семейными. (И оставлять семью дома... нет, не то чтоб в

236

заложниках...) А во-вторых, сначала полагается съездить в социалистическую страну. Так что он должен сначала поехать, летом, скажем, в отпуск, в Болгарию. А уже потом во Францию.

— У тебя с головой все в порядке? — не понимает дядя. — Симон, ты меня извел за эти полгода! Симон, я так долго тебя искал, наводил справки, получал твой телефон! А теперь ты говоришь, что тебе надо в Болгарию для того, чтобы приехать в Париж! Скажи, ты когда-нибудь видел карту Европы???!!! Ты не умеешь лгать, скажи мне, почему ты не хочешь приехать, и закончим этот разговор!

...Ночью Симону снится Париж. Он голубой и прозрачный. На завтрак горячие круассаны. Дядя — румяный старичок, который одновременно является хрупкой и до слез милой пепельноволосой девушкой — она уже жена Симона, и это она его и зовет.

Он просыпается со слезами на глазах, допивает коньяк из дареной клиентом бутылки, курит до утра, и смертная тоска по Парижу скручивает его.

Его не пустят в Париж никогда. Он холост, беспартиен, интеллигент, он еврей, и он никогда раньше не был за границей, даже в братской Болгарии. За границу вообще мало кого пускают. Да почти и никого. А уж таких, как он — никогда!.. Как ты это дяде объяснишь? После таких речей с иностранным гражданином его мгновенно выкинут с работы и не возьмут уже никуда, только дворником. А еще недавно за такие речи расстреливали по статье «шпионаж» и «контрреволюционная деятельность».

3. Увидеть Париж и умереть

И он идет в ОВИР, чтобы покончить со всей этой бодягой. И его ставят на очередь на прием, а потом — на очередь на рассмотрение заявления, а потом велят собирать документы, а потом еще одна очередь, чтобы получить перечень необходимых документов, а только потом выяснится, что там половины не хватало. А каждая очередь — это недели и месяцы, не считая часов и дней высиживания в коридорах.

Он попросил характеристику по месту работы, и родная консультация на удивление холодно отозвалась об его ограниченных способностях и невысоком моральном уровне.

Профком отметил его низкую социальную активность, а спортком — слабую спортивную подготовку и уклонение от мероприятий.

Отдел кадров трижды отказывался ставить печать, требуя перепечатать все по форме и поставить подписи в надлежащих местах.

По вторым и четвертым средам месяца собиралась районная парткомиссия, бдительно утверждавшая идеологическую зрелость выезжантов. Не молотилка, не мясорубка, но душу вынимала до истерики.

— Вы член партии? — с иезуитской доброжелательной вежливостью спрашивают его. — А как же вы претендуете на поездку в капиталистическую страну, в среду враждебного нам идеологического окружения? Там ведь возможны любые провокации, любые идеологические дискуссии! Не в составе группы?.. Без сопровождения?! Индивидуал?! Вот видите... тем более.

О, эпопея натурале! Вояж совка за границу! Пустите Дуньку в Европу! Облико морале! Уно грано кретино руссо! Хоть одним глазом, одной ногой!

Выстроенные в последовательность инстанции сплетались в сеть филиалов сумасшедшего дома. Требования психиатров поражали непредсказуемостью.

У него попросили свидетельство о рождении его дяди — причем подлинник. И свидетельство о рождении отца — чтоб подтвердить родство.

— Ну что значит — сгорели в сорок четвертом году? Вы ведь понимаете, что это не объяснение. Пусть вам выдадут справочку в архиве по запросу домоуправления. Ничего, значит обратитесь еще раз, пусть они войдут в положение. Как же без документов мы можем удостовериться в родстве лица, приглашающего вас?

В ОВИРе стали напирать на наилучшее решение этого сложного вопроса: а пусть лучше дядя сам едет сюда, раз так рвется к племяннику. А какие у племянника жилищные условия? М-да... Ну... А пусть они оба встретятся в Москве! В гостинице! В хорошем советском интуристовском отеле, да.

— Он болен, — повторяет Симон. — Он уже давно никуда не выезжает.

— Так он вас что, для ухода приглашает? А что будет, если, допустим, он захочет усыновить вас? Или напротив, предложит вам оформить над ним опекунство? (Ты, тварь, будешь жировать там — а нас за тебя вздрючат здесь?)

С каждой справкой сказка про белого бычка прибавляет главу.

Он у вас кто, вы говорили? На пенсии. А средства есть? Состояние? Богатый человек? Так это все облегчает! Мы можем обеспечить ему прекрасный уход! Санаторий в Крыму, Минеральные Воды. Наш Внешбанк сам свяжется с его банком, вы узнайте номер счета. Поговорите с ним, у нас пенсионерам прекрасно.

Нет-нет, вынесли окончательный вердикт. Самое милое дело — пусть приедет, и мы оформим здесь, по всем законам, опекунство над ним.

«Он заболел, а не охренел!» — скачет истеричный анекдот из Симона.

Мы думаем, вы сами понимаете, что говорить о вашей поездке во Францию пока преждевременно. Да, когда составите приглашение вашему дяде, принесите нам показать... посоветоваться.

Тому полгода, и Симон валит дяде, что пока у него временные трудности.

— Я не понимаю, — нервничает дядя, — нужно что-нибудь еще? Ты от меня ничего не скрываешь?

И Симон нудно брешет, что очереди большие, что преимущества работникам со стажем, что документы сгорели во время войны, и что процедура это небыстрая!

— Может быть, я могу чем-нибудь помочь тебе? — печально спрашивает дядя.

— Чем тут поможешь, — вздыхает Симон и успокаивает: — ничего, даст бог все устроится. — И вспоминает рекомендации овировцев. — А не хочешь ли ты приехать в Москву и встретиться со мной там? — весьма фальшивым тоном спрашивает он.

— Ага, — говорит дядя. — Не тебе в Париж, а мне в Москву? Интересная идея. После войны Лео Трепер меня не послушал и уехал в Москву. Недавно я получил весточку, что он вышел из сибирских лагерей. Скажи, это ты сам придумал? Только сейчас?

И дядя сухо прощается. А Симон не знает о разведчике Трепере.

4. Невыносимая сладость бытия

Через две недели звонит треснутый телефон на обшарпанной стене в коридоре:

— Товарищ Левин? Здравствуйте, Симон Рувимович. Это вас беспокоят из Комитета Государственной Безопасности. Майор Ашурков. Симон Рувимович, есть ли у вас сейчас возможность разговаривать? Я вас ни от чего не отвлекаю?

— Н-нет, — говорит Левин и выпрямляется по стойке смирно с государственным лицом, но ватные ноги складывают его на сундучок под стенкой.

— Симон Рувимович, в какое время вам было бы удобно зайти к нам, чтобы побеседовать? — утонченно издевается голос.

— В-в-в какое скажете... — докладывает Левин.

— Но вы ведь заняты все рабочие дни в юридической консультации, мы не хотим нарушать ваш рабочий распорядок.

— Э-э-э... — блеет Симон в полном ошизении. — Н-н-ничего... пожалуйста... конечно...

— Не следует откладывать, — мягко настаивает голос. — Завтра в четыре часа дня вас устроит? А сегодня? В три? А в час? Паспорт с собой возьмите, пожалуйста, пропуск будет заказан. Мы ждем вас по адресу... ул. Пагари... Куда прислать за вами машину? Близко? Как вам удобнее.

Вот и засекся крючок. Открасовался молодой юрист, чей не надо родственник.

— Что ж, — вздохнул он, — это лучше, чем если тебя берут ночью из постели.

Он сел, встал, еще сел, еще встал, свет включил, выключил, в консультации сидел как пыльным мешком шлепнутый, и к нужному часу достиг полной товарной спелости: зеленый снаружи и с мелкой дрожью внутри.

В подъезде за зловещей вывеской, в чистом вестибюле, ему выдали пропуск взамен паспорта и забрали на хранение портфельчик, где была сменка белья, тонкий свитер и умывальные принадлежности, плюс три пачки чая, папиросы и кулек конфет. Симон хорошо знал, что надо брать с собой при аресте.

Вежливый лейтенант проводил его на второй этаж.

— Входите, Симон Рувимович, — встал навстречу от стола приятный мужчина в штатском. — Очень рад познакомиться с вами! — В меру крепко пожал руку. — Присаживайтесь. Чаю хотите? Курите?

Левин двигался, как стеклянный. Он сел, звякая пронзительным колокольчиком внутри головы, и непо-

241

нимающе уставился на стакан крепкого чаю с лимоном и открытый серебряный портсигар с беломором.

— Итак, вы хотите поехать в Париж, — доброжелательно начал комитетчик, которого Симон про себя окрестил полковником. Это прозвучало как «ИТАК, ВЫ ХОТИТЕ ИЗМЕНИТЬ РОДИНЕ».

«*Уже никто никуда не хочет*», — с истерическим смешком мелькнуло у Симона...

— Д-да, собственно... и нет, — мучительно сопротивлялся он затягиванию себя в преступный умысел измены родине.

Полковник подвинул ему портсигар и поднес спичку, Симон послушно закурил, выпучил глаза и задохнулся.

— Не волнуйтесь, — сочувственно сказал полковник. — Мы здесь для того, чтобы помочь вам.

Сейчас войдет палач с набором пыточных инструментов.

— На ваше имя пришло приглашение в гости из Франции, — полковник переждал его кашель. — Из Парижа.

— Я не просил... — просипел Симон. — Это дядя... Клянусь, я не знал! В смысле, не просил!

— Когда вам хотелось бы поехать? — Полковник разглядывал его с задумчивым видом, иногда даже чуть кивая собственным мыслям.

— Не знаю... Я еще не думал!

— Возможно, прямо в эту пятницу?

— У меня же работа! — с некоторым даже осуждением возразил Симон, чувствуя себя в этот миг преданным гражданином.

— Ну, возьмете отпуск. Вам дадут, я не сомневаюсь, и не за свой счет, а как полагается, с выплатой отпускных.

До Симона, наконец, дошло. П а р а н о й я . Бред навязчивой идеи расколол сознание. Чтобы сойти с ума, долго пить не обязательно. Отсюда его увезут в желтый дом... а он будет воображать себя в Париже...

Он побелел.

— Или вы предпочитаете весной? Или летом? — любезнейше продолжал выяснять полковник.

Он снял трубку и раздраженно бросил:

— Ну где он там?

Вошел фотограф и снял Симона, велев сесть на стуле ровно и смотреть в объектив.

— А в профиль? — стал помогать Симон, и повернулся боком для второй фотографии.

— В профиль не надо, — приказал полковник.

Утонченная издевка заключалась в том, что ехать Симону предстояло в Магадан, и он прекрасно это понимал. Об играх КГБ страна было наслышана.

— Или вы хотели бы поехать весной? Или летом? — рассыпался полковник. — Но чисто по-человечески, наверное, чего откладывать, правда? Ну, несколько дней на неизбежные формальности... — он посмотрел на табель-календарь: — А вот, хоть суббота второе число, вас устроит?

— А-а-а... да, конечно... Как скажете, я готов... — сказал Симон.

— Хотя можно и быстрее!

Он стал бессмысленно улыбаться и часто кивать. Захотел перестать кивать и не смог остановиться. Полковник вздохнул и деликатно стал смотреть в окно.

— А вы бы хотели как ехать — поездом? Или самолетом? — продолжал он глумиться. — Возможно, паромом до Хельсинки и оттуда поездом? Или можно из Ленинграда до Стокгольма, или до Лондона, а там на самолет до Парижа.

На дальней стене кабинета висела карта мира, и хозяин развивал урок географии, взяв указку:

— Конечно, короче и проще всего — прямым рейсом из Москвы — и прямо в Париж. А если в Ленинграде сесть в беспересадочный вагон Ленинград — Париж, то можно через Минск, Варшаву, Берлин — это двое суток через всю Европу, прекрасная поездка.

Вошла плавных очертаний женщина, туго затянутая в юбку и пиджачок, и велела Симону подписать вот здесь. И вот здесь. Он хотел понять, что он подписывает, но, ясно видя бумаги и читая буквы, не мог понять смысла ни одного сочетания. Его мыслительные способности были парализованы.

— Ну, вот и отлично, — сказал полковник. — Если вам подходит завтрашний рейс «Аэрофлота» из Москвы, то к вечеру вам доставят ваш загранпаспорт с французской визой и билеты.

При этих словах Симон понял, что он подписывал. Это был загранпаспорт с его фотографией и его фамилией.

— ...Вы, наверное, последнее время много работали и переутомились, — сказал полковник, поднимая его с пола и брызгая водой в лицо. — Вот и отдохнете. Кстати, в нашей поликлинике прекрасный невропатолог, хотите, я сейчас позвоню?

Он проводил его до двери и подержал под локоть:

— Кстати, я бы как мужчина мужчине порекомендовал вам сшить новый костюмчик. Все-таки Париж, вы знаете. О, успеют, в МИДовском ателье обычное дело за полдня выезжающему шить. Вас уже ждут.

...Он шел домой как зомби. Робот утерял ориентацию в пространстве. Так могла бы перемещаться статуя Командора, забывшая адрес Доны Анны. Город раздвигался, вращался и смыкался за ним.

Дома он закрыл дверь, задвинул шторы, выпил стаканом дареный коньяк и уставился в стену. Он был трезв, он был невменяем, он представлял собой стоп-кадр истерики, законсервированной до температуры вечной мерзлоты.

Он пытался анализировать свое сумасшествие, но мысли соскальзывали с оледенелого мозга.

Потом зазвонил телефон.

5. Контрольный звонок

— Здравствуй, мой мальчик, все ли у тебя в порядке? Але? Ты хорошо меня слышишь? Это я, твой дядя.

Слабо знакомый голос поднимал Симона из глухих глубин на поверхность, как натянутая леска вытягивает рыбку. Он медленно осознал себя в мире и сказал:

— Это я?..

— Удалось ли, тебе что-нибудь сделать? — продолжал дядя.

— В каком смысле? — таращил глаза тупой молодой адвокат.

— В смысле твой приезд ко мне — тебе пошли навстречу? Или тебе по-прежнему отказали? Так ты скажи мне. Але! Але! Почему ты молчишь?

— Я не знаю, что произошло, — истерически хихикнул Симон, — но, наверное, я прилечу к тебе завтра. «Аэрофлотом». Из Москвы. В Орли.

— Это точно?

— Не знаю. В КГБ мне так сказали.

— В КГБ? Что у тебя случилось?.. Но ты дома, тебя не арестовали?

— Я не знаю!!! — заорал Симон. — Я вообще ничего не знаю и ничего не понимаю!!! Мне дали загранпаспорт, и сказали, что все сделают сами, и я могу лететь когда захочу, так что все в порядке, но вообще я не знаю, я чего-то не понимаю, это немного странно, это просто конец какой-то, но вообще вот, значит, решилось...

— Ага, — говорит дядя. — Значит, все-таки, помогло.

— Что — помогло?..

— А, не важно.

— Дядя, — страшным голосом говорит Симон. — Ты что-то знаешь?

— Ну, что-то я, наверное, таки знаю.

— Ты что-то знаешь про то, как меня выпускают? Ты что, вообще имеешь к этому отношение?

— К чему — к этому?

И Симон начинает пересказывать, к чему — «к этому», — и гадкие зябкие волны бегут по коже, когда он представляет, как сейчас сидит на проводе майор и слушает все его песни безумной сирены, летящие во враждебный мир капитализма.

— Значит, надо было поступить так раньше, — заключает дядя.

— Как — «так»? Ты что-то сделал? Что ты сделал?

— Я? Что я мог сделать? Я уже немолодой человек, я уже пенсионер. Я позвонил Шарлю.

— Какому Шарлю?

— Какому Шарлю я мог позвонить? Де Голлю.

Симон ясно увидел свое будущее: рукава смирительной рубашки завязаны на спине, и злые санитары вгоняют в зад огромные шприцы...

Он истерически хихикнул и спросил:

— Почему ты мне сразу не сказал, что шизофрения наш семейный диагноз?

— Тебя хотят принудительно лечить? — подхватывается дядя.

6. Офицеры и джентльмены

После предыдущего разговора с вьющимся от лжи и засыхающим от грусти племянником — дядя, исполненный недоверия, пожал плечами и набрал номер.

— Канцелярия президента Французской Республики, — с четким звоном обольщает женский голос.

— Передайте, пожалуйста, генералу де Голлю, что с ним хочет поговорить полковник Левин.

— Простите, мсье? Господин президент ждет вашего звонка?

— Наверное, нет. А то бы поинтересовался, почему я не звонил так долго.

— Я могу записать просьбу месье и передать ее для рассмотрения заместителю начальника канцелярии по внутренним контактам. Какое у вас дело?

— Деточка. Двадцать лет назад я бы тебе быстро объяснил, какое у меня к тебе дело. И знаешь? — тебе бы понравилось.

— Месье!

— Медам? Запиши: с генералом де Голлем хочет поговорить по срочному вопросу его фронтовой друг и начальник отдела штаба Вооруженных сил Свободной Франции полковник Левин! Исполнять!! И если он тебя взгреет — я тебя предупреждал! Ты все хорошо поняла?

— Ви, месье.

Левин мечтательно возводит глаза, достает из шкафа папку и начинает перебирать старые фотографии.

Вечером звонит телефон:

— Мсье Левин? Вы готовы разговаривать? С вами будет говорить президент Франции.

И в трубке раздается:

— Эфраим, это ты? Что ты сказал Женевьев, что у нее глаза, будто ее любовник оказался эсэсовцем?

— Я сказал, что ты нравишься не только ей, но мне тоже. Шарль, у тебя найдется пара часов для старого друга? Или у президентов не бывает старых друзей?

— Оставь свою антигеббельсовскую пропаганду, Эфраим, война уже кончилась. Я действительно иногда бываю занят. Приезжай ко мне во вторник... в одиннадцать утра.

— И что?

— Я угощу тебя кофе с булочкой. Часа тебе хватит?

— А куда приезжать?

— Пока еще в Елисейский дворец, — хмыкает де Голль.

И к одиннадцати утра во вторник Левин является в Елисейский дворец, и его проводят в кабинет де Голля, и длинный носатый де Голль обнимает маленького лысого

Левина и сажает за стол. И лично наливает ему чашку кофе.

— А где же булочка? — спрашивает Левин. — Ты обещал угостить меня кофе с булочкой!

— Я их не ем, — говорит де Голль. — И тебе незачем. Вредно. От них толстеют и диабет.

— Жмот, — говорит Левин. — Ты всегда был жмотом. Приезжай ко мне в гости, в моем доме тебе не пожалеют булочек. И масла; и джема, и сливок.

— Ты стал брюзгой, — говорит де Голль.

— А ты управляй лучше, чтоб подданные не брюзжали.

— Кого ты видел из наших за последние годы? — спрашивает де Голль, и они весь час вспоминают войну, сороковой год, Дюнкерк, Северную Африку и высадку в Нормандии.

Старинные часы в углу хрипло отбивают полдень, и де Голль спрашивает:

— У тебя была ко мне просьба, Эфраим?

— Это мелочь, — машет Левин, — но мне она очень дорога. У меня нашелся племянник в Советском Союзе, это единственный мой родственник. Всех остальных немцы уничтожили. Я хотел, чтобы он приехал ко мне в гости.

— Если тебе нужно на это мое разрешение, — говорит де Голль, — то считай, что ты его получил. А если серьезно, то пока я ничего не понял.

— Его не выпускают, — говорит Левин.

— Откуда?

— Оттуда! Из-за железного занавеса. Из СССР!

— На каком основании?

— Прости, я не понял — кто из нас двоих президент Франции? Ты спрашиваешь меня, почему русские никого не выпускают за границу?

Де Голль начинает шевелить огромным породистым

носом злобно, вроде подслеповатого разъяряющегося носорога.

— Значит, — переспрашивает он, — всех остальных боши во время войны убили?

Левин пожимает плечами.

— Он у тебя вообще кто?

Левин рассказывает.

— Напиши-ка мне его основные данные.

Левин достает из кармана пиджака листок, разворачивает и кладет перед де Голлем.

— Соедините-ка меня с министром иностранных дел, — тяжело говорит де Голль. В трубке угадывается бесшумная суета. И через малую паузу он продолжает:

— Это говорит генерал де Голль. У меня сидит мой старый друг, герой Сопротивления, кавалер Почетного Легиона, начальник отдела штаба Вооруженных сил Франции полковник Левин. Запиши. В СССР, в городе Таллине, живет его племянник Симон Левин. Единственный родственник. Все данные у тебя сейчас будут. Его не выпускают в Париж к дяде. Безотлагательно разреши вопрос. На любом уровне. Нет, это не приказ президента. Это личная просьба генерала де Голля. Моя глубокая личная просьба. И сделай это быстро! И не позволяй русским садиться себе на голову!

— Иди, — говорит он Левину, жмет ему руку и провожает до двери. — Ты пересидел двадцать минут. Я помог тебе, чем мог. Будем надеяться, что подействует. Ну — посмотрим? — И подмигивает.

И Левин уходит с восторгом, подпорченным легким недоверием и неизвестностью.

7. Эмбриология мечты

А тем временем министр иностранных дел Франции звонит послу СССР в Париже. И заявляет жестко:

249

— Президент де Голль поручил мне поставить вас в известность об его личной просьбе. Он озабочен судьбой советского гражданина, являющегося единственным родственником героя Сопротивления, кавалера Почетного Легиона и его фронтового друга. Под надуманными предлогами его уже полтора года не выпускают навестить в Париже его больного дядю, кстати, большого друга Советского Союза. Да, все данные на этого молодого человека сейчас доставят в ваше посольство. Президент де Голль надеется, что этот неприятный инцидент не омрачит налаживающихся отношений между нашими странами. Да. Президент де Голль не сомневается, что этот инцидент будет исчерпан в самое ближайшее время. Президент де Голль не уверен, что при таком недоверии друг к другу дальнейшие шаги к сотрудничеству не замедлятся.

На дипломатическом языке это можно истолковывать как скандал, нашпигованный матом и угрозами.

Послу не каждый день звонит министр иностранных дел Франции. А просьбы президента он ему и вовсе пока не передавал. Посол выпивает коньяку, выпивает валерьянки; вызывает первого советника: курит нервно. И звонит министру иностранных дел СССР. Лично Андрею Андреевичу Громыко. Мистеру «Нет». Ибо случай экстраординарный.

Так и так, товарищ Громыко. Готов выполнить любое распоряжение. Но сам никакого решения принять не в силах. Личная просьба президента де Голля. Так точно! Подготовка к переговорам до настоящего момента шла успешно! В духе взаимопонимания и добрососедского сотрудничества! Никак нет, провокаций избегаем. Данные? Да, могу сию минуту диктовать секретарю. Никак нет! Слушаюсь! Виноват, Андрей Андреевич! Будет исполнено, товарищ министр!

— Соедини-ка меня с Семичастным, — приказывает

Громыко секретарю. И своим ровным механическим голосом откусывает слова, как гильотина:

— Слушай, твои комитетчики совсем там охерели? Что? То, что они срывают наш договор с Францией! Как? А вот так!!! Мне сейчас мой посол передал из Парижа личную просьбу де Голля! Слышно хорошо? Личная просьба президента Франции де Голля к Советскому правительству: разобраться с мудаками Ваньки Семичастного, которые не пускают какого-то козла из Таллина в гости к его единственному дяде. Что? А то, что этот дядя — друг де Голля и Герой Франции! А фамилия его Левин, так еще мировые сионистские круги наверняка это дело накрутили. Провокация? А ты не подставляйся под провокацию, не первый год замужем!

Короче: уйми, Ваня, своих опричников, и выпусти мне этого жиденка хоть в Париж, хоть на Луну. И больше не обсирай мне малину со своим государственным рвением! Да, будь любезен!

Семичастный кладет трубку, бьет кулаком по столу, материт всех, нашептывает угрозы непроизносимые и звонит в Таллин. Рвать в клочья заднепроходное отверстие председателю Эстонского КГБ.

— Бдишь, значит, — нежным голосом иезуита в пыточной камере начинает он. — Граница на замке, все просвечивается. Меры принимаются. Ну — готов? Можешь снимать свои штаны с лампасами и вставать раком! И вазелина тебе не будет! Сучий ты потрох, чтобы я из-за твоих мудаков получал втык от Политбюро! По Колыме тоскуешь? Ты, кретин, запоминай: у тебя там живет хрен с горы, которого зовут Симон Левин. Где живет?! А вот найди и доложи!!! Чтобы он мигом — ты меня понял?! — мигом!!! — ехал у тебя в Париж! Летел! Мчался!!! Зачем? А вот разберись и доложи, зачем ему в Париж? Если есть Биробиджан?! И Магадан!!! Из-за тебя, идиота, по этому делу де Голль говорил с Громыкой, ты понял, блоха ты вонючая?! Не-ет, милый, это не высший уровень, это им высший, а для тебя этот уровень расстрельный! высшей меры!

Этот твой еврейский Левин — сын лучшего фронтового друга де Голля! Что — не знал?! — обязан знать! Ты совсем дурак или кто? При Хозяине ты бы уже лежал в подвале с отбитыми яйцами и просил пулю в затылок!

Сутки тебе на исполнение! И делай все, что этот сын моисеев пожелает! Води его в синагогу... купай в шампанском!.. дрочи вприсядку! ты понял???!!!

...Когда врач откачал генерала от сердечного приступа, тот позаботился, чтобы начальник ОВИРа был увезен в больницу с гипертоническим кризом.

— Не сдохнешь — своей рукой расстреляю! — вопил он из окна вслед «скорой помощи».

8. Спецсвобода

...Через полчаса у Симона Левина зазвонил телефон, и сладчайший голос нежно позвал его в КГБ, чтобы удовлетворить все его желания, как явные, так и тайные.

Французская виза, в свете ранее происшедших обстоятельств, была шлепнута в левинский паспорт комитетчиками в консульстве Франции в две минуты. Ставил ее консул лично.

Через двадцать четыре часа!!! — Симон Левин спустился с трапа белоснежного и серебристого аэрофлотовского лайнера «Ил-18» в аэропорту Орли. Колени его вихляли, стан плыл волной, глаза стояли поперек лба. Он был в новом костюме. Он завертел головой, но из-за спины приблизился молодой человек в неброском сером плаще, под локоть провел его к дяде, встречавшему в толпе, и незаметно растворился.

Вот так знаменитый адвокат и член «золотой десятки» Симон Левин стал обладателем постоянного загранпаспорта с постоянно открытой выездной визой, что в те уже легендарные и непостижимые советские времена уравнивало его с небожителями и ангелами, над которыми земные границы и законы не властны.

ИМЕНИ НАХИМОВА

Если бездумно отвинтить гайку на пупке, задница с грохотом отвалится на асфальт. Таким образом, в России две столицы — Москва и Питертаун.

Перестав быть Ленинградом и не в силах вернуться в преждепрошедшее существо Петербурга, город продает себя по частям, красуясь на панели истории.

Питердауны, мутанты дикого рынка из гранитных джунглей Невы, отбросы золотого сечения классической архитектуры, обустраивают под себя пейзаж имперской столицы. Изгрызенный силуэт с коммерческими наростами напоминает питердаунам, что красота не спасла мир. Приматы личного над общим вписывают город в пространство, где своя прибыль дороже чужого удовольствия.

Питердауны из Питертауна — эта тема ждет своего исследователя и летописца. А возможно, она ждет своего пулеметчика. История должна быть оптимистичной.

Но раньше, чем миграция биологического вида приняла направление, за публичное указание которого Радищев был сослан верховной властью в сибирскую каторгу... сложно? сейчас мы присядем на уровень плинтуса и заговорим языком читателей комиксов и интернета. Поколение ЕГЭ — тоже люди.

Не только из Питера ехали в Москву, но и Москва посильно гадила Питеру. Всю дорогу. Но раньше, чем рассказать одну из множества историй на эту вечную тему, — еще один анекдот.

Называется — «Кошмарный сон Брежнева»: На Мавзолее сидит негр в зеленой чалме и китайскими палочками для риса ест мацу.

Этот апокалипсис мультикультурализма имеет тонкое ассоциативное отношение к дальнейшему. Своего рода настройка скрипки перед захватом заложников.

Итак, девяносто третий год. Да нет, не Гюго!.. Кто был никем, тот стал ничем. Свобода покончила с равенством и братством. Бизнесмен, бандит и чиновник, птица-тройка Русь куда летишь не дает ответа, раздербанили деморализованную зону на троих. Народ безмолвствовал: пытался понять и выжить одновременно.

Все перестали платить всем: одни воровали, других обворовывали. Украсть стало называться «заработать», и работа кипела! Пролетарский лозунг «Кто не работает — тот не ест!» дополнился рыночной инструкцией «Кто кого может — тот того и гложет».

Вооруженная вчера до зубов империя перестала платить нерыночным армии и флоту. А смысл?.. Сменили знамена и эмблемы и с тем бросили подыхать, что характерно для русской истории. Генералы стали строить особняки на Рублевке, и Минэнерго отключало электричество ракетным точкам за неуплату. Офицеры пошли в таксисты и охранники.

В общем. Воздух серый и трудный. Жизнь отсасывает энергию. Нищета, раздрызг, туман.

И в правильном месте таится на фоне берега серая громада крейсера. Историческая баковая шестидюймовка «Авроры» целит в лоб КГБ, то бишь Большому Дому — ныне ФСБ на Литейном; а носовая батарея левого борта ощетинилась на Смольный. Ужо тебе!

А напротив, на набережной, — Нахимовское училище. И пацаны туда идут. Там кормят, одевают и делают мужчин — суровая романтика воинов моря. Шейки тоненькие, столовая впроголодь, в классах холодно. Пережили мы блокаду — переживем и изобилие.

А жить охота! А жизнь полна неожиданностей!

В один прекрасный день этой знаменательной эпохи в училище пришло письмо. На имя командира любой части приходит в любой день любое количество любых писем, пакетов, конвертов, извещений, квитанций, приказов, донесений, указаний и депеш. Ему предлагается, предписывается, вменяется, напоминается, предупреждается, направляется и приказывается немедленно, сию минуту, бросив все.

Командир только что подписал расходную ведомость. На эти суммы невозможно было прокормить подвальных мышей. Училищная кошка ходила плоская, как фанерный профиль, и орала от голода. Порции рыба хек серебристый и каша перловая шрапнель стали гомеопатическими. Белье постельное посерело, повлажнело и съежилось. Грамотный офицер может списать с баланса абсолютно все. Зарплаты начальника училища не хватало на сигареты.

Письмо выбивалось из казенного ряда. Конверт был неуставного формата и неожиданного цвета. Его украшало изображение ветвистого подсвечника на манер стилизованных скифских рогов. Рога подпирали строчку иероглифов типа кавказского письма или арабской вязи. Оно слабо дышало вестью от Синдбада с острова птицы Рух.

Командир с легким пустым интересом срезал кромку

пакета, вынул скрепку листов и улетел в другое измерение.

Верхний лист был однозначно украшен большой синей шестиконечной сионистской звездой. Сочетания букв несли тот циничный смысл, что это Российский Еврейский Конгресс, адрес: Москва, вот эта улица, вот этот дом. А дальше шел текст.

Постигая текст, командир части и капитан первого ранга ощутил себя исключительно начальником училища, а начальник училища стал раскачиваться, как еврей на молитве, и ощутил себя Моисеем, впервые ознакомленным с информацией на скрижалях. С ним устанавливали контакт инопланетяне. Он имеет шанс осчастливить народ. Но кое-что хотят отрезать...

Эта булла, эта фетва, это послание евреев подменяло окружающий мир. У командира произошла перезагрузка головы. Он вставил в нижнюю часть головы сигарету и дрогнувшим криком призвал зама.

— А что у тебя с лицом? — полюбопытствовал зам.

— А что у меня с лицом? — заклекотал пучеглазый, как филин, начальник.

— Будто ты упал из женской бани, где тебя изнасиловали.

— Растопырься и ты под свою дозу удовольствия, — туманно посулил начальник и швырнул ему лист скорби и радости: — Читай!

— Ух ты!.. — впечатлился зам шестиконечной звездой израильских агрессоров. Синие закорюки иврита на бланке придавали посланию секретный вид вражеского документа, добытого разведчиком.

Он перевел глаза на русские строчки, и зрачки его съехались в вертикальные щели, как у кота, а зубной протез с влажным щелчком отделился от десны.

Российский Еврейский Конгресс имел честь извещать Нахимовское училище и его командование, что в память великого российского флотоводца, геройски отдавшего жизнь за Россию, в целях внесения своей скромной лепты в дело патриотического воспитания подрастающего поколения защитников родины, желая и впредь свободу и независимость в духе бережного преумножения исторического наследия предков, гордиться и соответствовать времени: Российский Еврейский Конгресс ходатайствует о желании и выражает готовность взять шефство над училищем имени прославленного адмирала!

— Прекрати икать! — приказал начальник и налил заму воды.

На второй странице шефство детализировалось в перечне пунктов, и все были в шоколаде, как наследство нежданного и уже умершего дядюшки-миллионера.

По сему голодному времени — головокружительно и неправдоподобно:

Будут оборудованы современные компьютерные классы.

Назначаются шесть именных стипендий — первой, второй и третьей степени — лучшим нахимовцам по успеваемости.

Организуется современный медицинский пункт со всем оборудованием.

Ежегодно выделяются средства по смете на приобретение новой формы и текущий ремонт помещений.

Ежегодно, в день рождения адмирала Нахимова, три лучших офицера, преподаватели, по представлению начальника училища и офицерского совета, получают премии имени Нахимова в размере годового оклада.

Ежегодно лучший офицер училища, на основах ротации и не представленный в данном году к премии, по представлению начальника училища и офицерского собрания, обеспечивается недельной командировкой в Англию, США, Францию или другую великую морскую державу, для изучения и перенимания опыта в подготовке морских кадров.

Начальнику училища выделяется в пользование автомобиль «Тойота Корола» с ежегодным лимитом бензина.

А также готовы к пожеланиям с открытой душой.

Подпись-печать, печать-подпись: Правление и Попечительский совет Российского Еврейского Конгресса.

Змей-искуситель высунул голову из окружающей помойки и ну закармливать золотыми яблоками. Рептилия необаятельна, но меню толковое.

— Избранный народ! — сказал зам. — Когда делать обрезание?

— А обрезание головы не хочешь? — уточнил начальник.

— Не понял прикола! — радовался зам. — Чего вдруг этот гешефт?

— Слишком хорошо, чтоб быть правдой. — Начальник закурил синее и вонючее и сделал жест в сторону портрета Нахимова на стене. — Читать любишь? Так читай и не жалуйся.

Подчиняясь приказу и увлеченный перспективой, зам перелистнул и сосредоточился. По мере чтения лицом он уподоблялся Тарасу Бульбе, стерилизующему жену, чтоб впредь не могла рожать предательских сынов.

— Ах-х су-уки!.. — свистел зам, горя глазами и стуча кулаком по бумаге.

На бумаге этой, на пространстве восьми листов формата А4, ясным и доходчивым русским языком излагалась биография великого русского флотоводца адмирала Нахимова.

Из биографии этой явствовало, как ласково и гордо докладывал еврейский кагал, простите, конгресс, что папа Нахимова, имея имя Самуил, а отца Нахума, местечкового сапожника, — в возрасте двенадцати лет прибился к проходившему через местечко пехотному полку: шла русско-турецкая кампания 1771 года. Сбежал он из дому по причине постоянных трепок, задаваемых отцом-сапожником (вам это не напоминает начало ничьей биографии?), ужасной нищеты и рассказов о том, что русские — главные в стране и у них всего больше. Солдат мальчик развлекал, и по нередкой традиции тех времен был определен в полковые воспитанники, приставлен к музыкантской команде и выучен делу барабанщика.

Крестился он немедленно, в чем не было ничего редкого, напротив, склонялось как должное. Даже в Донском казачьем войске можно отыскать казачьи роды, ведущие фамилию от крещеных евреев, сбежавших из черты оседлости. Самые, так сказать, пассионарные особи рвались вон из душной клетки на авантюрный простор.

А далее юный барабанщик, которому пошел счет выслуги лет по законам екатерининской эпохи (читай «Капитанскую дочку» Пушкина), взрослел, имея в послужном списке участие в боях, проявил интерес и способности к военному делу, был произведен в офицеры. (Все это полностью по модели введенного вскоре института кантонистов.) И служил царю, отцовствуя солдатам, вплоть по достижении сорокалетнего возраста, когда был, имея двадцать восемь лет выслуги и полный пенсион согласно чину, отставлен от службы в чине капитана. Согласно закону об увольнении в бессрочный отпуск и назначении оклада пенсии — вышел из службы с повышением в следующий чин с правом ношения формы секунд-майора.

Если первый офицерский чин давал его обладателю дворянство личное и пожизненно, то штаб-офицерский, начиная с секунд-майора — давал дворянство уже наследственное, потомственное, которое передавалось детям (правда, рожденным уже позднее того).

Вот так в сельце Городок Вяземского уезда Смоленской губернии поселился отставной секунд-майор и, соответственно, дворянин Степан, как он был назван при крещении, Нахимов, как была естественным порядком тогда же составлена его фамилия. Нахумов сын, дабы не искушать солдат к блядословию, разумением полкового батюшки к благозвучию прописался Нахимов. С женою Феодосьей Ивановной, в девичестве и до крещения — Раисой, дочерью Финкеля, из городишка Пинска, что в черте оседлости, и через который также довелось проходить и стоять недолго постоем нахимовскому 25-му Смоленскому пехотному полку. Постой случился в 1792 году, когда при Втором разделе Польши Пинск отошел под Российскую корону.

Скопленных от службы денег как раз хватало на приобретение домика в деревне, где жизнь исконно куда дешевле городской, и земельного участка. Пенсион плюс незначительный доход от сдаваемого в аренду участка позволяли скромную семейную жизнь с детьми, при кухарке, горничной и кучере. Что в городе, конечно, было бы Нахимову не по деньгам. И место для окончательного обоснования супруги подыскивали с хорошим климатом, подальше от полесских болот, что имеет значение для традиционно слабогрудых еврейских детей, из которых пятеро в семье умерли в малолетстве. И от украинских погромных проблем подальше, и к столицам поближе, чтоб покидающие гнездо дети могли хоть изредка из будущих карьер проведывать стариков-родителей.

Вот таким образом дворянский сын Павел Степанович Нахимов был определен в Морской Кадетский корпус, а далее — по всем официальным биографиям. Не считая еще одного. Официально он женат не был, посвящая всю жизнь флоту. Неофициально же состоял в браке невенчаном, что в те времена категорически не приветствовалось и по закону «не считалось»! Подругу жизни звали Рахель, и креститься она отказалась категорически и наотрез. И было у них три сына и две дочери, которые имели статус незаконнорожденных и фамилию отца официально наследовать не могли, наследных прав по закону не имея. Проживала нахимовская семья в Городке, в общем имении, где он и проводил с ней нечастые вакации. После смерти же Павла Степановича семья не могла претендовать на какую-либо часть его имущественной доли в родовой собственности, и настоянием законных родственников вынуждена была имение навсегда покинуть. Такие дела.

Альтернативная биография русского флотоводца произвела на офицеров впечатление.

— Что за наглая клевета! — в негодовании вскричал зам.

Этот романтический эвфемизм передает содержание длинного непечатного ряда, вылетевшего из зама с лязгом, как товарный поезд.

— Капитализм есть минус советская власть плюс евреизация всей страны... — туманно сформулировал начальник свои классовые подозрения.

— Троцкого им мало?! Пастернака им мало?! — брызгал кипятком зам. — Какое отношение они имеют к флоту, вообще?!

— А в меня ты что плюешь? — вздохнул начальник. — Я, кстати, как-то читал, что Колумб был крещеный еврей.

— Над Колумбом пусть испанцы сами шефство берут. В общем — так, — зам решительно шлепнул ладонью по бумагам: — Удовлетворить на пятьдесят процентов! — и левой ладонью ударил по сгибу правого локтя.

— В войну один Фисанович действительно командовал лодкой. Герой Союза, кстати, — сказал начальник.

— При чем тут это?!

— А ты первую страницу перечитай.

Зам вспомнил о перечне благ, и мечта паче жабы стала душить его: бытие определяло сознание, выкручивая ему руки.

— Пошли кого за флаконом на уголок, — пробурчал он с капитулянтской мрачностью.

— Пару тысяч подбрось, — предложил начальник, соотнося нули на купюрах с бутылкой ларьковой сивухи. Таковы были цены эпохи.

Ничто не смягчает национальные трения так, как выпивка. Смотря с кем пить, конечно.

— Да хрен ли нам национальность? — здраво рассуждал начальник. — У героев нет национальности!

— И у мертвецов нет национальности! — горячо поддерживал зам. — Тем более отдавших жизнь за благо страны!

Он открыл стеклянную дверцу шкафа под портретом и вытащил из однотипного ряда тисненую серебром биографию Нахимова:

— Вот! На первой странице: «Родился в семье смоленского дворянина...» Ну?

— Вот тебе и иерусалимский дворянин, — печально сказал начальник. — А все сходится...

То есть у людей произошла типичная психологическая сшибка. С одной стороны, хотелось всяческих благ, которые предлагали без всяких условий. С другой стороны, выходило так, что принять дар означало отдать Нахимова в другой народ. Раз тебе дают по той причине, что он был еврей, — то фактом приема подарка ты соглашаешься с его причиной! Хитроумные жиды упаковали оба факта в один флакон.

— Христопродавцы! — восхищенно плюнул зам. — Вот замутили? Съешь вкусный пряник — и ты наш!

— И рыбку съесть, и попку не ободрать, — подытожил начальник задачу. — Подкинь-ка еще две тысячи.

И после литра ацетоновой сивухи на керосине с осетинским спиртом, пожертвовав часть здоровья чести флага, они упрятали послание в сейф, убедив друг друга про утро вечера мудреней. Для людей, знакомых с похмельем, это странное утверждение.

Мы мало знаем про тонкие миры и связь небес с земным несчастьем, но закон парных случаев срабатывает с неукоснительностью дуплета. Назавтра перекошенный зам продевал тело в двери эдаким собачьим извивом.

— Ты вчера телевизор смотрел? — спросил он вместо «здравия желаю».

— Ну, нет, — выжидательно посмотрел начальник, особым офицерским рецептором предощущая отыгрыш за свою вчерашнюю выпученность.

— И Кобзона не видел?

— Вместо телевизора, что ли? Тоже нет. Я его вообще не люблю.

— Я тоже. И никто не любит. Но побаиваются. Значит уважают. Что и требовалось доказать. А устраивается неплохо. Знаешь, что он вчера делал?

Заинтригованный замовским сбивчивым поносом:

— Что? — предположил начальник прозорливо. — Хотел взять над нами шефство? Говорят он мужик денежный и щедрый.

— Ему хорошо быть щедрым, он гангстер!

— Так что он вчера? банк грабил?

— Хуже. Он пел! — выкрикнул зам.

— Не может быть! С чего бы? Новости дня. А ты чего хотел? Чтоб он прыгал с шестом?

— А с кем он пел?

— С кем пил, с тем и пел!

— Отнюдь. Тут вам не филармония.

— Да хрен ли ты ко мне приклепался со своим Кобзоном! — вскипел начальник. — Головка со вчера бо-бо? Иди постучись ей об стенку!

— С Ансамблем Александрова он пел! — торжествующе объявил зам.

— Ан сам бля... сам бля... один бля... Ну и что?

— А то, что они подпевали!

— И что?

— А то, что при этом еще и приплясывали! Всем ансамблем!!!

— Н-у и ч-т-о???!!!

— То!!! Ты вообще сегодня тупой! А что они пели и приплясывали?

— Что! то! в пальто! цыганочку!

— Евреечку! Хаву-нагилу они пели и приплясывали!

— А это что?.. — помолчав, спросил начальник.

— Ну тундра, — сказал зам. — Ничего, скоро узнаешь. Сам плясать будешь.

Он по-ленински сунул большие пальцы в проймы воображаемого жилета и стал выбрыкивать ногами вперед среднее между канканом и еврейским танцем «фрейлахс», дудя под нос с гнусавой одышкой: «Ха-ва-а — нагила! ха-ва-а — нагила!»

— Песец всему, — сказал начальник. — Ты температуру мерил? Санитаров позвать?

— Вот те крест! Честное офицерское! Под салютом всех вождей! Он пел, хор подпевал, а потом стали вот так выплясывать, всем строем, в ногу, человек двести на сцене!

Начальник представил картину. Картина была сюрреалистическая. Длинное многослойное построение Краснознаменного ансамбля песни и пляски Советской Армии имени Александрова, ряды фуражек, звезд и погон, вдев пальцы за проймы воображаемых жилетов, сионистски-мюзикхоллно выбрыкивает фрейлахс или как его там: зеленые штанины с кантом согласованно вздымаются кверху, а еврей Кобзон задает перед ними темп и солирует. Смесь богохульства с шизофренией. Этот милитаризованный шабаш сокрушал устои.

— Вот только Нахимова на той сцене и не хватало, — произнес начальник под впечатлением.

— Конец света. Давай застрелимся? — предложил зам.

— Тебе хорошо, ты дурак... Тебя жена еще из дому не выгнала, что зарплаты полгода не приносил? Вы что едите, кстати?

— Так я же бомблю, — пожал плечами зам. — Как все. Ты же знаешь.

— А я — ночным охранником, — печально сказал начальник училища. — Ты тоже знаешь.

— Но нельзя же сдавать Нахимова в израильскую аренду за вторую зарплату! — с истеричной ноткой вознегодовал зам и встал на фоне портрета Нахимова с воздетой рукой, как на плакате «Родина-мать зовет!»

— Почему нет? — с одесской интонацией спросил начальник неожиданно для себя и хихикнул. — Довольно удачный бизнес. Безотходное производство. У нас теперь рыночные отношения, ты не слыхал? Продается все, что не крадется. А здесь ты получаешь товары и услуги, а взамен у тебя ничего не убывает!

— Кроме чести, — сказал зам.

При слове «честь» товарищи офицеры посмотрели друг на друга и захохотали с отвязанным цинизмом.

— А почему ты уверен, что они написали неправду? — и начальник потряс вчерашним пакетом над столом.

Зам инстинктивно отстранился от идеологически вредоносной биографии:

— Это ж надо. Торговать компроматом на исторических героев. Вот до чего мы дошли.

— А-а. Всегдашняя позиция власти: называть компроматом ту правду, которая не нравится.

— Что, — осклабился зам, — на халявную машину запал?

— Я и тебе буду давать покататься.

Необходимость принять решение раздирала их, как буриданова осла между королевой красоты и чемоданом долларов. Когда надо принять решение, офицер распыляет ответственность.

— А что мы думаем? Соберем офицеров. И решим все демократически.

Офицерское собрание взволновалось, как море перед золотым дождем. И стали определять национальность адмирала методом голосования. Лучше лишиться иллюзий, чем денег. Перспектива второй зарплаты зомбирует моряка и превращает его в пирата.

— Англия... — мечтательно сказал строевик и закатил глаза, как умирающий петух.

Есть такая швейцарская поговорка: за спиной богача стоит черт, а за спиной бедняка — два. Два черта вышли из-за спин товарищей офицеров и разделили проблему на две неравные части.

Во-первых, все хорошее, само идущее в руки, однозначно надо брать и не отдавать. Решить только, что сказать: «спасибо» или «дайте еще»?

А во-вторых, что же касается подноготной адмирала:

— Черт возьми, — здраво рассудили офицеры, — а почему, собственно, платить должны за национальность? А если бы Нахимов был эскимос, то содержать училище должна тогда Гренландия?

— А какой идиот первый решил, что если признать Нахимова евреем, то дадут денег, — а если не признать, так не дадут?

— Вот пусть армия назовет суворовское училище имени Багратиона, и требует деньги с Грузии!

— А лучше имени Бенигсена — и с Германии!

— Если им нужен точно еврей — пусть берут своего дважды Героя генерала Драгунского и оформляют шефство над артиллерийскими курсами «Выстрел»!

— А нам-то с того что будет?..

Жизнь требует от военных прямолинейности. Национально-финансовую дилемму похерили как ложную и несуществующую. Не надо все усложнять.

В конце концов офицерское собрание выработало мудрое и простое соломоново решение. Деньги и все прочее немедленно взять. Евреев поблагодарить. Написать ответное письмо очень вежливо. Но в нем категорически объяснить, что великий русский флотоводец Павел

Степанович Нахимов был русский. Резолюцию покрыли аплодисментами. Взяли биографию, взяли морскую энциклопедию, взяли историю флота, и засели за письмо типа запорожцев еврейскому султану.

Дворянский род Нахимовых берет свое начало от сотника Ахтырского казачьего полка Михаила Тимофеевича Нахимова, писали в письме. Он был казаком, и участвовал в суворовских походах на Очаков и Хотин, и был начальником ахтырской таможни, а в 1757 году был указом Елизаветы пожалован в сотники и возведен в дворянство, когда уволился со службы. Это и есть дед адмирала Нахимова, отец его отца Степана Михайловича. Так что Степан был уже нормальный дворянин, а никакой не отставной козы выкрест-барабанщик. И мать Феодосья Ивановна никакая не Раиса. И в доказательство есть запись в церковной книге, и дьячок Овсянников ту запись подписывал. Так что мы понимаем ваше желание породниться с героем, но против правды не попрешь. Но за ваши патриотические намерения благодарны страшно. Надеемся, что национальность нашего общего великого полководца никак не отразится на благородстве и полезности ваших намерений. С военно-морским приветом!

В Москве прочитали, и весь еврейский конгресс немного расстроился в лучших чувствах.

— То есть бабки ваши можем взять, раз вы сами так хотите. Но при этом никаким евреем никто нигде не был. Молодцы ребята! Хорошее решение.

— Что вы хотите? — рыночная эпоха... Они тоже стали мыслить как настоящие евреи. Сначала взять деньги, а потом договориться по остальным вопросам.

— Боже, что стало с русским флотом...

Моряков среди евреев мало, но историков до фига. Все-таки народ книги, а не народ моря. Свистнули историков и стали составлять ответ московской интеллигенции балтийской братве. Мол, это вам не 1918 год, трезвее надо оценивать свои умственные способности. Своего рода письменное приложение к денежному переводу.

Во первых строках сего письма уведомляем, что суворовские сражения при Очакове и Хотине имели место в 1788 году. Так что выйти в отставку и получить сотника в 1757 году, а принять участие в этих походах 31 год спустя даже у геройского казака вряд ли выйдет. Тем более что в 1765 году ахтырский казачий полк преобразовали в гусарский. А сам Суворов в 1757 году лишь три года как получил первый офицерский чин на полях Семилетней войны против Фридриха II, и по крайней молодости о самостоятельных походах помышлять еще не мог.

Во-вторых, в 1654 году гетман Богдан Хмельницкий воссоединил Украину с Россией. И Ахтырка оказалась за сотни верст от линии границы, и никаких транспортных артерий через нее не проходило. Как и с какой целью можно было командовать казаку (?) гипотетической таможней посреди родной страны? Вы перепутали время с первым десятилетием царствования Алексея Михайловича. Кстати, директор таможни — должность чиновная, то есть гражданская, но отнюдь не военная. Это мы о тех временах, понятно.

Третье, и весьма характерное. Записи в церковных книгах либо выписки из книг насчет рождения Степана Михайловича, отца адмирала, решительно отсутствуют. Как из воздуха возник Степан Михайлович, смоленский дворянин. Кто его отец? Кто его мать? Где и когда и от кого он рожден? Нет ответов. Таким манером ему можно в предки хоть кого приписать, только вот родословная не прослеживается ни до какого колена, даже до пояса не прослеживается.

Четвертое. Да и жена Степана Феодосья как из-под забора выскочила. Кто ее родители? Где и когда родилась? Где и когда крестилась?

Пятое. Итак. Таки шо мы имеем? Мы имеем в Смоленском архиве запись в метрической книге церкви Спаса Нерукотворного Образа села Спас-Волженского Вяземского уезда Смоленской епархии — что 23 июня 1802 года в сельце Городок рожден от Феодосьи Ивановны и Степана Михайловича Нахимовых сын Павел. Все?

Нет не все. 27 июня младенец в той церкви крещен священником Григорием Авсяниковым. Внимание! Крестные! Крестная мать: Анна Нахимова, сестра (!!!) новорожденного. Крестный отец: Николай Нахимов (!), ближайший родственник. Православные, вы много слыхали о таких крестных? Они что, в пустыне жили? Или с ними знаться никто не хотел? Или запись задним числом смайстрячили? А?..

Мы не подвергаем сомнению православие родителей и детей Нахимовых. Мы лишь говорим, что в их дворянской родословной от предков наведена такая тень на плетень, такой туман напущен, что хоть ногу сломи, хоть глаз выколи. Не надо ля-ля тополя. Не канает ваша отмазка. Чтоб врать, надо иметь лошадиную голову, чтоб в ней, большой, все концы сходились. Давайте дружить с головой, православные.

Повторяем наше предложение.

С наилучшими пожеланиями — ваши евреи. Патриоты и меценаты.

Камень за пазухой, камень в наш огород, кто-то камень положил в его протянутую руку, — короче, от этого камня в училище расходятся бурные круги по воде. И все обитатели этого военно-морского водоема взбадриваются и активизируют свои умственные эксцессы.

— Проклятая дилемма! — сказали в училище. — Кем лучше быть: бедными русскими — или богатыми евреями?

Вопрос национальной самоидентификации встал как дракон на пути к сокровищу. Шутка «меняю одну национальность на две судимости» превратилась в коммерческий пример из учебника бизнеса.

Круги и волны взбаламутили массу воспитанников. Кормили плохо всех, а направление мыслей голодного человека легко предсказуемо. Одни говорили, что у евреев мания величия. Другие — что это элементарно покупают себе предков. А самые голодные возражали, что еврейство никакой нормальный человек выставлять не будет, ну и Нахимов не выставлял, а теперь новое время, вот и вылезло.

— Да с чего бы иначе этот еврейский конгресс захотел брать нас на содержание?! Суворовское училище, небось, они кормить не хотят? — выдвигали аргумент новообращенные, так сказать, юдонахимовцы.

Чаша весов склонялась неотвратимо. Оказавшийся в такой ситуации перед выбором религии Владимир Святой неизбежно бы предпочел иудаизм христианству и исламу; и история нашей родины пошла бы, как Ленин, другим путем.

Кто платит — тот заказывает историю. Голод и жадность правят миром.

И тут выходит очередной номер сверхмассового еженедельника «Аргументы и факты», тираж которого достигал в то время умопомрачительных миллионов из книги рекордов Гиннеса. И страна читает на весь разворот скандальное и убойное письмо-обращение писателя Эдуарда Тополя «Возлюбите Россию, Борисы Олигархычи». И там черным по белому сверхзнаменитый на тот момент писатель-еврей, книги которого выложены на всех лотках безумными тиражами, — открыто признает! что еврейский Б-г отдал сегодня Россию в руки евреев! И поэтому они должны быть достойны этого Высочайшего доверия и своей высокой миссии. И заботиться о родной России по совести и от щедрого сердца. Народ ждет! Справедливость — мое ремесло. Тогда и антисемитизма, кстати, не будет. Да, а зовут этого всероссийского олигарха Березовский-Гусинский-Смоленский-Ходорковский-...ский-...ский-...ский. Ну, и примкнувшие к ним однофамильцы Фридман и Шендерович.

Народ взвыл. Бесстыжее шило само полезло из мешка. Номер передавали по рукам. То, что раньше видели, теперь еще и услышали. Все и так давно прикидывали, что все олигархи — евреи: и вот вам чистосердечное признание, которое уже не сможет облегчить заслуженную участь.

Интеллигенция вздыбила шерсть. Изумленный стон либералов покрыл Тополя анафемой. Демократы проповедовали повешение. Обрезание всего как воспитательная мера.

Злые языки утверждали, что за месяц перед этим Тополь сумел проникнуть на прием к Березовскому и стал просить денег на великую русскую литературу, подразумевая свои надобности. Циничный и расчетливый олигарх был царски щедр, но не каждый день. Тополь не угадал правильный день. Березовский ознакомил его со своей монетарной палкой-выгонялкой: «Деньги были, деньги будут, сейчас денег нет». Когда не дают свои, это особенно раздражает. Еврейский облик Березовского сделался неприятен седому стройному Тополю, похожему на бывшего боксера-легковеса в роли римского центуриона. Оскорбленный в лучших патриотических чувствах за русскую литературу Тополь дал клятву сурово посчитаться с жадным миллиардером. И создал обличительное послание всем жадным сукам родственного происхождения сразу, вложив под текст древний писательский припев: «Денег дайте!..»

В училище, конечно, тоже обсудили это письмо. И испытали амбивалентное чувство. Одна когтистая лапа сионизма пихает тебе в род сладкие куски, а другая при этом держит за горло, чтоб не вертелся.

— А не передать ли нам этот вопрос на решение Управления флота? — соображает начальник.

— Ведь все себе присвоят! — убивается зам. — Хрен тебе оставят компьютеры... и особенно загранкомандировки. Ты что, штабных не знаешь?..

Назавтра произошел негромкий ледяной скандал: к портрету Нахимова кто-то приколол израильский флажок.

По ротам стал бродить ветхий том с ятями «Еврейской энциклопедии». Питоны, в смысле воспитанники, с любопытством заглядывали в подземное русло истории. В воображении большинства евреи являются чем-то вроде неприличной полунегласной секты, о принадлежности к которой говорить не принято, а дела ее обсуждаются только в своем секретном кругу.

Слухи дошли до флота раньше, чем командование училища приняло решение.

— Охренели там?! — последовал звонок. — Почему не от вас узнаём?! На халяву разинулись?! Завтра к девяти ноль-ноль все справки и документы представить и доложить!

И вопрос ушел на уровень флота. И командование стало реагировать. В головоломке требовалось совместить Устав, соответствие служебному положению, здравый смысл и материальный успех.

Первая реакция:

— Что-о?! Совсем белены объелись! Это не ложь — это диверсия!

Вторая реакция:

— Господи, а ведь как хорошо: машина, деньги, загранпоездки...

Третья:

— Вот суки... Вот почему они всегда о своих заботятся — а у нас хоть какое-нибудь русское культурное общество не может взять шефство на тех же условиях?..

— Слушайте, — задумчиво спрашивает командующий, — а почему вообще училища назвали нахимовскими? Что, других адмиралов не было?

— Гм, — говорит начштаба. — Ну, корниловским как-то неудобно. Контрреволюционный генерал Корнилов был, белый.

— Кино «Чапаев»... — соглашаются высокие совещающиеся чины. — Да, чистая контра...

— Ушаков.

— «Ушаковцы»? Как-то не звучит. Не то архаровцы, не то ушастые зайцы, не то еще что.

— Синявинцы... от пьянства. Истоминцы... Крузенштерновцы, бля!..

— Рожественцы, ровняйсь, смир-на!

— Здравствуйте, товарищи колчаковцы!

Посмеялись. Велика Россия, а выбирать не из кого. Вечная история. Одна подходящая фамилия — и та Нахимов.

И пластинку завели по второму кругу. Помощь обороноспособности Родины в трудный час принимаем — но флотская честь не позволяет идти против исторической правды.

И тут уже звонят в Военно-Морской музей, и им выделяют для научного ответа доктора исторических наук в чине капитана первого ранга в отставке. И для консилиума подключают к нему профессора истории с университетского истфака. И они привлекают авторитетные источники, и для максимальной научной солидности начинают с обзора источников во главе со знаменитым академиком Тарле. Евгений Викторович был столпом отечественной истории и славился своей честностью и скрупулезностью. В его трудах о Нахимове нет ни одной буквы про еврейство.

А началось все с того, что в начале 18 века шляхтич Мануил Тимофеевич Нахимов записался в Ахтырский слободской казачий полк. Сорок лет он служил в этом полку водовозом, и в 1757 году, увольняясь со службы, был за хорошую службу пожалован сотником — чин казачьих войск, соответствовавший пехотному поручику, или вообще — XII классу Табели о рангах. Это давало дворянство. Он и был прадед будущего адмирала Павла Степановича Нахимова.

Мануил родил Михаила, Михаил родил Степана, Степан родил Павла, правнука-адмирала.

Дед адмирала, Михаил Мануйлович, жил на Смоленщине, предположительно в селе Воскресенском-Щербатове, и имел четверых сыновей, дядей будущего адмирала.

Отец адмирала, Степан Михайлович, переехал из Малороссии в Смоленскую губернию в самом конце XVIII века, по некоторым сведениям — из Ахтырки. В Вяземском уезде он получил небольшое наследство после бездетного родственника, одного из дядьев.

В Малороссии также осталась родня Нахимовых, в частности двоюродный дядька адмирала Аким Николаевич, один из внуков родоначальника Мануила Тимофеевича, кстати известный баснописец, и кстати именно у него в 1812 году жила мать адмирала Феодосья Ивановна с детьми, съехав от наполеоновского нашествия, пока ее муж командовал батальоном местного ополчения.

В наследном сельце Городок, ныне Нахимовское, и родился в 1802 г. Павел Степанович.

В 1813 году он был определен в Морской кадетский корпус, но из-за некоторой путаницы в документах, произошедшей в процессе переезда из Малороссии, а также из-за недостатка вакансий был принят в 1815 году.

Далее на многих страницах излагалась блестящая и знаменитая биография...

Питерские опять огорчили московских. Послание достало адресата и уязвило его болезненно, на что и было заточено.

— Переписка Энгельса с Каутским! — ругались в Еврейском конгрессе. — Забрать и поделить они уже согласны... Шариковы!

Возникло предложение послать моряков подальше в грозовое море и взять лучше шефство над... например... Гнесинским училищем! Знаменито на весь мир, выпустило плеяду звезд, несравненная музыкальная школа.

А денег в нынешние времена нет ни хрена, бедней церковных крыс совокупно с церковными музыкантами. А ведь основательницы-сестры все как одна Фабиановны, папа — раввин, мама — Белла Исаевна, и если был там казак, так это разве что в родном Ростове нагайкой поперек спины вытянуть.

Но компот был не тот, и кураж не сросся. Этими Хейфецами, Менухиными и Ойстрахами никого не удивишь. Скрипачи, физики и гроссмейстеры — это избито и неоригинально. Вот если бы евреем оказался Рокоссовский! поляк? да мы знаем... Суворов чистокровен, спорная татарская половина пусть заботит Казань... Вот если бы подкопаться к горбатому носу Ивана Грозного!!

Евреи нахлебались горя от ума и потянулись на подвиги.

Нахимовское училище начало раздражать. Ты делаешь людям подарок, а они перечисляют, на каких условиях они согласны сделать тебе одолжение и принять.

Люди книги вспомнили историю про Пуришкевича, спасенного из морских волн евреем: откачанный утопленник открыл глаза и, уяснив бесспорную внешность спасителя, произнес первое слово: «Крестись!»

В самом же Нахимовском училище тем временем разливалась депрессия. Пока жили в общей нищей шкуре со всей страной и без вариантов — было легче как-то. Хреново и нормально как синонимы бытия. А когда у тебя, как у Каштанки, проглоченный кусок тянут из желудка на ниточке — в характере формируется садизм на базе хронического гастрита. Пытка надеждой перерождается в провокацию к погрому.

Еврейский Конгресс не стал мучить нахимовцев сверх сложившейся необходимости, и копию письма в Управление Флота послали им одновременно. Из толщины письма уже явствовала национальность...

Авторы письма творчески усвоили библейскую мудрость: время собирать камни — и время не оставлять камня на камне. Общее впечатление было вроде яйцо бросили в вентилятор.

Сначала письмо еще держалось в академических рамках — там, где про академика Тарле. Во-первых, Евгений Викторович тоже оказался еврей, во-вторых, поэтому и не выступал помногу, а в-третьих, то было время подъема патриотизма и борьбы с космополитизмом, когда все открытия и изобретения сделали русские ученые, Риман и Бэр с Якоби и Бодуэном де Куртене были именно русскими учеными с гениальностями вместо национальностей, а кафе и папиросы «Норд» стали называться «Север». Ничто сказанное Тарле нашим словам никак не противоречит.

Далее по пунктам — прадед Мануил Тимофеевич. Шляхтич-казак — это неплохо. Прав штирлицкий сериал: пархатый большевистский казак! Это вроде индеец-конкистадор. Летчик-зенитчик. Официант-ассенизатор. Инвалид-акробат. Тараса Бульбу перечитайте. Шляхтичи и казакичи именно друг друга и резали. А шляхтич — это уже и есть дворянин, только польский. И этот гоноровый шляхтич-дворянин сорок лет работал в казачьем полку водовозом? И за это водовоза сделали офицером с чином, равным поручику? А второй такой случай в мировой истории тоже можете назвать? Нет? А документы можете указать? Тоже нет, но «были свидетельства очевидцев»? И где же их бесстыжие очи? Ах, умерли... Прав был классик: умри, Денис, лучше не скажешь.

Вот Аким Николаевич Нахимов действительно был внуком казака, только к семье Степана Михайловича Нахимова он не имел ни малейшего отношения. Ни по каким книгам и архивам. Никаких свидетельств, никаких упоминаний о знакомствах.

Фамилия? Фамилия! Еще при гетмане Мазепе целые еврейские роды за услуги и заслуги по желанию писались в реестровое казачество. Вот уж этому — архивы набиты, книги написаны.

Адмиралова папы Степан Михалыча — папа кто?! Нигде ни буквы! Запись, метрика, — где, что? 26-томный Биографический Словарь издания 1900—1902 гг. прослеживает все дворянские линии России! И родословная адмирала Павла Степановича Нахимова начинается там с его отца. А за ним только тень отца Гамлета: дальнейшее молчанье.

Село он получил в наследство. Три села! Называлось это место в конце XVIII века Пройнина пустошь. А затем стало именоваться Городок. А селом не было, ибо село тем и отличается от деревни, что церковь имеет, приходом является. А церковь была за версты, в Спас-Волженском. А пустошь характерна чем? Земельное неудобье, бросовый кусок, и земля там дешевле, чем где бы то ни было. А слово «сельцо» означало предельную скромность при тяге к приличию. Ставка бедного барина.

Горе-историки даже с названием не могут решить: «сельцо Городок, ныне не существует», или «село Городок, ныне с. Нахимовское», или «с. Городок, в 1952 г. переименовано в с. Нахимовское, ныне не существует», или оно и поныне существует как Нахимовское, но уже это бывшее другое село, а просто в честь адмирала.

А этот дед с роднёй, которые «предположительно проживали»! «Предположительно» они могли хоть осваивать Сибирь или завербоваться янычары! Если они проживали на Смоленщине, то как взрослый сын с семьёй очутились в Малороссии, чтобы из неё переезжать обратно на Смоленщину?! Вы «предположительно историки» или «предположительно руколудствуете» на сладкие исторические темы?

Нигде, ничто, никак не указывает, что в 1812 году десятилетний Павел Нахимов гостил с матерью у Акима Николаевича Нахимова в Малороссии, пока продолжалась война с Наполеоном.

В 1813 г. Павел Нахимов определяется в Морской кадетский корпус. А что же произошла за путаница с документами? А какие нужны документы: метрика о рождении и копия дворянской грамоты или выписка из дворянской книги. Все! Испытание грамотности производится при приеме. С выпиской из метрической церковной книги о рождении проблем никаких. Секунд-майорский чин отца — это и есть свидетельство дворянства его сына. Патент на чин и жалованная дворянская грамота — это важнейшие документы, их всегда хранят и возят с собой в первую очередь. А если утеряны? Выписка из полковой книги и выписка из дворянской книги, писец исполняет на гербовой бумаге, печать полковой канцелярии и архива. Но путаницы здесь никакой быть не может, все просто.

Ан не все так просто, как вы пытаетесь представить! В 1752 г. указом Елизавет Петровны Морской корпус претерпел реформацию, его материальный и престижный уровень был повышен, число учащихся составило 360, уже гардемарин получал 30 рублей золотом в год! И отбор сильно построжал! Корпус был а р и с т о к р а т и ч е с к и м!

Теперь принимались только: сыновья флотских офицеров, дети дворян, внесенных в 4-ю, 5-ю и 6-ю части родословных книг, то есть дворян титулованных, или иностранного происхождения, или могущие доказать принадлежность своего рода к дворянству до 1685 г.; а также сыновья особ 1—4 классов Табели о рангах; а также дворян финляндских, польских, ингерманландских, эстляндских.

По этому положению Павел Нахимов, даже если бы он действительно был правнук сотника и дворянин с 1757 года, в училище не принимался.

А послабления к происхождению были сделаны уже много позднее, к середине XIX века...

Однако в Правительствующий Сенат пошел запрос о дворянском происхождении Нахимовых.

И через два года его приняли. И вакансия нашлась.

Помните «Капитанскую дочку»? Младенца с рождения записывали в полк, ему шли чины, и шел на службу уже хоть унтер-офицером. Так и всюду записывали. При рождении младенца родители прикидывали ему карьеру и начинали о ней заботиться. Хоть в гвардию записывали, хоть в кадетский корпус, если решали пустить по военной части. И к соответствующему возрасту — был чин и было место.

В третий класс Морского корпуса зачисляется 120 человек ежегодно. «Нет вакансий» означает, что желающих больше, чем мест. А как определяют, кого брать, а кого нет? А если каждый год будет 200 кандидатов? Конкурса аттестатов и проходного балла не существовало. Прошение о зачислении на Высочайшее имя подавали заблаговременно, родословная прикладывалась, и по рассмотрении будущего кадета записывали на определенный год. Недобор на какой-то год — в последний момент могут еще кого взять. А кто и в 24 года поступал. Нахимов в 16 лет вышел во флот мичманом — младше невозможно! Не вакансии ждали 2 года, бред это, а документы добирали.

Но путаница в документах действительно есть! Но не там...

Копия свидетельства о рождении, снятая в 1846 г., указывает местом рождения Городок. А в формулярном списке о службе и достоинстве начальника 5-й флотской дивизии вице-адмирала Нахимова, датированном 1852 г., местом рождения значится село Волочек Вяземского уезда. (А позднейшее Нахимовское — это Волочек Сычевского уезда.) А сам Павел Степанович говорил, что родился в Волочке, а рядом в Бельском уезде владеет крепостными. А историки установили — да нет, в Городке родился.

Что за притча?

Что за «путаница с документами»? Почему Нахимов называл не то место рождения? Зачем запрашивали

Правительствующий Сенат, и что он мог найти насчет дворянства? И почему приняли в Морской Корпус за рамками правил Указа от 1752 г.?

Когда в 1654 году Алексей Михайлович отвоевал у Польши Смоленщину и отодвинул границу — был образован Особый конный полк Смоленской шляхты. Люди-то были русские, но раньше — под юрисдикцией польской: служивое дворянство в статусе польской государственности.

Полк формировался исключительно из шляхты и находился на самообеспечении — люди кормились от своих дворов и крепостных. Те же, кто вследствие военных перипетий недвижимое имущество потерял, — при записывании в полк наделялись для кормления пятью дворами с крепостными крестьянами. Полк предназначен был держать новую границу, постоянно контролировать приграничье в составе созданной российской административной системы.

В 1764 г. полк был расформирован: новые времена — новые границы и порядки.

Ясно ли?

Упоминание о службе предка в Смоленском шляхетском полку в конце XVII века — есть уже доказательство дворянства от той поры. Факт принадлежности к исконному смоленскому дворянству.

Остается перепутать Смоленский пехотный со Смоленским конным — и временной дворянский ценз набран!

В сумятице бурных военных десятилетий молодой российской экспансии можно было войти в полковые списки, но быть забытым при внесении в дворянские книги. Война безжалостна к архивам, пожар Смоленска в 1812 году уничтожил многое. А теперь вспомним бессмертного Чичикова и скупку мертвых душ.

Если задним числом, а также «по свидетельству очевидцев» мы представим копии купчих, долговых расписок, оброчных писем и тому подобного, из каковых бумажек будет косвенно явствовать, что кто-то из твоих предков кормился тут именно по приписке к Смоленскому полку еще так в году 1680-м — без упоминания, конный он либо пеший или еще какой — это можно трактовать как твою принадлежность к служивому дворянскому роду XVII века. Что и требовалось доказать.

Господа. Прошло полвека после расформирования этого полка. Отшумели турецкие походы, завоевание Крыма и Новороссии, Семилетняя война на полях Европы, присоединение Польши и Финляндии, взятие Берлина и Измаила, наполеоновские войны! Бурная эпоха! Где тот полк, те люди, те архивы, о чем вы!.. Ну, кадет, ну, из дворян, ну, все сгорело, ну, вот квитанции и письма, что предок для кормления в Смоленском полку получал что-то от дворов и крепостных — все пожелтелое, древнее, уж и дворов тех нет, и крепостных, Наполеон валом прошелся по Смоленской дороге, пожары и разорение.

Кому надо объяснять, как делаются бумажки, подписи и «свидетельства очевидцев»? (Наше время тут поднаторело!)

Вот потому Иван и Павел Нахимовы в прошении на имя Государя Александра I об зачислении в Морской кадетский корпус в 1813 году указали не то место рождения, что в церковных книгах. Степан Михайлович удлинил себе дворянское происхождение — по-умному, на косвенных. Но бумажки еще пару лет пришлось пособирать, пооформлять, чтоб концы рода сошлись по ним до 1685 года в Смоленском полку. Отнюдь не пехотном, отнюдь не 25-м.

В 1813 г. им сказали, что бумажек маловато для доказательства рода. К 1815 г. представили бумажек уже достаточно.

...Еще в письме, которое тянуло не менее чем на кандидатскую диссертацию, было много сильных и благо-

282

родных слов о дружбе народов, единстве и патриотизме. Строки дышали любовью и душевной чуткостью.

От этой любви, которую внедряют тебе в кишки, как щупальце спрута на приеме у проктолога, флотские и нахимовские просто озверели. И так дело было ясное, что дело темное.

— Ну хорошо!!! — завопили морские чудовища. — Адмирал Нахимов был самозванец, проходимец и отщепенец! Вы нас уже почти убедили. Но почему вы считаете, что эти качества присущи ему именно как еврею?! Откуда такая национальная самокритичность? Нельзя ли, в свою очередь, представить какие-нибудь конкретные архивные доказательства? Образец обрезанной крайней плоти, или письмо к еврейской жене, или хоть какие-то свидетельства о выросших внебрачных детях — не могли же они всю жизнь ни разу не упомянуть о великом отце! Вы нагнали негатива выше ватерлинии — но свой-то позитив дайте? Портрет, расписку, прижизненное упоминание!

За время этой эпопеи зам съездил в отпуск на родину к маме, и вернулся стремительно лысея. Хворая мама открыла ему секрет цыганской внешности «ни в мать ни в отца, в заезжего молодца». Зам оказался внебрачным сыном своего папы-еврея, который по сволочизму натуры был уже женат, и мама вышла за старого воздыхателя, которого в прошлом году похоронили... Потеряв одного отца во второй раз, и не обретя другого, растаявшего в смутных сионистских далях, зам стал носить нательный крест и чернеть лицом при слове «Нахимов».

Насчет шефства вытанцовывалось, что факир был пьян и фокус не удался. Долгая торговля как-то изничтожает предмет торга: уже и кушать не хочется, и кормить незачем.

В тонких мирах прокололи очередную дырочку, и игольный луч достиг неподконтрольного сознания начальника училища аккурат накануне решительного письма от занудных меценатов. Кошмар мучил нервный сон начальника, ноги его взбивали одеяло, и гнусавый гобой дудел в носу. Он видел, как Нахимов в морском сюртуке и золотых эполетах пляшет хаву-нагилу, а за ним неисчислимые китайцы машут жевто-блакитными флагами, что означает победу советского народа в Великой Отечественной Крымской войне 2041—45 годов.

Российский Еврейский Конгресс прислал для ознакомления книгу В.Л. Модзалевского «Догадка о происхождении рода Нахимовых», и книгу доктора исторических наук Э.И. Соломоник «Евреи Крыма». Каковые книги вздёрганый с ночи начальник изодрал в офицерском гальюне на куски проходимого размера, яростно сопя и топая, как носорог, и спустил в унитаз: и забил два унитаза, и поймал первого же нахимовца, и сунул два наряда вне очереди прочистить гальюн!!!

Герой Синопа и Севастополя остался хранить свою загадку, потому что в биографии каждого настоящего исторического героя должна быть тайна.

...А Российский Еврейский Конгресс, в соответствии с тонкими законами психологии и подсознательных переходов, финансировал археологические раскопки викингов в Старой Ладоге, и под Новгородом, и Псковом, и вообще на всем пути из варяг в греки. И выставку найденных экспонатов возили по всему миру. Поскольку Рюрика и Олега никто не пытался анализировать на предмет еврейского родства, то все обошлось без эксцессов.

ЛИТЕРАТУРНЫЙ ПРОЕКТ

Когда вздыхают о рыночной бездуховности литературных проектов типа Незнанского или Фандорина — о, где традиции великой русской классики! слеза и залом рук... — делается смешно. Литературным проектом товарища Сталина был Союз Писателей СССР. О! Литературным проектом товарища Горького был метод социалистического реализма, обязательный к употреблению по всей стране! Писателю вставили перо в зад и назвали буревестником. И спроектировали буревестникам комфортабельный спецкурятник.

Это сейчас в ЦДЛ может войти кто ни попадя, и никаких пропусков не спрашивают. Можно вообще не знать, куда бабло внесло хавло. Рыночный цинизм, тонкая отстройка по денежной шкале. А вот во времена алых корок с гербом и золотом: «Союз писателей СССР»!..

Удостоверения членов Союза пис-ей были легитимизированы сакральной подписью генерала КГБ Верченко. По долгу службы он руководил и надзирал за означенным Союзом в кресле его Второго секретаря. Тэ-кэзать по «оргработе». Эта корка была морганатической сестрой буратиновского золотого ключика. Она открывала кассы вокзалов и аэропортов, складские подсобки гастрономов и универмагов, и приносила счастье любви милиционеров и сантехников. Ее хотели сильнее, чем кошка валерьянку. Человек с алой коркой «звучал гордо, хотя выглядел мерзко».

А Центральный Дом Литераторов был их гнездом. Почему осиным? Туда пчелы несли мед и там же его пропивали, пока трутни его проедали, там кукушата выпихивали за борт конкурентов по жратве пирога, там лиса показывала стриптиз вороне, сыр падал из клюва, кукушки пели петухам, и срамные заслуги ревниво задирались на ярмарке тщеславия.

Прозвоним перемену в нашей школе злословия и перейдем на рюмку водки в Дубовый зал. Если качество кухни совращало грешную плоть, то ничтожность цен губила бессмертную душу. Доступность благ в кругу избранных выступала дешевым наркотиком, на который Власть подсаживала мастеров пера и топора. Солянка и антрекот по столовским ценам, картошечка с селедочкой по условным ценам, икра и жюльен задешево и капустка хрусткая квашеная дешевле трамвайных билетов для безденежных донов. И, само собой, водочка небалованная. Розарий, серпентарий, колумбарий.

Столичный писатель здесь жил. Дома он часто ночевал, в Доме Творчества (?!!) он изредка писал, а в ЦДЛ он жил. Общался с коллегами по цеху, выбивал путевки, клянчил блага, записывался в очереди, оформлялся в загранпоездки, пил с нужными людьми, вступал в естественные и противоестественные связи; плел интриги, одалживал деньги, придумывал остроты и жаловался на зависть бездарных коллег. Здесь развлекались скандалами и неумелым интеллигентским битьем морды. Здесь каста качала клоунов, как палуба.

Здесь отпускал свои бессмертные остроты спившийся и любимый Светлов: «А Моцарт что пил? — А что Сальери наливал, то и пил». «Т-такси в-вызовите, голубчик! — Я вам не швейцар! — А к-кто? — Адмирал! — Т-тогда — катер».

Здесь живущему в брызгучем облаке матюгов Юзу Алешковскому брезгливо замечали: «Устанешь за весь день, придешь вечером к себе в клуб отдохнуть — а тут сидят невесть кто и откуда». — На что Юз немедленно орал: «Ах-х ты гондон! Это что ж ты такое весь день, блядь, делал, что устал?!»

И постоянно безденежные доны стреляли рублики и трехи и более удачливых собратьев — до аванса, до первого числа, — и потребляли родимую под картошку с селедочкой, ибо в чем же еще смысл жизни профессионального совписа.

Итак. Сидели трое — число, освященное традицией — и цедили горечь жизни из графинчика под занюх. Это — судьба?.. Черств хлеб писателя на Руси. А кругом секретарская сволочь цыплят табака чавкает и в коньяке купается. А ведь все продажные суки и конъюнктурщики.

О чем думает бедный писатель? О том, как стать богатым писателем.

Теперь усложним задачу. О чем думает бедный еврей? Как стать богатым русским.

Теперь тональность встречи определена, и мы переходим непосредственно к повествованию.

— Печататься совершенно невозможно, — продолжал один развертывать до отвращения банальную диспозицию. — Стихи никому не нужны. Издательские планы забиты на шесть лет вперед. Маститые прут как танки. Ну невпротык же!

В завесе кабацкого гама, где успех и неудача были в мелкую нарезку смешаны пестро, как винегрет, они звякнули и крякнули — пропустили за непротык: чтоб он кончился.

В прямой речи далее мы опускаем все матерные связки, без которых речь мастеров слова рассыпается, как сухая каша, не сдобренная маслом.

— ...ь! — продолжил второй. — С пятым пунктом уже не берут даже под псевдонимом!

— Яша! — урезонивал третий. — ...ый ...ай ...уй! А ты никогда не думал, что если бы ты был русский, то стал бы антисемитом?

— Если бы я был русский, многие у меня стали бы неграми!

— Ха! Ты сначала попробуй стань.

— Ты глянь по сторонам. Каждый второй — аид. Каждый третий — под псевдонимом. Цвет советской литературы. Тебе бы не было обидно?

— Яша! — пожаловался Яша-1. — Весь ужас в том, что если в издательстве сидит еврей, так он отпихивает всех евреев — чтоб не дай бог не заподозрили в сионизме!..

— Яшкин-стрит, — сказал третий и развел по рюмкам остатки. — У вас отсутствует позитивное мышление. Конкретно: кто имеет минимальные шансы на пропих.

— Нюма, — сказали два Яшки. — Что за типично еврейская страсть без конца пересчитывать свои несчастья?..

И стали загибать пальцы, благо брать ими со стола было нечего:

— Поэт. На русском. Новаторская форма. Еврей. Без связей и покровителей. Москвич — квота в планах на них превышена. Примелькавшийся, но затертый.

«Это мы...» — закручинились три богатыря.

— А требуется — по принципу от обратного, — сказал Яша-2:

Первое. Национал. На них план. Не хватает.

Второе. Из малого народа. До советской власти вообще письменности не имели.

Третье. Провинциал. Живущий в своей глуши.

Четвертое. Никому не известен. Литературное открытие!

Пятое. Форма — классическая. С вкраплениями местного колорита.

Шестое. Его книжка должна выйти на родине на местном языке. И тут ее узнает Москва!

Седьмое. И эти стихи подборками идут в издательства, в журналы, в секретариат, в комитеты по премиям, куда угодно — в хорошем русском переводе. Чтоб переводчики были уже как-то известны.

Они посмотрели друг на друга, вдруг Нюма поймал чей-то взгляд в дверях, вскочил, заулыбался, заспешил, и через пять минут вернулся с пятью рублями.

Это резко усилило реалистичность написанной картины. Коллеги эффективно отоварили пятерку, и возникло чувство, что жизнь-то понемногу налаживается!

— А тебе что с того нацпоэта?.. — вздохнул Яша-1. — Меня уже тошнит от подстрочников.

— Кирюха, — удивился Яша-2. — Под его маркой ты можешь публиковать свои стихи вагонами и километрами. Нганасанскому акыну везде у нас дорога. Да у тебя эти переводы с руками отрывать будут. Это ж не с французского!

— Те-те-те, — мечтательно поцокал Нюма. — Желательно первобытное племя, не искаженное грамотностью. Чтоб ни один сородич своему трубадуру не конкурент.

— Гениально! — оценил Яша-1. — Поймать и бить, пока не забудет все буквы. Но — где ты найдешь поэта?!

— Яшке больше не наливать, — велел Яша-2. — Идиот. Брат Карамазов. Сначала — ты — пишешь — стихи. Потом он переводит их на язык родных фигвамов. Потом этот золотой самородок издает на нем книжку дома. И шаманский совет племени укакивается от счастья.

— Обязательно, — подтвердил Нюма. — Сначала на родном языке дома. Как он ни курлычь — на бесптичье и коза шансонетка. А дома — н-на! — план по национальным поэтам. А их — хренушки! Зеленая улица — а на ней кусты, алкаши и зеленые гимнастерки.

Как вы видите, поэты даже в приватном застолье тяготеют к метафоре с гиперболой.

Дубовые панели поглощали свет, дым колыхался волнисто, как на кораблекрушениях Айвазовского, и творческий процесс, зуд нежных душ, мечтательно почесывал что-то очень важное в жизни.

— По два с полтиной за строчку... — грезил Яша-1.

— И заметь — любая ...я ...я! — поддал Яша-2. — С национала свой спрос: хоть какой-то ритм, где-то рифма — а! о! шедевр народной сокровищницы! орден! звание! всем пукать от восторга!

— Сорок строк — стольник в день, — зарыдал Нюма. — Господи, ну почему дуракам счастье!

Шел десятый час: ни одного свободного места. У официанток пропотели подмышки. Языки развязались и стали длинные, змеиные, сладкие и без костей. В среде искусства, замкнутой в периметр кабака, решалось, кто с кем спал и зачем, кто делал аборт, кто кому дал денег, кому предложили договор, а главное — кто кому лижет и кто кому протежирует. Это сплетенье рук, сплетенье ног, переходящее в судьбы скрещенье, как справедливо отметил классик, напоминало грибницу в фанерной коробке. Эх, ребята, не знать вам уже ЦДЛ старых времен.

За столиком в глубине элитного угла, слева от входа, обер-драматург и редактор «Огонька» Софронов, осаленная туша сталинских эпох, с важностью начальника счастливил собутыльников довоенной историей:

— ...И Алексей Толстой со смехом выдает этот анекдот про Берию и сталинскую трубку. Все свои, прове-

290

ренные, пуганые, смеются: границу знают! Лавренев, Шагинян, Горбатов... И вдруг Толстой замечает, что у Лавренева лицо стало буквально гипсовым. Глаза квадратные и смотрят в одну точку. Толстой следит за направлением его взгляда — и находит эту точку. Это крошечный микрофончик... Незаметно так закреплен за край столика. И под стол от него тянется то-оненький проводочек.

Алексей Толстой стекленеет от ужаса. Он хорошо помнит, как у него тормознули на границе вагон с награбленным барахлом из Германии, и на его телеграмму лично Сталину пришел ответ: «Стыдитесь зпт бывший граф тчк».

И Толстой начинает без перехода превозносить величие вождя всех народов. Клянется в преданности. Преклоняется перед гениальностью его литературных замечаний. А в глотке сохнет, аж слова застревают.

И все как-то быстро, тихо расплачиваются и встают.

И видят, что Мариэтта Шагинян отцепляет этот микрофончик, сматывает проводок, вынимает из уха микронаушник, и прячет весь этот слуховой прибор в сумочку. Старуха была глуха, как тетерев. И ей привезли из-за границы приспособление.

Толстой хотел ее убить! Одной рукой за сердце, а другой ...... этой ...... по ......!

Ему посмеялись в меру субординации.

А кругом! Нестора мне, Тацита, Чосера! За приставным столиком у лестницы тихо спивается в прозелень рано лысеющий Казаков, любимец всех, принятый в Союз по двум рассказам. Евтушенко, вертя головой короткими птичьими движениями, как следящий за окружающим пространством истребитель, внимательно фиксирует боковым зрением, все ли на него смотрят. Изящная Ахмадуллина укладывает под стол очередного хахаля, пытавшегося пить с ней на равных. Рождественский, картавя и заикаясь, тщится поддерживать беседу, которая катится от него, как поезд от хромого на перроне, и слово заскакивает в вагон на два предложения позднее своего места. Максимов примеряется к ближайшей морде, которая ему не нравится. Праздник литературы!

И в этот бедлам застенчиво торкается пополнение. В дверях встает, как портрет джигита в рамке, парень с необыкновенно выразительным кавказским носом. Такой руль. Паяльник шнобелевич. Багратион отдыхает.

Сквозь дым битвы и гам славы он безнадежно выцеливает орлиным оком свободный стул. И планирует к нему на любезных крыльях. И два Яши хотят его гнать. Это Нюмин стул. Занято. В туалет отошел.

— Ба! У нас гость! — возникает Нюма и хватает пролетающую официантку за ближнюю выпуклость. — Раечка, стульчик организуй нам. — А двум Яшкам делает рожи: молчать, пьяные идиоты!

И они переглядываются, как аборигены, которые хотят съесть Кука. И расцветают циничным дружелюбием. Легко знакомятся, церемонно трясут руки.

— Не хотите ли рюмочку? — радушно приглашают щедрые москвичи. И доцеживают сиротские капли. И выжидают испытующе.

— Сейчас я закажу, — объявляет гость и гордо зовет официантку. Официантка его гордость игнорирует профессионально. Официантка, как публичная мать, реагирует на плач только своих.

И Кавказ вовлекается в прогресс, то бишь разделение труда. Два Яши с Нюмой держат на коротком поводке официантку, а сын гор цитирует меню бесконечно, как эпос. А они корректируют этот арт-огонь по кухне в сторону эффективности.

И дают понять небрежно, что вообще-то они знаменитые московские поэты. С Олимпа спустились поужинать. Не хрен собачий.

— А тебя сюда, Руслан, каким ветром занесло-то?

При этом Руслан интересует их только со стороны кармана, где деньги лежат. Его жизнь — его проблема. Кого колышет чужое горе. Москвичи живут собой, и то трудно. Руслану по закону гор положено платить. Его допустили в святая святых — ЦДЛ, и поэты с ним как с равным.

— Покушать захотел, дал швейцару денег, он пустил. Нигде мест нет, а.

Ну, есть у размашистых выпендрежных кавказцев этот невинный снобизм: совать бабки швейцарам и проникать в разные закрытые места, чтоб среди столичной элиты гульнуть с размахом, засылая иногда бутылку за столик соседствующих знаменитостей. От широкой души и в знак большого уважения. Это ты, Руслан, удачно зашел. В самое то место. И в нужный момент.

Скромностью и щедростью горец приятно располагал к себе. Закосевшим друзьям хочется сказать человеку приятное. Ничто человеческое халявщику не чуждо.

— Руслан, — благосклонно интересуются они, — ты откуда родом, милый юноша? — И тут же забывают вывихнутое слово, обозначающее точку на Кавказе, о которой они никогда не слышали и не надеются услышать впредь.

Как ни расширяется сознание пьяного человека, оно не в силах вместить подсознание поэта. Желание влечет нас железной рукой с татуировкой «необходимость». Иллюзия свободы — это опиум для бедных.

— Рус-слан, — интересуется Яша-2, — а поэты в вашей... — и замедляется, мучительно ища необидное слово... — в вашей маленькой стране есть?

— У нас все поэты! — пылко отвечает Руслан. — Но пока нет.

— А... переводчики?.. — спрашивает Яша-1.

— Переводчиков тоже нэт, — коротко вздыхает Руслан.

— Дю перфэ, — заключает Нюма.

— Что?

— Нет в мире совершенства, — вздохом завершает Нюма этот дивный диалог из «Маленького принца».

Наступает та отвратительная стадия пьяного безобразия, когда поэты не контролируют себя и принимаются читать стихи. Три бояна вещих, три хитрожопых поросенка, три мудреца в одном тазу пустились по морю в грозу, обрушивают на голову одиночки свой гений. Гений заунывен, депрессивен, напевен и гнусав, как принято. Авторская манера чтения есть форма мести поэта окружающим плебеям. «Вай-вай-вай!» — так обычно передаются в русском письме восхищенно-льстивые возгласы, издаваемые лицами щедрых смуглых национальностей.

И, переполнившись восторгом, сын гор ненадолго отплывает туда, где журчанье струй в тиши и прохладе настраивает на умиротворяющий лад. В туалет, то есть.

(— А вот и он, — проговорил Яша-2, неуверенно озаряясь.

Друзья осознавали ситуацию.

— Ну что — пробуем?.. — не всерьез спросил Нюма.

— Чего пробовать?! Трясти надо! — шепотом закричал Яша-1.

— Возможно, Бог есть, — умиленно сказал Яша-2, — и возможно даже, у него есть слух. И он внял нашей молитве...

Покорный слушатель всегда вызывает расположение поэта. Молчит — значит понимает.

— Только говорили — и вот. Если не он — то кто?

— Да может он неграмотный вообще? Альпийский козопас?

— Дурак ты? Если может прочесть слово «ресторан» — грамотней чем надо.

— А, попытка — не пытка, Лаврентий Павлович!)

Их абрек вернулся, в подражание Нюме цапнул официантку, получил шлепок по рукам и (для чужих) краткий пинок в голень, и обескураженно сел:

— Слушай, как ее позвать, понимаешь?..

— Слушай внимательно, — строго сказал Яша-Раз. — Ты грамотный?

— У меня образование, — с достоинством ответил горец.

— Ну-ка скажи, как на твоем языке будет река?

Руслан сказал. Воспроизвести по-русски друзья не смогли.

— А луна?

— Небо? Мать? Друг?

— Оружие? Битва? Могила? Храбрость?

Семантические ряды сыпались, как кубики из дырки в мешке со словарным запасом великого и могучего. Это приняло характер игры:

— Любовь? Целомудрие? Верность? Смущение?

— Старик? Дом? Поле? Колосья? Дерево?

— Ручей? Гора? Облако?

Поэтический лексикон слетал и кружился, как золотые листья с волшебного деревца Страны Дураков.

— Жизнь? Смерть? Добро? Зло?

— Ребя, — заключил Яша-Два, — он знает все слова.

— Знаю, — подтвердил Руслан.

— А написать их можешь?

— На чем?

— На бумаге!

— Конечно.

— Без ошибок? — въедливо допросил Нюма.

— Заткнись, идиот! — застонали два Яши. — Давно тебе корректор нервы не мотал?

— Подумаешь. Всего-то надо две тысячи слов, и хватит для их стихов.

— Значит, так. Руслан! Ты хочешь стать поэтом?

— Самым знаменитым поэтом на всем Кавказе! — уточняет Яша-2.

— Тогда бери еще бутылку коньяка КВВК, — приказал Нюма. — Сейчас мы тебе все объясним.

Они пинают друга под столом и бьют кулаком в плечо.

— За н а ш у победу! — ревет Нюма, и никто не обращает внимания, потому что двенадцатый час, и рев этот нам привычный. К полуночи литератор голосист, как леший на шабаше.

Они сблизили головы над столом и с оглядкой умерили голос:

— Слушай внимательно. Мы — пишем стихотворение. Ты — переводишь его на свой язык. Своими словами, как умеешь, — это не важно. Потом ты публикуешь его дома. Мы научим как. Позвоним кому надо. Ты только переведи и принеси. А потом мы сразу печатаем его на русском языке в московском журнале!

— Мы составляем из таких стихов книжку. И ты подаешь ее на своем языке в свое издательство. Какой у вас свой самый крупный город?

— Махачкала-а... — протянул с облаков Руслан.

— Махачкала! Гениально! Лучше бы Ханты-Мансийск... ну ладно уж.

— Слушай, чувачок, а ты не чеченец? И не балкарец? Не ингуш? Ну слава богу. А то с репрессированными народами есть трудности. Лучше всего, когда о твоем народе вообще раньше не слышали.

По лицу Руслана было видно, как он молча проглатывает обиду за свой маленький гордый народ, о котором вообще не слышали.

— Зато теперь про твой маленький гордый народ узнают все, — великодушно пообещал Яша-2. — С великого и могучего русского языка — переведут на все языки!

Нюма пояснил:

— Как только твоя книга выходит в Ханкале... что? — в Махачкале, — еще бы не вышла! народу нужен поэт! — мы сдаем ее в московское издательство!

— А у него план по расцвету малых народов при социализме!

— И ты, как представитель малого народа, создающий его литературу, автоматом выставляешься на... Ленинскую премию!

— Которую мы честно делим на четыре части, и ты получаешь столько же, сколько мы!

Остапы вытерли свои благородные лбы.

— Ленинская премия — это сколько? — практично спросил кандидат в лауреаты.

— Вы на него посмотрите. Тебе хватит. Сто тысяч рублей устроит? Двадцать пять — тебе.

Материальная сторона вопроса правильно подействовала на молодого, но кавказского человека. Теперь перед ними сидел бизнесмен и партнер. Бизнесмен прикидывал, в чем прикол и можно ли сорвать больше. Партнер деловито спросил:

— А стихи где?

— В Караганде! — хором ответили поэты. — Стихи завтра. Ну так как, Руслан?

— Я не Руслан.

— То есть? А кто?

— Я Расул.

— А почему сказал — Руслан?

— Вы не расслышали.

— А чего ж не поправил?

— У нас не принято поправлять старших. Невежливо.

— Один хрен, Расул. Фамилия твоя как?

Вот так появилась на свет знаменитая некогда книга стихотворений аварца Расула Гамзатова «Высокие звезды», получившая в 1963 году Ленинскую премию, а сам Гамзатов — орден Дружбы народов и скорую мировую славу. Переводчики Яков Козловский, Яков Хелемский и Наум Гребнев стали маститыми и состоятельными, вошли в реестр поэтического мира, а националы стояли к ним в очередь со своими подстрочниками подмышкой.

Характерно, что собственные стихи под собственными именами трех достойных джентльменов успехом не пользовались по-прежнему. Точно найденный образ и имидж Поэта — великое дело.

Но и Гамзатов без них был как скрипач с губной гармошкой, в которой пацаны спичками заткнули дырочки. К его юбилею редактор аварской многотиражки в Дагестане сдуру решил сделать сюрприз. Он раздобыл аварский текст последней поэмы Гамзатова и напечатал ее во весь разворот в один день с публикацией на русском в «Известиях». Сравнение было не в пользу нервной системы. Родной народ расценил параллельные тексты как плевок в душу. Отдел культуры райкома партии гасил скандал. А разъяренный Гамзатов гонялся по улицам и косогорам за редактором, вопя о кинжале и кровной мести.

МИЛИЦЕЙСКИЙ ПРОТОКОЛ

Моя милиция меня бережёт! В чём и отчитывается согласно предписаний. Цивилизованная страна.

Отличие туземного государства от цивилизованного сразу обозначается представителями власти. Цивилизованный полицейский — блюститель и слуга Закона. Туземный цербер — и есть власть, и Закон проявляется в любом его действии и пожелании. Один: что надо — то и делает. Другой: что делает — то и надо.

Русская душа раздирается противоречием. С одной стороны — милиционер есть власть. С другой стороны — власть не всегда есть милиционер. Это ведёт к неврозам у ветеранов милиции.

Милиционер управляется с Законом, как пожарный со шлангом, когда нет воды. Если нельзя погасить, то надо предъявить принятые меры и обматерить стихию. Милиционеров тоже понять можно. Дадут погоны — и живи как хочешь. На горбу погоняет начальство с приказами, а со всех боков обложены инструкциями хуже горчичников. А народ у нас сволочной, слез никто не вытрет. Изобразил как-то сердобольный художник на картине двух целующихся милиционеров — чуть его не посадили, и выставку закрыли.

Растираемый меж жерновов инструкции и здравого смысла, милиционер приобретает взгляд на жизнь не то чтобы безумный, но несколько сюрреалистический. Как любое произведение искусства, милицейский отчет существует в собственной системе условностей.

С иронией переживая собственное положение, милиционер создает литературные шедевры, расширяющие сознание.

1. Русские свиньи

Путешествие из Петербурга в Москву есть важнейшее в русской истории. Здесь ехал Радищев, здесь ехала Анна Каренина, здесь ехало ленинское правительство. Из Москвы в Петербург уехал Петр — из Петербурга в Москву приехал Путин. Фантасмагория!

И вот однажды из Москвы в Петербург поехали свиньи. Нет, на этот раз настоящие. Рыла и хрюканье не имели никакого политического подтекста. Обычное дело.

Почему именно в Петербург, и почему именно из Москвы? Довольно идиотский вопрос. Да, своих не хватает. Петербург большой город, и все хотят есть, к ужасу властей. А в Москве у них сортировка. Не у властей и не у петербуржцев, а у свиней. Хотя у тех тоже. Сердце Родины, всеобщая распределиловка, центральный транспортный узел. Ехали, естественно, по Октябрьской

300

железной дороге. При желании можно усмотреть аллегорию. А лучше не надо.

Но до Петербурга они не доехали. Ничего удивительного. Это наша общая историческая судьба. В смысле? Никак не можем доехать туда, куда вознамерились. Однако хватит философских обобщений.

Итак. Культурная столица России. Питерский получатель подходит к вагону со свиньями. Он сличает номер согласно накладной, и обращает внимание на сорванную пломбу. Требует представителя станции. Они отодвигают дверь — и однозначно видят отсутствие свиней.

Ну... Составляется акт. О том, что пятьдесят голов свиней, порода согласно приложенной фактуры, общий вес в килограммах цифрой и прописью, упитанность средняя, — выехали на поезде из пункта А и не прибыли в пункт Б. Подписывают, ставят печать — и задают милиции условия этой задачи.

Арифметически задача элементарна, а логически решения не имеет. В мире реальных свиней ответ равен нулю, деленному на бесконечность. Согласно старинной народной головоломке: можно ли на ишаке доехать от Ташкента до Москвы? Ответ — нельзя: по дороге его съедят в Воронеже.

И начальник Октябрьского линейного отделения транспортной милиции, барахтаясь в завалах заявлений о краже кошельков и прищемленных пальцах, отпасовывает дело левой пяткой на бегу. Это глухарь. Свиней давно съели. Жаркое — не доказательство.

Алё! — мы ищем таланты. Народ ими не скудеет. В каждом отделении воспитывается такой Гомер, такой Нестор, что классики в раю скрежещут от зависти. Обычно это самый болтливый и растяпистый опер.

И Гомер получает приказ:

— Вот тебе заявление. Сроку — до обеда. Пиши что хочешь, но чтоб эта головная боль на нас не висела.

Литература начинается с социального заказа и бессмысленного взгляда в даль светлую за окном. Затем скидываются, течет огненная вода и зажигает вдохновение! И вот уже швабра в углу превращается в сексуально возбуждающую музу и ведет рукой летописца по невообразимым местам:

«На перегоне Бологое — Гатчина от резкого торможения дверь вагона под силой инерции рванула вперед и порвала контрольную проволоку с пломбой. От толчка задвижка двери выскочила из гнезда, и дверь открылась. От испуга и под действием вагонной качки, некормленные свиньи стали в поисках пищи выпрыгивать из вагона в открывшуюся дверь. В результате проведенных оперативно-следственных мероприятий удалось установить следующее.

Высота пола вагона относительно настила насыпи равна одному и семи десятым метра. Высота насыпи в среднем на указанном перегоне равна двум с половиной метрам. Средняя скорость движения железнодорожного состава на данном перегоне равна порядка семидесяти километров в час, что дает двадцать метров в секунду.

Таким образом достоверно установлено, что покидая вагон со скоростью инерции двадцать метров в секунду на высоте четыре и две десятых метров над уровнем земли, свинья после прыжка приземлялась на расстоянии не менее шести — восьми метров от железнодорожного полотна.

Напоминаем, что зона ответственности транспортной милиции составляет полосу шириной два метра от железнодорожного полотна в обе стороны на межстанционных перегонах.

Таким образом, данное происшествие выходит из сферы ответственности линейной транспортной милиции и по принадлежности должно быть передано в отделение территориальной милиции по месту происшествия с целью установления дальнейшей судьбы московских свиней».

Начальство насладилось заказанной литературой. Народ любит писателя, если тот облегчает народу жизнь. И произведение, как полагается, зажило собственной жизнью отдельно от создателя.

— Подложить свинью ближнему — признак профессионализма, — меланхолично отреагировал начальник территориального отделения милиции. — Но пятьдесят свиней! Лучше б вы сами из вагонов попрыгали... по инерции...

Кому свиная котлета, кому свиной визг. Следующая глава из романа о приключениях хавронек выглядела так:

«По результатам предпринятых оперативно-следственных действий было достоверно установлено, что свиньи находились в вагоне в состоянии скученности и антисанитарии, не будучи снабжены водой. После попадания на землю, стремясь утолить жажду, а также руководимые стремлением к чистоте, как элитные и интеллектуальные одомашненные животные, стоя на ступени развития после обезьян и дельфинов, стадо пошло искать воду. В ночных условиях пустых улиц свиньи не могли спуститься к воде с набережных каналов. Поскольку у свиней остро развито чувство обоняния, стадо шло на запах воды, пока к рассвету не вышло на берег Финского залива. Там они вошли в воду и, будучи прекрасными пловцами от природы на основании веса свиньи ниже удельной плотности воды, стадо свиней в количестве пятидесяти голов уплыло в направлении Кронштадта».

Показания свидетелей, номера паспортов, даты, подписи.

— Р-раскинулось мор-ре шир-роко!.. — глумливо пропел начальник отделения территориальной милиции. — Кто не спрятался — я не виноват.

Кронштадтская милиция избалована островной изоляцией. Покой в базе флота обеспечивает флотская комендатура. После сорок первого года, когда немцы утопили линкор «Марат», ничего страшного в Кронштадте не наблюдалось.

Там обнюхали запрос, как коза стираный носок. И поинтересовались, как следует понимать эвфемизм «плавучие свиньи», и не аналог ли это морских котиков, то бишь боевых пловцов?

Не надо рассуждать, ехидно донеслось из города, надо искать!

Эл-лементарно! Милиция направляет запрос сигнальщикам, то бишь службе наблюдения и оповещения базы: свинок не заплывало?

Свинок? Что вы имеете в виду?

Жирное парнокопытное, (а может и непарнокопытное), с хвостом и пятачком для приготовления отбивных.

На чем заплывало?

Своим ходом. Если только по дороге не захватили корабль.

Просим сообщить номер вашей истории болезни в психодиспансере.

Дайте нам справку про свиней.

С какой целью они могли к нам заплыть?!

Шпионажа!!! Уроды, вам что, справки жалко?

Почему они не утонули по дороге? Кстати, откуда плыли? Их теперь что, откармливают водорослями?

О'кей, ребята, вы победили! Не будьте засранцами, дайте справку. Пожалуйста.

Ага. На флоте постоянно тащат и списывают все, и люди там с пониманием. Начальник службы звонит начальнику милиции лично:

— Слушай, ты что, свинину живым весом списываешь? Кабанчика не подбросишь по дружбе?

— Высоко подбрасывать? Он тяжелый.

«Выписка из вахтенного журнала сигнальной службы Кронштадтской базы Балтийского ВМФ.

С такого-то по такое-то число сего месяца никакая животная хрень на берег не десантировалась, не считая прибитого волнами трупа собаки. Служба велась круглосуточно по всему сектору наблюдения 360° согласно Устава. К несшим службу замечаний и нареканий со стороны командования нет.

Врио капитан второго ранга (подпись)».

От себя, во исполнение служебного долга, милиция присовокупляет, что в результате досконального обыска периметра прибрежной полосы с достоверностью установлено, что как свиней, так и свиных следов, в том числе свиного помета, а равно любых прочих свиных останков не обнаружено, и с достоверностью, стало быть, установлено, аж всем отделом на карачках ползали и носом рыли, что на берег доблестного Кронштадта косяк свиней плавучих в количестве пятидесяти голов не высаживался. Подпись, печать. Задавитесь.

Таким образом, если комплексом проведенных оперативно-следственных действий достоверно установлено, что свиньи в воду вошли, но из воды не вышли, дело передается на доследование в управление водной милиции.

Теперь представим себе литературный праздник в отделе водной милиции. Детектив читали вслух и рецензировали поглавно. Били по столам и всхлипывали. Продолжение следует.

С весельем и отвагой! — направили служебные запросы в финское консульство, а также в береговую охрану и Министерство внутренних дел Финляндии. Свинок из России не заплывало?

Финны, как впрочем и эстонцы с латышами, на словосочетание «русские свиньи» реагируют неадекватно. У них возникают нервные исторические ассоциации. Возбуждаются травмированные клетки мозга. Поэтому их ответы отличаются непроизвольной лиричностью, выбивающейся из сухого стиля деловых бумаг.

Министерство внутренних дел Финляндии учтиво извещает, что радо вступить в контакт с коллегами из России. В течение десятилетий между нашими странами преобладает дух взаимопонимания и сотрудничества. За взаимовыгодное экономическое партнерство всегда благодарны талантливому народу великой России. И никаких таких особых эксцессов со стороны российских граждан в последнее время не зафиксировано. Поведение русских туристов более-менее прилично, мусорят они не больше арабов, и даже проститутки хотят организовать профсоюз и платить налоги. А если кто где и нажрался, то это пустяки, дело житейское. Так что милости просим.

Береговая пограничная служба Финляндии докладывает, что никакие русские пловцы территориальных вод и береговой черты Финляндии не нарушали, тактично обходя вопрос о принадлежности пловцов к какому-либо конкретному биологическому виду. А если кто и заплыл, тоже нестрашно, нет проблем, мы претензий не имеем. Что же касается незаконных нарушителей границы — будем и впредь выдавать обратно согласно международному договору, не волнуйтесь.

Консульство извещает, что как к финским туристам, так и к сотрудникам консульства, которые в состоянии алкогольного опьянения нарушают общественный порядок Санкт-Петербурга, культурной столицы России, неизменно принимаются карательные меры. Сотрудничество с органами российской милиции и «вытрезвителями» крепнет и совершенствуется. К справедливой критике отдельных наших несознательных граждан всегда готовы. К вашим услугам.

Эти письма капают на серый быт милиции, как птичий помет на галстук. Птичье упоминание неслучайно — образуется глухарь. Глухарь — это когда начальство абсолютно глухо к твоим доводам и орет бешено про раскрываемость. Тот парень, от вопля которого «Сезам, раскройся!!!» — трескалась гора и обнаруживала награбленные сокровища, скорее всего работал в отделе статистики городского УВД.

— А теперь вы пишите!!! Мне плевать, что вы напишете!!! Мне надо, чтоб нераскрытых дел не было!!! План!!! Премия!!! ...у порву!!! Хоть вы этих свиней в депутаты Думы запишите, но чтоб не висели!!!

Как спрятать концы в воду? Войти в нее и не выйти.

«В результате предпринятых оперативно-следственных мероприятий с достоверностью установлено:

04 июля сего года между семь и восемь часов утра, стадо свиней в составе 50 голов вошло в воду Финского залива в районе 4 км Ораниенбаумского шоссе, с целью утолить жажду водопоем вследствие пресности воды в Финском заливе. Температура воздуха в тот день, согласно сводкам Метеостата, равнялась до 29°С. С целью укрыться от жары животные вошли в воду.

В комфорте прохладной среды, постепенно двигаясь за боровом-вожаком дальше в воду, свиньи поплыли, имея направление в сторону Кронштадта. Затем, вследствие усиления западного ветра, косяк свиней изменил курс по направлению к Финляндии.

Волнение в этот день равнялось 2 балла, а после полудня и ближе к вечеру достигло 3,5 балла, высота волны 0,9—1,1 метра. Не обладая необходимой мореходностью и опытом в преодолении морских пространств, свиньи постепенно сбились с пути, выбились из сил, и в борьбе с водной стихией постепенно вынуждены были утонуть».

«Приложение 1. Сводка Метеостата за 04.7.03.

Приложение 2. Показания ночного сторожа магазина «Лена».

Приложение 3. Отчет о проведении водолазно-спасательных работ.

Приложение 4. Акт ветеринарной экспертизы об идентификации извлеченных со дна Финского залива костей как останков свиных скелетов давности начала июля месяца сего года».

Такая евангельская притча об изгнании бесов!

2. Сумчатое

Природа — обалденная! Луговые травы, кузнечики, прибрежные кусты, медленный речной плеск. Закинуть удочки, открыть бутылочку, растянуться на песочке... А на бережочке — синеет под листвой, манит габаритом — невесть откуда здоровенная сумка, не то спортивная, не то багажная. Ну-ка, осторожно, открыть ее!

А-й?.. Кх-х-х.   А-А-А!!!

Тятя-тятя, наши сети притащили мертвеца. Ас Пушкин. (И в распухнувшее тело раки черные впились.)

Черный, жуткий, обмотан скочем. Ффф-ффух — а вот и запах. Зовите милицию, нечего ей розами дышать.

Ну что. Невидаль. Поплавок. Протокол, улыбочку — фото на память.

Мертвец осмотрен, описан, оприходован. Он лежит в этой сумке в позе зародыша, обмотанный скотчем, как кокон. На нем лица нет (работа располагает к цинизму). И отпечатков пальцев уже нет. И кто б мог подумать — документов тоже нет. И то сказать — он сюда не на работу устраиваться приплыл.

Он молчит и не сотрудничает со следствием. Он не опознается, не идентифицируется, не определяется по картотеке. Зоя Космодемьянская.

Кто его упаковал и утопил?.. Где убийца, где злодей... не собрать ему костей... Вопрос риторический. Страна огромная, одних утопленников двадцать тысяч в год, тридцать тысяч убитых, шестьдесят тысяч пропавших без вести. На любой риторический вопрос милиция обязана давать жизнеутверждающий ответ!

Приезжают в отделение, сбрасываются на бутылку и начинают брэйн-штурм. Разгадывание ребуса переходит в слагание романа-буриме из жизни русалок.

— Как человек попадает в реку? Элементарно, Ватсон! Как Буратино. Или Ельцин. Упал с моста!

— Да, но зачем перед падением он влез в сумку и застегнулся?

Пронзают пространство дерзкой мыслью.

— А сумка проплывала внизу...

— И он в нее прицельно сиганул, сжался внутри и застегнулся.

Необходимо налить. Так смеются палачи над муками жертвы.

— Сумка висела на опоре моста. Ниже настила. Там торчал брус. Она старая. Ее кто-то выкинул.

— С моста?

— С моста! И она зацепилась. Ручкой. За брус.

— Открытая?

— Естественно. Зачем выкидывать закрытую.

Выкидывать сумку с моста не запрещено. Все смакуют.

— Так. Он пошел по мосту. И упал. В сумку. А почему не остался висеть?

— Бугай! Ручка оборвалась от рывка.

— Допустим. А как он обмотался?

— Случайно. Прилип!

Рабочий день уже кончился. Бутылка тоже. Джеки-потрошители пишут полотно «Последний день Помпеи». Учебник суицидологии в примерах и картинках. Занимательные истории из жизни самоубийц.

«Неустановленное лицо мужского пола стояло на мосту, по которому данный мужчина проходил по личной надобности в рамках действующего законодательства. Остановившись у перил с целью отдыха и любования окружающим пейзажем вида с моста на реку и город, руками неустановленное лицо одновременно стало также производить манипуляции с лентой скотча, возможно имея в виду хозяйственные потребности, разматывая ленту из рулона и примеряя к неустановленным надобностям по мере удлинения.

Порывом ветра над рекой лента прилипла к телу пострадавшего, и в результате беспорядочных и частично панических движений для освобождения наступило частичное обматывание туловища и конечностей.

В процессе этой борьбы неустановленное лицо мужского пола потеряло равновесие и упало через перила моста вниз, в направлении поверхности воды реки внизу протекающей.

В процессе полета пострадавший вошел в контакт с сумкой, висевшей на брусе, выступавшем из опоры моста, на одной ручке в состоянии с открытой молнией, выброшенной ранее по причине изношенности другим неустановленным лицом, в составе действий которого состав преступления отсутствует.

Попав в открытую сумку с высоты более трех метров и веса около восьмидесяти килограммов, от сильного рывка телом ручка оборвалась, и сумка с телом внутри упала в воду.

Скорость течения реки на этом участке достигает шести километров в час, средняя глубина у берега незначительная, дно каменистое. Уносимая течением сумка с застрявшим внутри телом, обмотанным скотчем до состояния достаточной беспомощности, не в силах оказать противодействие возникшим обстоятельствам, молния сумки постепенно застегнулась от трения по камням дна.

Тело внутри, оказавшись без кислорода для дыхания в воде и закрытой сумке, было вынуждено прекратить свою жизнедеятельность.

В действиях покойного состав преступления отсутствует, вследствие чего для возбуждения уголовного дела оснований нет, классифицируется как несчастный случай.

Акт медицинской экспертизы об утоплении как причине смерти трупа прилагается».

3. Пистолет

1. Осмотр места происшествия.

«В результате осмотра места происшествия на обочине дороги рядом с проезжей частью находился в лежащем положении труп гр. Тихонова Б.А., 1971 г.р., что подтверждается наличием паспорта, обнаруженного в правом внутреннем кармане пиджака, труп лежал на спине, с пулевым отверстием посреди лба. По заключению экспертизы, смерть трупа наступила мгновенно вследствие проникающего в мозг пулевого ранения головы, несовместимого с жизнью.

В радиусе десяти метров от трупа гр. Тихонова Б.А. лежали трупы гр.гр. Смирнова С.С., Романова Н.Г., Вологдина Н.Р., Рахманова А.Р. и Гохно Ю.В. Все они также имеют пулевое отверстие посреди лба, лежа в разных позах.

В результате проведенных оперативно-следственных мероприятий установлено, что убитые являлись членами ОПГ так называемых кузьминковских. Смерть трупов наступила мгновенно. Все они имеют при себе документы, удостоверяющие личность, и короткоствольное стрелковое нарезное оружие при отсутствии разрешений, не зарегистрированное в милиции. Оружие применено не было, следов нагара в каналах стволов не обнаружено».

2. Объяснительная записка.

«Я, Якимов Дмитрий Олегович, 1968 г.р., житель г. Москвы, 19 сентября сего года шел по обочине дороги в свободное от работы время с целью прогулки. На обочине дороги я увидел большой черный пистолет неизвестной мне системы. Будучи законопослушным гражданином, я поднял этот пистолет с целью сдать его в органы милиции. Поскольку я боюсь оружия, я не решился положить пистолет в карман, а нес его в руке.

Так как я не знаю, где находится наше районное отделение милиции, я пошел с целью сдать найденный пистолет на Петровку, 38.

Через некоторое время, которое точно указать не могу, поскольку не помню, я услышал сзади догоняющие шаги нескольких человек. Поскольку начинало смеркаться, а место было пустынное, я испугался и побежал, не реагируя на крики сзади «стой!».

От испуга я, вероятно, слишком сильно сжал пистолет в руке, и неожиданно для меня он вдруг стал стрелять. Одновременно я пытался на бегу обернуться, чтобы рассмотреть догонявших, но от торопливости толком так и не обернулся, поэтому ничего как следует так и не рассмотрел.

Пистолет выстрелил несколько раз и перестал. Я бросил его и побежал, находясь в испуге и желая как можно дальше удалиться с места происшествия.

Попали ли выстрелы из пистолета куда-нибудь, я не видел, и сообщить по этому поводу ничего не могу».

3. Характеристика с места работы.
«Якимов Д.О. характеризуется начальством и товарищами по работе как исполнительный производственник, активный член коллектива и хороший семьянин. Все поручаемые ему задания выполняет в срок при хорошем качестве, к делу подходит творчески. Якимову Д.О. свойственно рационализаторское отношение к работе, стремление к экономии материалов.

Выговоров и взысканий по работе не имел. Пользуется заслуженным уважением товарищей. Скромен в быту, много времени уделяет воспитанию детей.

Ведет здоровый образ жизни и пропагандирует его. Активный спортсмен, мастер спорта по пулевой стрельбе, призер многих соревнований, чемпион района и города по стрельбе из пистолета».

ЗЛАТОУСТ

Мы продолжаем то, что мы уже много наделали.

Виктор Черномырдин

Выжить можно только одним способом — через обман.

Юрий Лужков

В России должна быть обеспечена преемственность власти. Если этого не случится, то в России произойдет расправа.

Борис Березовский

Я не из тех людей, чтобы доводить до мордобоя, я извиняюсь за это слово. И мордобой-то опять не они же бы, не их же! Если бы их бы там навесить — это бы с удовольствием! А те мордобой-то, в мордобое люди же бы участвовали: народ как всегда.

Виктор Черномырдин

В этом и есть суть истинной демократии. Подогнал авианосцы, нанес ракетный удар, после чего собрал корреспондентов и поставил им задачу аплодировать. Учиться надо!

Александр Лебедь

А пресса не должна тешить себя иллюзией, будто она — четвертая власть. Вы ничего не значите!.. Да плевать на эту четвертую власть!

Руслан Хасбулатов

Я люблю журналистов, которые делают честные репортажи. Как Джон Рид: сделал репортаж, умер, похоронили.

Владимир Жириновский

Чем больше вы будете все знать, тем легче нам будет жить. Или, может быть, нам легче умереть будет. Одно и то же.

Рем Вяхирев

Всякая наша чушь, которая здесь произносится, она тиражируется с огромным удовольствием.

Геннадий Селезнев

Печатный станок стоит в задней комнате у президента.

Александр Шохин

Президент наш абсолютно девальвировался.

Геннадий Зюганов

Я буду самым дешевым президентом!

Владимир Брынцалов

Никакой я вам не ум, не честь и не совесть. Хватило уже и ума, и чести, и совести.

Александр Лукашенко

У президента единственная проблема: нет аппетита, зато появилась злость.

Татьяна Дьяченко

Каждый баран, извините, должен носить свои рога.

Александр Лебедь

Я говорю президенту России: ты мой старший брат! Он этого очень боится.

Александр Лукашенко

Спекся дедушка. Скоро отставят.

Александр Лебедь

Я признаю роль личности в истории, особенно если это президент.

Виктор Черномырдин

Я — за стабильность. Но не только сохранить кресло под задом сегодня, а хотя бы и завтра тоже...

Александр Лебедь

Я бы реабилитировал Кащея Бессмертного.

Владимир Жириновский

Переживем трудности. Мы не такие в России россияне, чтобы не пережить.

Виктор Черномырдин

Президентомания, наряду со СПИДом, туберкулезом и кариесом входит в число главных заболеваний в стране.

Геннадий Зюганов

Каждый, кто выступает за сохранение поста президента или хочет занять пост президента, является врагом народа.

Виктор Анпилов

Дайте я скажу то, что сказал. Говорю то, что думаю. Точно так же, когда обо мне говорят, что думают, а даже не думая, говорят. Почему же, думая, не могу сказать?

Михаил Горбачев

Как говорят у нас на Руси, мы с премьером работаем в одну дуду.

Борис Ельцин

Ну не может человек мычать и насвистывать, изображая свою государственную принадлежность.

Сергей Бабурин

Правительство — это не тот уровень, где, как говорят, можно только языком.

Виктор Черномырдин

Таким членам обрезание надо делать... языка.

Леонид Кучма

Если я еврей, чего я буду стесняться! Я, правда, не еврей.

Виктор Черномырдин

Вы меня, пожалуйста, в честности не упрекайте!

Геннадий Селезнев

Лучше полезть в карман за словом, чем за кошельком.

Владимир Брынцалов

Если вы видите, что власти недорабатывают, то толкайте их в спину!

Борис Ельцин

Все ваши предложения мы поместим в одно место.

Виктор Черномырдин

У меня к русскому языку нет вопросов. Нету вопросов!

Он же

Содержание

ПУТЕВОДИТЕЛЬ ПО ВЕЛЛЕРУ
книги, похожие и не похожие на эту

для хорошего настроения

Легенды Невского проспекта

для поддержки духа

Приключения майора Звягина

для ума

Все о жизни

для чувств

О любви

для души

Великий последний шанс

для знания

Гражданская история безумной войны

для мечты

Гонец из Пизы

для ужаса

Б.Вавилонская

для суровости

Самовар

для хулиганства

Забытая погремушка

для эстетического наслаждения

Хочу быть дворником

для литературного кругозора

Перпендикуляр

А также

«Ножик Сережи Довлатова», «Разбиватель
сердец», «Жестокий», «Махно», «Мое дело»,
«Долина идолов», «Кассандра», «Смысл жизни».

Литературно-художественное издание

Веллер Михаил

Легенды Арбата

Компьютерный дизайн и верстка: С.В. Шумилин

Общероссийский классификатор продукции
ОК-005-93, том 2; 953000 — книги, брошюры

Санитарно-эпидемиологическое заключение
№ 77.99.60.953.Д.012280.10.09 от 20.10.09 г.

ООО «Издательство АСТ»
141100, Россия, Московская обл., г. Щелково, ул. Заречная, д. 96
Наши электронные адреса: WWW.AST.RU E-mail: astpub@aha.ru

Широкий ассортимент электронных и аудиокниг
ИГ АСТ Вы можете найти на сайте www.elkniga.ru

ООО Издательство «АСТ МОСКВА»
129085, г. Москва, Звездный б-р, д. 21, стр. 1

Отпечатано на ОАО «Нижполиграф»
603006 Нижний Новгород, ул. Варварская, 32.